선인장의 섬

김길원 장편소설

선인장의 섬

초판 1쇄 인쇄 2016년 8월 27일
초판 1쇄 발행 2016년 9월 10일

지 은 이 김길원
디 자 인 박애리
펴 낸 이 백승대
펴 낸 곳 매직하우스

출판등록 2007년 9월 27일 제313-2007-000193
주　　소 서울시 마포구 월드컵로 28길 33(성산동)
전　　화 02) 323-8921
팩　　스 02) 323-8920
이 메 일 magicsina@naver.com
I S B N 978-89-93342-57-4

선
인
장
의

섬

0° 신인류

애초에 이 일이 어떻게 일어나게 되었는지는 아무도 모른다. 아니, 정확히 말하자면 이 일이 일어나고 있는 중에도 사람들은 무슨 일이 진행되고 있는지도 몰랐다. 이미 한참의 시간이 지난 후에야 무언가 일이 돌아가는 것이 심상치 않다고 느낀 몇몇 사람들이 그제야 그것에 대해 경고하고 확인 해보기를 촉구했지만, 그때까지도 대부분의 사람들은 그저 다른 사람들이 그들의 의지로 조절하고 있는 것이라 생각하여 그리 심각하게 여기지 않고 그들을 비난하는 것에 멈춰 섰었다. 한참 후에야 그런 것이 아니라고 깨닫게 되었지만 그때까지도, 사람들은 금세 자연히 나아지리라 생각하거나 그게 아니더라도 다른 누군가가 이 문제를 해결해 줄 것이라 생각했다. 하지만 아무리 긴 시간이 흐르고, 많은 사람들이 그 문제에 매달렸음에도 문제가 점점 더 심각해져만 가자 그제야 각자의 삶에 흩어져 있던 사람들의 시선은 모두 이 사태에 집중되었다. 그렇지만 이미 그때는 손쓸 수 없을 만큼 늦어버린 후였다. 결국 그렇게 인간은 더 이상 아이를 낳을 수 없게 되었다.

사실 이렇게 되기까지는 백 년이 넘는, 제법 긴 시간이 걸렸다. 하지만 대부분의 사람들은 그 마지막 십여 년이 돼서야 심각성을 체감했다. 처음 문제가 제기될 때까지만 해도 사람들은 그저 사람들이 아이를 많이 안 낳으려고 하는구나 라며 그 사람들에게 비난의 화살을 돌렸지만 그것은 그들의 잘못은 아니었다.

또 사실 처음 몇 십 년 간은 그 문제가 언급될 때면 그저 혀나 끌끌 찰뿐이지 그렇게까지 눈에 띄게 사람들의 삶에 크게 영향을 주는 것은 아니었다. 아직까지는 시간이 많다고 느끼기도 했고, 그 영향이 자신들에게는 직접적으로 나타나지 않았기 때문이다. 물론 이미 그때부터 그 문제를 해결하려고 했던 전문가들도 있었다. 또한 그때 그 모든 사람들이 한마음으로 문제가 심각하다고 느꼈다 한들 이 사태를 해결하는데 아무런 도움이 되지 않았을 수도 있다. 하지만 어쨌건 결국에 문제는 일어났고, 어떤 사람도 그 피해에 예외가 되지는 못했다.

마지막의 마지막이 돼서야 사람들은 오염된 환경의 영향이다, 새로운 전염병이다, 화학무기의 실험, 신약의 부작용, 신 혹은 악마의 저주, 너무 많아져 버린 인구를 줄이기 위한 지구의 자구책 등등 자기들 나름대로의 갖가지 가설로 그 상황에 대한 원인을 갑론을박하며 찾아봤지만 오직 인간만이 아이를 낳지 못하는 이 현상에 대해 어느 하나, 누구 하나 이것이 진짜 이유다라고 정확히 말해주지는 못했고, 어떠한 약이나 주사로도 나을 수 없고, 심지어 인공수정이나 기타 여러 가지 과학적이고 의학적인 방법조차도 아무 도움이 되지 않는 이 사태에 대해 해결해 줄 수 있는 것은 아무 것도 없었다.

그렇게 결국은 아무런 해결책도 없는 상태에서 인구는 줄고 줄어 인류의 생활반경은 물론 생활수준, 과학, 학문 등등 이제껏 인류가 이루어 놓은 것들은 정체를 거쳐 퇴보하기 시작했고, 희망을 잃은 사람들은 좌절을 거쳐 극단적으로 변해갔다. 어떤 이들은 자포자기의 심정으로 닥치는 대로 살며 이것저것 망가뜨려대는 반면에 여기저기에 자신과 인류가 살아온 흔적들을 남기는 데 집착하는 사람들도 생겼다. 물론 다른 형태로 살아가는 사람들, 예를 들어 그냥 아무 일도 없는 듯이 살거나, 종교에 심취하거나, 끝까지 희망을 놓지 않고 연구하는 사람들도 있기는 했지만 시간이 흐르면서 사람들의 삶은 결국 그렇게 두 가지의 형태로 수렴하게 되었다. 그 두 집단은 사사건건 대립하고 싸웠고, 그로 인해 날이 갈수록 사회는 삭막하고 위험하게 변해만 갔다. 하지만 그런 다툼들은 딱히 어떤 계기랄 것도 없이 마지막으로 낳아진 세대의 사람들이 늙어감에 따라 그냥 저냥 사라지게 되었다.

그렇게 사람들이 대부분 사라지고, 인류의 얼마 남지 않은 마지막 세대가 늙어 죽음을 앞두며, 인간 시대의 끝을 맞이하려고 했을 때, 그들에게 기적이 일어났다. 난데없이.

마치 말라비틀어진 고목에 새싹이 돋아나듯 그들의 쭈글쭈글한 왼편 옆구리에서 작은 혹이 탱탱하게 솟아오르더니 그것은 점점 커져 점점 어떤 모양이 되려는 듯 이리 꺼지고 저리 자라 올랐다. 처음에 그 기괴한 모양을 본 사람들은 또 다른 새로운 질병이거나, 혹은 마지막 인간 세대에 대한 저주일지도 모른다고 했지만, 사실 그렇다고 해도 이미 그것이 어떤 것인지 알아보거나 떼어낼 의지나 능력 따위는 그들에게 남아있지 않았다. 그저 그런 채로 내버려 두고 무기력하게 삶의 마지막을 기다리는데, 그 혹이 꿈틀대기 시작했다. 그리고 어느덧 그 모양은 변하고 변해 아기의 상체가 됐다. 옆구리에서 불쑥 튀어난 작은 아기. 그 뜬금없고 믿을 수 없는 상황에 다들 어리둥절했지만 어느새 점점 자라 말을 하기까지 하는 그 새로운 생명들은 절망했던 사람들에게 살아가는 힘이 되었다. 사람들은 그렇게 붙어서 함께 살아가는 생명들에게 남은 힘을 모두 모아 키우며 혹시나 하는 희망을 가졌고, 그 희망에 부응하듯 그 생명들은 계속 커져갔다. 그렇게 점점 자라남에 따라 옆으로 누워있던 아기들의 상체는 점점 수직에 가까워지는 방향으로 세워지게 되었고, 반대로 원래의 몸의 주인들은 반대편으로 눕혀지게 되었다. 새로운 생명의 상체가 원래 주인보다 더 높이 일어서게 되었을 때 몸과 다리의 주인은 그들로 바뀌게 되었고, 그들이 땅으로부터 꼿꼿이 일자로 설 수 있게 되었을 때 원래의 주인은 반대쪽으로 완전히 누워 종국엔 몸으로부터 떨어져나가 사라지게 되었다. 그리고 얼마 후 또 다시 새로운 생명은 그들의 옆구리에서 태어나고, 자랐고, 그들이 사라지고 나서는 또 다시 다른 생명이 태어나고 자라나게 되어 인류는 그렇게 다음 세대로 다리와 이름을 넘겨주며 그 명맥을 계속 이어갈 수 있게 되었다.

다만 그렇다고 해도 인구가 그대로 유지가 되는 것일 뿐 더 늘어나는 것은 아니었기에 얼마 남지 않았던 사람들끼리 옛 도시에 최대한 똘똘 뭉쳐서 새로운 도시를 만들어 조심스럽고 또 안

전을 기하며 살아갔고, 그 도시들은 예전 사람이 사람을 낳을 수 있었던 시절만큼은 아니더라도 활기를 띄우며 살아가게 되었다. 그럼에도 불구하고 언제 다시 이 희망이 끊어질지 몰라 긴장과 두려움은 항상 그들의 마음 속에 존재했다. 어떻게 사람이 옆구리에서 솟아날 수 있는 것인지는 여전히 이해할 수 없었고, 과거의 어떤 기록에서도 이런 일을 말하는 것은 없었으니 어느 날부터 새로운 생명이 옆구리에서 안 나오거나, 어느 날 갑자기 사람들이 그냥 다 떨어져 나가버린다 해도 그들은 그냥 넋 놓고 쳐다볼 수밖에 없을 것이다. 하지만 어떻게든 인류는 계속 살아 갈 수 있었고, 그렇기에 남아 있는 사람들은 다시 언제 올지 모르는 멸종에 대한 불안함보다는 현재의 삶을 이어가는 것에 충실했다. 이미 많은 부분을 잃어버리긴 했지만, 남아있는 지식과 문화, 생활들을 다음 세대로 전달하는 것, 그것에 집중하며.

그런 식으로 몇 번씩 세대가 거듭되고 삶이 이어졌을 때, 나는 그렇게 그의 왼편 옆구리에서 버섯처럼 태어났다.

15° 첫출근

"자, 이제 일어나야지. 눈 뜨고, 정신 차려."

"응? 응. 알았어."

욕실 안에서 한 쌍의 남자 아니, 하나의 다리에 두 개의 상체를 가진 남자가 함께 이를 닦고 있었다. 한 명은 덩치가 크고 거의 꼿꼿이 서있었지만, 다른 한 명은 태어난 지 얼마 안 된 듯 아주 작고 바닥에 거의 수평을 이룰 듯 눕혀져 있었다. 그 작은 아이는 아직 잠에 취해 눈을 제대로 뜨지 못했고, 경쾌한 듯 밝은 다른 이의 목소리와는 달리 무기력하게 대꾸했다.

"근데, 더 자면 안 돼? 오늘은 왜 이렇게 아침 일찍부터 일어나서 이러는 거야?"

"오늘부터 다시 회사에 출근한다고 내가 어제부터 계속 이야기 했잖아."

큰 남자는 작은 아이를 부드러운 목소리와 가벼운 미소로 달래며 가르치듯 이야기 했다. 하지만 작은 아이의 칭얼대는 소리는 끝나지 않았다.

　"그러니까 출근을 왜 이렇게 아침 일찍 하는 거야? 좀 더 푹 자고 천천히 가도 되잖아."

　"원래 출근은 아침에 하고, 낮에는 일을 하고, 퇴근은 저녁에 하는 거야."

　"왜?"

　"원래 그렇게 하는 거야."

　"왜?"

　"다들 그렇게 하니까, 우리도 그렇게 해야 되는 거야."

　"왜 다들 그렇게 하는데?"

　"그게 약속이고 규칙이니까."

　"그러면 꼭 그래야 돼?"

　"응, 그래야 하는 거야."

　점심 때나 돼서야 눈을 제대로 뜰 수 있을 것 같았던 그였지만, 아직 어린 아이는 아이인지라 정신이 들자 언제 그랬냐는 듯, 금세 활기를 띠었다. 누구나 다 그렇듯 새로운 세상을 처음 보게 되는 아이의 눈에는 모든 곳에 호기심을 가지고, 궁금해 할 만 한 거리들로 가득 차 있다. 그도 당연히 예외가 아니기에 그가 태어나서 며칠간의 휴가를 받아 집 안에 머무르는 그 짧은 며칠간의 시간, 그 작은 세상 안에서도 줄곧 묻고 싶은 것이 차고 넘쳐 항상 입에는 '이게 뭐야?' 혹은 '왜?' 같은 질문들을 징그러울 정도로 달고 살았다. 그럼에도 그의 가족들은 언제나 그게 마치 기쁨인 양 그리고 자신의 일인 양 다들 친절하게, 성심을 다해 대답을 하고 가르쳐줬다. 그럼에도 그의 궁금증은 멈추질 않았고 질문들은 꼬리에 꼬리를 물고 계속 이어졌다.

예를 들면 맨 처음에 그의 옆에 함께 있는 큰 환이 그에게

"환아."

하고 불렀을 때, 그는 그의 말에 대답하기 보다는.

"내 이름은 왜 환이야?"

라고 물었었다. 그럼 큰 환은

"우리 이름은 환이야. 넌 작은 환, 난 큰 환. 다음에 네가 크고 다음 환이 태어나면 그때는 네가 큰 환, 그리고 새로 태어난 환이는 작은 환. 내 앞의 사람도 환이었고, 앞으로 태어날 사람도 다 환이야. 우리는 계속 같은 이름을 쓰는 거야."

이렇게 대답을 했다. 그럼 다시 작은 환은 묻는다.

"왜?"

"왜냐하면 너는 나고, 나는 너니까. 우리는 같은 사람이야."

"그건 왜 그래?"

"왜냐하면 우리는 같은 다리로 걷고, 같은 이름을 쓰고, 같은 가족과 살고, 같은 집과 같은 직장에 있으니까."

"그럼 귤이들은 뭐야?"

"귤은 가족이지."

"가족? 가족은 뭐야?"

"같은 집에서 같이 사는 사람. 내 앞에, 앞에, 앞에 훨씬 이전

부터 쭉 같이 했고, 앞으로도 계속 쭉 같이 할 사람."

"왜?"

계속해서 묻는 작은 환의 질문에 이제까지 막힘없이 대답을 해주던 큰 환도 슬슬 어려움을 느끼기 시작했다. 잠시 뜸을 들이고 생각을 한 후 다시 대답을 이어갔다.

"음.. 그건 왜냐하면 가족이고, 사랑하니까."

이제 슬슬 지칠 만도 한데, 작은 환의 질문 공세는 멈출 줄을 몰랐다.

"왜 가족은 계속 그래?"

작은 환의 질문이 계속 될수록 큰 환의 생각하는 시간은 점점 길어졌다.

"음. 그건 왜냐하면 가족은 원래 그래야 되는 거니까. 예전부터 쭉 그래왔고, 앞으로도 계속 그래야 되니까."

"다 옛날부터 그런 거야? 안 그러면 안 돼?"

"왜? 싫어?"

"맨날 똑같잖아."

"그래서 좋은 거야."

"그래? 왜?"

"계속 같이 있을 수 있잖아. 그래서 서로 더 잘 알고, 더 많이 정도 드는 거지."

"그래? 그렇구나."

폭죽처럼 계속 터지던 작은 환의 질문 세례가 잠시 잠잠해지자 큰 환은 이제 끝났구나 싶어 내심 안도의 한숨을 내쉬었다.

"근데 작은 귤은 왜 그래?"

이제 끝났구나 하고 마음을 놓고 있던 큰 환은 갑자기 작은 환이 질문을 다시 시작하자 허탈한 웃음을 지으며 되물었다.

"작은 귤이 왜?"

"작은 귤은 나 미워해."

작은 환은 지금 생각해도 화가 나는지 잔뜩 인상을 찌푸리며 말했다. 그러자 큰 환은 그를 달래듯 부드러운 목소리로 말했다.

"아니야. 작은 귤이 왜 널 미워해?"

"그럼 왜 나한테 계속 무서운 눈으로 노려보면서 나쁜 얼굴을 하고 있어. 맨날 나만 보면 뭐라 그러고, 바보라 그러고."

"아니야. 작은 귤도, 큰 귤도 다 널 좋아해. 나만큼이나."

"어, 저건 뭐야?"

작은 환은 큰 환의 대답을 채 다 듣지도 않고 옆으로 누운 몸을 일으키려고 낑낑대며 찬장에 올려진 TV를 가리켰다. 그것이 느껴진 큰 환은 대답을 멈추고 웃으며 자신의 몸을 오른쪽으로 기울여 작은 환을 똑바로 설수 있게 해줬다.

"어때, 잘 보여?"

"응. 잘 보여. 근데 저건 뭐야?"

"TV. 이건 지난번에 설명해 줬잖아."

"아니. 그거 말고. 지금 TV에서 하는 거."

"아, 그건 뉴스. 세상의 소식들을 다 모아서 보여주는 거야."

"지금 나오는 저 사람들은 뭐야?"

거기엔 환처럼 상체가 둘인 한 쌍의 남녀가 앉아있었고, 그 둘의 웃는 모습을 배경으로 무언가 장황하게 설명하는 여자 아나운서의 또랑또랑한 목소리가 들렸다. 누구보다 화려하게 잘 차려 입은 그들의 모습에 조명 또한 밝게 비춰주니 작은 환의 시선이 자연스레 그곳으로 향한 것이었다.

"아, 저 사람들. 저 사람들은 수호 부부고, 우리 도시의 지도자야. 멋지지?"

"지도자?"

"응, 우리를 이끌어가고 책임져 주는 사람. 우리 도시의 중요한 결정들을 결정하는 사람. 음, 또 우리한테 나쁜 일이 일어나면 우리를 지켜주고, 보호해주고, 또 나쁜 사람들을 혼내주는 사람. 우리가 이렇게 잘 살 수 있는 것도 옛날부터 저 수호가 우리를 보살펴주고 지켜줘서 그런 거야."

"그래? 그렇구나."

작은 환은 큰 환의 말에 별 감흥 없이 대답했다. TV 속의 뉴스는 그들의 모습을 다 보여준 후 오늘 아침, 이 도시의 인구가 오십만천백사명이라는 사실을 기계적으로 두 번 반복해 말해주며 끝이 났고, 뉴스가 끝나자마자 큰 환은 TV로 다가가 그것을 껐다. 큰 환은 잠시 동안 작은 환이 아무 말도 없자 무엇 때문인가 그를 쳐다봤다.

"근데 왜 나는 이렇게 누워 있는데, 너는 왜 똑바로 서있어?"

어느새 작은 환의 관심이 다른 곳으로 넘어간 것이었다. 큰 환은 그의 질문이 재미있는 것인지, 아니면 금방금방 바뀌는 그의 관심사가 웃기는 것인지, 아니면 갑자기 조용해진 그에 대해 팬

한 걱정을 한 것이란 생각이 들어서 인지 웃으며 대답했다.

"너도 이만큼 크면, 똑바로 설 수 있어. 그럼 난 이쪽으로 누울 거고."

"그럼 우리는 못 만나?"

"못 만나기는. 우리 계속 이렇게 붙어 있는데."

"그럼. 그러니까 우리 둘 다 똑바로 서는 건 안 돼?"

"그건 안 돼. 네가 이만큼 올라오면 난 이만큼 내려가야 돼."

"왜?"

"그건 아무도 몰라. 왜 그런지는. 옛날 이야기를 하면 긴데, 먼 옛날에는 사람은 따로따로 살았는데 합쳐지면서 이렇게 됐어."

"나도 얼른 컸으면 좋겠다. 그럼 내가 가고 싶은 대로 걸어갈 수 있다 그랬지?"

"응, 그래. 근데 네 생각 하는 만큼 좋지는 않아."

"그래도 얼른 되고 싶다. 아, 귤이 왔다."

어느새 그들의 뒤편에 그들처럼 상체가 둘인 사람이 방문을 열고 서 있었다. 다만 그들과 다른 것은 그녀들이라는 것과 그녀들은 좀 더 나이가 들어 그들보다 오른쪽으로 더 기울어져 있다는 것이다.

부드러운 인상의 큰 귤은 웃으며 환들에게 말을 걸었다.

"무슨 이야기를 그렇게 재미있게 하길래 우리가 오는 줄도 모르고 있어?"

"나도 빨리 커서 똑바로 서고, 내 마음대로 가고 싶다는 이야기 하고 있었어."

"그게 빨리 되고 싶다고 맘대로 되니?"

작은 환보다 조금 더 큰 작은 귤은 뭔가 뚱한 표정으로 작은 환을 비웃듯이 말했다. 작은 환은 그런 작은 귤의 말에 약이 올랐다.

"난 빨리 될 거야. 얼른 커서 내가 걷고 뛰고 할 거야."

"그게 무슨 뜻 인지나 알고 하는 말이야?"

"그게 뭐? 빨리 크고 싶다는 게 빨리 크고 싶다는 말이지 무슨 뜻이 어디 있어?"

작은 환은 큰 환과 이야기할 때와는 달리 공격적이고 날카롭게 말을 쏘아댔고, 작은 귤도 그에 못지않게 얼굴이 벌게 져서는 당장이라도 싸울 한 표정을 지었다.

"이제 그만해. 왜 싸우니? 가족끼리."

큰 귤이 다투는 그 둘을 부드러운 목소리로 말렸다. 하지만 이미 불이 붙은 그들은 그대로 끝나지는 않는다.

"아니, 이 바보가."

"내가 왜 바보야? 이 멍청이가."

"자, 다 같이 출근하자."

큰 환은 그렇게 티격태격하는 그들에 이젠 익숙해진 듯 무시하며 걸어나가 그 둘을 싸우지 못하도록 떼어 놓았다. 어찌할 수 없는 작은 환은 열이 받쳐 한동안 씩씩댔지만, 그런 것도 금세 가라앉고, 다른 곳에 관심을 옮겨 여기저기 살펴보았다. 출근을 하기 위해 옷을 갈아입는 동안에 옷장 안에 있는 옷가지와 넥타이들은 그의 관심을 끌기에 충분했고 그만큼 그의 입은 멈추지 않았다. 큰 환의 대답이 채 끝나기도 전에 작은 환의 질문이 연달아 이어지는 통에 그들의 출근준비는 지체되었지만 그래도 일찍부터 서둘러댄 덕에 늦지는 않았다.

"근데 우리 이렇게 입고 지금 어디가?"

"출근. 출근을 한다는 건 회사에 간다는 말이지. 우리는 이제부터 회사에 갈 거야."

"응, 회사. 우리 회사 가. 근데 회사가 뭐 하는 건데?"

"우리가 먹고 입고 쓰는 건 다 돈을 벌어야 되는데, 그 돈을 벌려면 회사를 매일 가야지. 그리고 돈보다 더 중요한 건 사람이 살면서 꿈이라던가 목표라던가 이런 걸 이루려면 회사를 다녀야 돼. 음, 그리고 또 이 세상에는 우리만 사는 게 아니니까 다 같이 살려면 각자 해야 될 역할이 있는데 그게 회사에서 하는 일이야. 우리도 그렇고, 귤이들도 그렇고."

"그거 재미 있어? 별로 재미 없는 거 같은데? 그거 매일 가야 되는 거야?"

큰 환은 장황한 설명에 입을 삐죽 내밀며 싫은 티를 내는 작은 환에게 옷을 갈아 입혀주며 계속 말했다.

"아직은 네가 잘 몰라서 그래. 이제까지 나도 그렇고, 내 앞의 환도 그렇고, 그 전의 환도 다 잘 해왔어. 그러니까 우리가 이 일을 하는 거야. 너도 잘 할 수 있고, 좋아하게 될 거야. 참, 우리가 이걸 얼마나 잘 하느냐 하면 나는 회사에서 작년에 일등사원으로 뽑혀서 상도 받고 칭찬도 받고 했어."

"일등사원은 뭔데?"

"회사에서 일을 제일 잘 하는 사람한테 주는 상. 나도 그러니까, 너도 잘 할 수 있을 거야. 앞으로 너도 꼭 일등사원 받아야 돼."

"알았어. 일등사원. 근데, 그거 하기 쉬워?"

"아니, 어려운데, 너는 잘 할 수 있을 거야. 왜냐하면 우리는 환이니까."

큰 환이 왜냐하면이라고 운을 띄우자 작은 환은 신이 나서 환이니까 라는 부분을 같이 외쳤다. 하지만 금세 또 생각에 빠진 작은 환은 고개를 갸우뚱거리며 말했다.

"근데 이상해."

"뭐가 이상해?"

"너랑 나랑은 다르잖아. 얼굴 생긴 것도 다르고, 크기도 다르고, 머리카락도 다 다른데? 그리고 넌 작은 귤, 큰 귤 다 좋아하지만 난 큰 귤만 좋아. 작은 귤 싫어. 맨날 나 괴롭히고 이상한 소리나 하고."

"그러지마. 가족이잖아."

작은 환은 생각만 해도 짜증이 나는지 퉁명스레 투정하듯 큰 환에게 말했지만 그는 대수롭지 않은 듯 웃으며 작은 환의 말에 가볍게 대답했다. 그런 큰 환의 반응에 작은 환은 더 짜증을 내며 소리쳤다.

"작은 귤도 나 안 좋아해. 큰 귤만 나 좋아하고."

"아니야. 안 그래."

"아니야. 그래."

둘은 닮은 듯 닮지 않은 듯 하다.

출근 준비가 끝나자 환들과 귤들은 함께 출근길에 올랐다. 함께 대문에서 출발하여 아파트 복도를 지나고, 계단을 내려와 같이 통근버스를 타러 갔다. 그 길에도 작은 환과 작은 귤은 얼굴을 마주하자마자 또 사소한 일로 신경전을 시작하여 점점 말싸움이 커지더니, 영원히 싸울 것처럼 멈추지 않았다. 큰 환과 큰 귤은 바쁜 걸음으로 걸으며 출근하는 터라 그들이 적당히 하고 멈추겠지 생각하며 말리지는 않았는데, 집 앞 골목을 지나는 중에도, 사람들이 많이 지나는 큰 길로 나가서도, 버스 정류장에 도착할 때까지도 그 티격태격하는 것이 멈추지 않자 결국 큰 환과 큰 귤은 그들을 말리기 시작했다.
"그만 좀 싸워라. 가족이잖아."
"그래. 부부끼리 오래 같이 살면서 싸울 수도 있지만 그렇다고 이렇게 맨날 싸우면 계속 살아가기 힘들어."
그의 말에 작은 환은 싸우다 말고 갑자기 또 궁금증이 생겼고, 싸움보다 그것이 더 급한 듯 참지 못하고 큰 환에게 물었다.
"부부가 뭐야?"
"부부라는 건 남편과 아내를 같이 부르는 거야. 너희들은 남편, 우리들은 아내."
"그건 가족이잖아."
"그래, 가족이기도 하고, 부부이기도 하고."
"그럼 우리는 왜 남편이고, 귤이는 왜 아내야? 우리가 아내하고, 귤이가 남편 하면 안 돼?"

"남자는 남편이고, 여자는 아내니까 그렇지. 바보야."

"너 또. 그러지 말래도."

큰 귤은 작은 환을 비웃는 작은 귤을 타일렀고, 작은 환은 그녀의 말에 울컥 했으나 또 다른 궁금증이 생겨 다시 큰 환에게 물었다.

"남자는 뭐고, 여자는 뭐야?"

"남자는 우리 같은 게 남자고, 여자는 귤 같은 게 여자지."

"뭐가 달라?"

"음… 생긴 것도 다르고, 몸도 다르고. 뭐, 이것저것 다 달라."

큰 환의 시원치 않은 답에 작은 환은 더 어리둥절해졌다. 그냥 혼자 이해해보려고 했지만, 아무리 생각해도 무슨 차이인지 알 수가 없어 그는 다시 큰 환을 보며 물었다.

"잘 모르겠어. 나랑 너 다른 거랑 나랑 귤이랑 다른 거랑 그냥 다 똑같이 다른 거 같은데…."

"아니야. 자세히 보면 달라. 우리 둘 차이보다 쟤들이랑 우리 차이가 더 커."

"그러니까 그게 뭐?"

"음. 그러니까… 그래, 머리카락. 우리는 머리가 짧지만, 귤이는 머리가 길지. 저기를 봐. 저 사람도 머리가 짧아서 남자. 저 사람은 머리가 길어서 여자."

"그럼 우리도 머리가 길면 여자가 되는 거야?"

"아니. 아. 그거 말고. 그래, 수염. 아침에 나 면도 하는 거 봤지? 남자는 수염이 나고, 여자는 수염이 안 나."

"난 수염이 안 나는데, 그럼 여자야?"

"아니. 너도 더 크면 수염이 날 거야. 내가 너 더 크면 면도하는 것도 가르쳐 줄게."

큰 환은 작은 환의 물음에 진땀을 흘리며 말을 돌리려고 했지만 작은 환의 궁금증은 커져만 갔다.

"그것만 달라?"

"아니. 그렇지는 않고. 그래. 네가 아직 아이라서 잘 모르는 건데, 네가 어른이 되면 달라지는걸 알 수 있을 거야. 지금 이해 안 되는 걸 너무 다 알려고 하지 마."

"음. 그래."

작은 환은 큰 환의 말에 수긍을 하고 잠시 질문을 멈췄지만 그렇다고 궁금한 것이 사라지는 것은 아니었다. 금세 다시 큰 환에게 질문을 시작하는 작은 환.

"근데 남자랑 여자랑 뭐 때문에 다른 거야?"

큰 환은 작은 환의 질문에 잠시 곤란해 하더니 다시 대답해 주기 시작했다.

"얘기 하자면 엄청 길어서 출근하는 동안 다 말 못할 텐데. 음. 간단히 얘기하자면 옛날에 사람은 지금처럼 옆구리에서 나는 게 아니고, 다른 동물들처럼 배로 낳았을 때가 있었는데."

"응? 다른 동물들은 배로 낳아? 그럼 옛날에는 배 앞으로 사람이 나오는 거야? 되게 불편하겠다."

작은 환은 사람의 상체가 앞뒤로 붙어 있는 모양을 머릿속으로 그려봤다. 그런 식으로 태어나면 어떻게 생활이 될지 상상이 잘 되지 않았다.

　"아니, 그런 게 아니고. 배 속에 아기를 품고 있다가 나오는 거야. 우리처럼 둘이 한 몸에 있는 게 아니라. 그러니까 다른 동물들처럼."

　"어, 나 다른 동물들 어떻게 나오는 지 본 적 없어."

　"그래? 아, 그렇겠구나. 그럼 어떻게 설명해야 되지?"

　큰 환은 작은 환의 질문에 점점 더 대답하기 어려워짐을 느껴지자 애꿎은 머리만 긁어대다가 큰 귤에게 눈빛으로 구원을 요청했다. 큰 귤은 그가 보내는 눈빛을 보자 웃으며 그의 말을 이어받았다.

　"그럼 거기부터는 내가 이야기 해줄게. 옛날부터 세상에는 남자랑 여자가 있었어. 남자와 여자가 결혼을 하고 가족이 되면 남자는 남편, 여자는 아내가 돼. 그 둘을 합치면 부부가 되지. 그리고 부부는 아이를 갖게 되는데, 아기는 아내의 배 속에서 작은 씨앗처럼 조그맣게 있다가 10달이 있으면 세상 밖으로 나오게 돼. 그러면 남편은 아빠, 아내는 엄마가 되지. 그런데 이제는 바뀌어서 옛날처럼 배로 아기를 낳지 않고, 옆구리로 나오게 됐어. 그렇지만 여전히 남자는 남자, 여자는 여자이고, 남자랑 여자는 계속 부부고 가족이 되는 거야. 이제 알겠어?"

　"바보. 아직 뭔지 모르겠지?"

　"아냐. 알아."

작은 환은 작은 귤의 놀림에 발끈하여 안다고 했지만 남자, 여자, 남편, 아내, 부부, 아빠, 엄마, 아기 아직까지는 다 이해할 수는 없는 이야기들뿐이었다. 그가 머리를 굴려가며 정리를 하고 있는 사이 통근버스가 도착했다.

"조심조심."

큰 환은 작은 환이 부딪히지 않게 주의하며 귤과 함께 버스에 올라탔다. 커다란 버스엔 아직 빈자리가 많아 많은 사람들이 함께 타긴 했지만, 넷은 나란히 함께 앉으며 회사로 향할 수 있었다.

"우와, 빠르다."

처음으로 탄 버스에 작은 환은 창밖으로 휙휙 지나가는 풍경에 놀라 소리쳤다.

"이건 어떻게 이렇게 빨리 가?"

"자동차니까 빨리 가지."

"이건 어떻게 움직이는 거야?"

"운전기사가 운전해서 가지."

"저 옆에 저 거도 자동차지? 저건 이거보다 작은데?"

"응. 저건 승용차. 이건 버스."

"저거도 운전기사가 운전하는 거야?"

"응."

"우와. 재미있겠다. 나도 나중에 커서 운전기사 할래. 나도 차막 씽씽 운전하고."

"그건 안 돼."

작은 환의 말에 큰 환은 갑자기 그의 말을 막고 정색을 하며 엄한 목소리로 단호하게 말했다. 작은 환은 그 모습에 깜짝 놀라 순간 얼어붙었다. 큰 환은 그런 그에 아랑곳 하지 않고 자신의 할 말을 계속 했다.

　"저 사람들에겐 운전기사로서의 일이, 우리에겐 회사원으로서 우리에게 정해진 일이 있어. 그건 바뀔 수 없는 거야."

　작은 환은 그의 말에 풀이 죽어 되물었다.

　"그래? 우리가 할 일은 뭔데?"

　"지금 가서 보면 알아."

　실망한 작은 환의 목소리와는 반대로 큰 환은 신이 난 듯 밝아 졌다.

　그 사이 버스정류장을 여러 개 거치면서, 사람들이 버스 안에 꽉 들어찼다. 작은 환은 버스 안을 가득 메운 사람들을 보자 언제 풀이 죽었냐는 듯 다시 흥분하여 말을 했다.

　"우와, 사람 엄청 많다. 나 이렇게 사람 많은 거 처음 봐."

　"그렇지. 회사에 가면 사람들 이거 보다 더 많아."

　"진짜?"

　"응."

　"근데, 이 사람들은 그럼 회사에 갈 때까지 계속 서 있는 거야?"

　"응."

　"힘들겠다."

　"그렇겠지? 계속 서서 가면 우리 다리도 아프고, 혹시 넘어지면 다칠 수도 있는데, 그래도 우리는 좋은데 살아서 매일 출근할 때 앉아서 갈 수 있어. 좋지?"

"응. 근데, 그럼 저 사람들은 회사에 가도 계속 서서 있어야 돼?"

"아니야. 회사에는 다 자기 자리가 있어."

"그래? 그렇구나."

작은 환은 고개를 끄덕였다.

어느 정도 지나자, 큰 환과 귤들은 어느새 잠이 들어 꾸벅꾸벅 졸기 시작했지만, 작은 환은 그 작고 짧은 허리가 휘어질 듯 힘겹게 몸을 일으켜 두 손을 창에 대고 창밖의 풍경을 계속 관찰했다. 버스는 높은 건물들이 가득한 직선도로를 쭉 지나 외곽도로에 다다랐다. 도로 바깥쪽은 높고 낡은 철조망으로 둘러쳐져 있었고, 그 너머에는 넓고 푸른 숲과 초원이 광활하게 펼쳐졌다. 태어나서 지금까지 좁은 아파트 안에서만 있던 작은 환의 눈에는 그 광경이 경이롭게만 느껴졌다. 그가 이제까지 창밖으로 봤던 것은 건물들 밖에 없었으니 탁 트인 벌판에 감탄하는 것은 이상한 일은 아니었다.

"우와, 환아. 이거 봐."

작은 환은 꾸벅꾸벅 졸고 있던 큰 환을 큰 소리로 불러 깨웠다. 큰 환은 작은 환의 목소리에 게슴츠레 눈을 떴다.

"응? 뭐?"

"저 밖에. 나무랑 풀이 엄청 많아. 저쪽에 저건 산이지? 저렇게 넓은데 완전 초록색투성이야."

"아. 그래? 저기는 사람이 안 가는 곳이라서 그래."

아직 졸음이 덜 깬 큰 환은 길게 하품을 했다.

"왜? 왜 사람이 안 가?"

"철조망이 쳐져 있잖아. 사람이 나가지 말라고 그런 거야."

"왜? 왜 못나가게 해?"

작은 환의 궁금증이 다시 도졌다. 큰 환은 이야기가 또 길어질 것 같자 의자에 파고들어가 있던 허리를 다시 세우고, 잠겨있던 목소리를 가다듬고 이야기를 시작했다.

"저건 사람이 나가지 말게도 하는 거지만 동물들도 못 들어오게 하는 거야. 저 밖에는 호랑이, 늑대, 곰 같은 크고 무서운 동물들이 있어. 그런 동물들은 사람도 잡아먹어. 그래서 저 밖으로는 나가면 안 돼. 위험해. 알았지? 나중에 네가 걸어갈 수 있을 때도 저 밖으로 나가면 안 돼. 알았지?"

"그래?"

"근데 걱정하지는 마. 호랑이나 그런 동물들은 철조망 안으로는 못 들어와. 그러니까 저 밖으로 안 나가기만 하면 돼. 원래 막혀 있어서 나가지도 못하긴 하지만 그래도 가면 안 돼."

"그래?"

작은 환은 그렇게 말하면서 계속 이리저리 시선을 돌려 창밖의 경치를 둘러봤다. 그 때 저 멀리서 한 무리의 사슴이 뛰어 다니는 것이 보였다.

"아, 저기 사슴."

"그래. 사슴. 저기 더 지나가면 호랑이도, 사자도 있을 거야.

그러니까 나가면 안 돼."

큰 환은 다시 잠들려다 깨서, 작은 환의 물음이 귀찮은 듯 대강대강 말을 했다. 작은 환에게도 그것이 느껴져 더는 말하지 않았지만, 계속 밖을 보다가 깜짝 놀라 다시 겨우 잠든 큰 환을 깨우며 말했다.

"어, 저기 집이 있어."

그의 말대로 밖에는 건물이 있었다. 한 채도 아닌 여러 채가. 하지만 자세히 보니 이미 나무와 이끼로 덮이고 다 쓰러진 잔해들만 남아있었다.

"응. 아주 옛날에는 사람이 많이 살아서 저기도 집이 있고, 사람이 살았는데, 지금은 사람이 많이 없어서 이제는 저기는 사람이 살지 않아."

큰 환은 이제 그쪽을 보지도 않고, 눈을 감은 채로 이야기 했다.

"그때 호랑이는 어떻게 했어?"

"저기에 사람이 살았을 때는 호랑이는 더 멀리 있었어. 사람들이 모여 살면 호랑이는 오지 않아."

"그래? 근데 저기 밖에서 넓게 사는 게 더 좋지 않아? 사람들 조금씩 조금씩만 모여서. 저 밖에 꽃도 많고 나무도 많은데."

"사람은 혼자서는 못 살아. 다 같이 모여서 살아야 더 잘 살 수 있어. 그리고 그래야 더 효율적이야. 이 버스 타는 것처럼, 만약에 우리가 멀리 멀리 살면 버스도 멀리 멀리 가야 되니까 출근하는데 시간도 더 오래 걸리고 버스도 운전하는 사람도 더 힘들겠지? 그러니까 이렇게 모여 사는 게 더 좋아. 아주 옛날에는 사람도 많이 있었고, 잘 살았고 해서 그냥 하고 싶은 대로 살아도 괜찮았는데, 지금은 그러면 안 돼. 지금은 어려운 시기니까 다 같이 똘똘 뭉쳐서 정해놓은 규칙들을 잘 지키면서 살아야 돼. 그게 우리가 계속 살아 올 수 있게 한 힘이고, 앞으로도 그럴 거야. 그렇게만 하면 우린 잘 살 수 있어. 아, 그리고 특히나 혹시라도 네가 이제 네 스스로 걷게 되었을 때, 철조망 밖으로 나가면 안 돼. 저 바깥은 위험하고, 나가면 안 되는 곳이야.”

큰 환은 작은 환에게 몇 번이나 반복해서 강조하며 밖으로 나가지 말라고 하며 설교를 늘어놓았다. 작은 환은 그의 말이 길어지자 집중하여 듣지 않게 되었다. 큰 환은 작은 환의 귀찮을 정도로 집요한 질문 공세에 잠이 다 깬 것인지 더는 눈을 감지 않고 그를 지켜봤다. 작은 환은 밖을 계속 둘러보다가 또 깜짝 놀라 소리를 질렀다.

“어! 저기 사람이야. 저기 사람이 있으면 안 되는 거 아니야?”

작은 환의 손가락이 가리키는 곳에는 한 사람이 철조망 밖에서 두 손으로 팻말을 머리 위로 들고 서있었다. 그 팻말이 향한 방향은 마치 지나가는 버스들에 보이려는 것 같았다.

<우리에겐 자유로울 권리가 있다.>

“저거 뭐지? 저 사람 철조망 밖에 있잖아. 위험한 거 아니야?”

작은 환은 걱정이 돼서 큰 환에게 물었다. 그러자 큰 환은 인상을 찌푸리며 말했다.

"저런 거 보지마. 나쁜 물 들어. 저 바깥은 위험하고 가면 안되는 데야. 근데 가끔 저런 정신없이 저런 게 자유라고 우기는 멍청한 녀석들이 있어."

"왜?"

"제 정신이 아니니까. 진짜 저러다 곰이나 호랑이한테 물려봐야 정신을 차리지. 아니, 저런 녀석들은 그래도 제 정신을 못차릴 거야. 너는 절대로, 절대로 저 밖으로 나가면 안 돼. 알았지?"

큰 환은 그를 보자 마치 못 볼 것을 본 것 마냥 흥분해서 목소리를 높였다.

"알았어. 왜 자꾸 화내?"

"아, 그랬나? 미안."

큰 환의 미안하다는 말에 작은 환은 더 말은 안 했지만 태어나고 며칠 동안 이제껏 화를 내지 않았던 큰 환이 회사로 가는 사이, 그 길지 않은 시간 동안 벌써 몇 번이나 정색을 하며 말했다는 사실에, 그것이 왜 그런지 이해도 잘 되지 않았기에 어린 마음에 상처를 받았다. 작은 환은 꿍한 마음으로 더 말없이 계속 창밖을 봤다.

버스는 외곽도로 바깥쪽으로 빙 돌았다가 다시 도시 안쪽으로 들어가 그들의 커다란 회사 건물 앞에 도착했다. 작은 환은 버스에서 내리고 몇 번을 둘러보다 귤들이 안 보이자 큰 환에게 물었다.

"어, 귤이가 없어. 어디 갔어?"

"귤이는 귤이네 회사에 가고, 우리는 우리 회사에 가야지."

"귤이는 같이 안 가?"

"귤이는 같이 안 가."

"왜? 가족이잖아."

"가족은 집에서 같이 사는 게 가족이고, 회사에 같이 일하는 건 동료라고 하는 거야. 그리고 오늘 첫 출근이니까 다른 사람들한테 인사 잘 해야 돼. 앞으로 계속 쭉 같이 보고 같이 일해야 되는 사람들이니까."

"그래."

작은 환은 가볍게 대답을 하긴 했지만 앞으로 계속 쭉 이라는 그의 말이 왠지 모르게 부담스럽게 느껴졌다.

큰 환은 커다란 현관문으로 들어가 삐걱거리는 낡고 좁은 계단을 조심스럽게 올라갔다. 그들의 앞뒤로 여러 사람들이 함께 삐걱거리는 소리는 내며 계단을 올라가자 작은 환은 행여 계단이 무너지지나 않을까 걱정을 했지만, 큰 환은 이 소리에 익숙한지 그저 옛 친구를 만난 것처럼 반가운 듯 즐겁게 계단을 올라갔다. 6층에 도착하자 큰 환은 문을 열고 들어가 사무실에 들어섰다. 그들이 모습을 나타내자 네모반듯하게 놓여 진 수 십 개의 책상, 그 위쪽에 그 두 배에 가까운 수의 머리가 그들을 향해 돌아봤고, 그 두 배의 눈들이 그들을 바라봤다. 큰 환은 그 시선들을 향해 일일이 돌아보며 인사를 했다.

"어? 왔어?"

"다들 오랜만이다. 이 일등사원 없이 사고 안 치고 잘들 있었냐?"

"너 없으니까 일이 더 잘 되더라."

"어? 그럼 우리 다시 가?"

"빨리 자리에 앉기나 해."

즐겁게 다른 이들과 농담과 인사를 나누는 큰 환과는 달리 작은 환은 이 낯선 사람들, 낯선 환경, 낯선 분위기가 긴장이 돼서 딱딱하게 표정이 굳었다.

"새로운 환을 소개 시켜줘야지."

"아, 그래. 환아. 인사해야지."

"어. 어. 그래. 안녕."

"안녕. 우린 준이야."

"난 평. 앞으로 잘 지내보자."

"난 군."

다들 환의 낡은 책상 앞에 모여 각자 자기소개를 했다. 스무 명 남짓한 사람들이 차례대로 소개를 했지만 작은 환은 다 기억할 수 없었다.

"중. 준. 평. 어. 그리고…. 음. 어… 훈?"

작은 환은 자신을 둘러싼 얼굴들을 둘러보며 이름을 되뇌어봤지만 반도 채 기억이 나지 않아 끙끙 앓는 소리를 내며 머리를 쥐어짜냈다.

"하하하. 환이 가르치려면 환이 네가 고생 좀 많이 해야겠다.”

“그래도 환인데, 금방 다 배울 거야. 그렇지? 우린 일등사원이
잖아.”

큰 환은 웃으며 작은 환에게 말했지만, 작은 환은 왠지 앞날이
험난할 것만 같은 느낌이 들었다. 큰 환은 자신의 책상을 손바닥
으로 쓸면서 달라진 게 있나 여기저기 살펴봤다.

“어, 이게 뭐야?”

큰 환은 그렇게 말하고는 자신이 생각해도 웃기는지 피식 웃
으며, 책상 위에 올려져 있던 작은 화분 하나를 손에 쥐고 들어
올려 봤다.

선인장. 동그란 달걀 같은 줄기 위에 똑같이 생긴 작은 줄기
두 개가 양쪽으로 달려있는 선인장이었다.

“뭐긴 뭐야. 그렇게 빨리 잘 키우라고.”

아까 본 큰 준이 아직 자리로 가지 않고 있다가 큰 환의 말에
대꾸했다.

“하하하. 고마워. 근데 이거 나보고 빨리 죽으란 말인가? 하하
하.”

큰 환은 기분이 좋은 듯 크게 웃으며 말했지만, 작은 환은 큰
환의 말에 아침에 작은 귤이 한 말도 떠올라 괜히 꺼림칙한 기분
이 들었다.

“아 참, 아까 인사했나? 이 녀석은 준이. 대대로 우리 절친이니
까, 특히 우리랑 비슷하게 태어나고 자라니까 앞으로 친하게 지
내.”

"절친?"

"응, 절친한 친구. 여기 작은 준이 봐. 너랑 비슷해. 그러니까 앞으로도 친하게 지내."

"알았어. 안녕."

"안녕."

작은 환과 작은 준은 어색한 인사를 나누었다. 그 후 큰 환과 큰 준은 그간 있었던 일들을 이야기 나누다 업무시간이 시작되어 큰 준이 자기 자리로 돌아가자 헤어졌다.

모두가 다 물러가자 큰 환은 자리에 앉자 컴퓨터를 켜고 일을 하기 시작했다. 굳게 다문 입으로 뚫어져라 모니터를 보고 있는 큰 환에 작은 환은 그가 다른 사람 같이 느껴져 아무 말도 걸지 못했다. 작은 환은 혼자 이리저리 둘러봐도 다들 큰 환처럼 가만히 앉아 무언가를 하고 있는 사람들밖에 보이지 않았다. 그런 모습은 작은 환에게는 지루하고 답답하게만 느껴졌다. 어느새 졸음이 밀려드는 작은 환은 자기도 모르는 새 꾸벅꾸벅 졸기 시작했다. 일에 열중하던 큰 환은 자신의 왼편에서 흔들림이 느껴지자 그쪽을 바라봤다.

"졸려?"

작은 환은 큰 환이 부르는 소리에 눈을 열긴 했지만 앞은 흐리고 정신이 몽롱하다.

"아…. 응. 우리 계속 이렇게 앉아있어야 돼? 지겨워."

"응. 조금만 있으면 쉬는 시간이니까 조금만 참아."

"아. 힘들어."

"일은 내가 다하고, 너는 가만히 앉아만 있는데 뭐가 힘들어?"

"지루해. 재미없단 말이야."

"그래? 그럼 너도 지금 이거 하는 거 한 번 배워볼래?"

"응? 뭐. 그래."

작은 환은 큰 환의 말에 별 생각 없이 그러자고 대답했다. 큰 환은 그런 작은 환의 대답에 기뻐하며 신이 난 듯 일에 대해 이야기하기 시작했다.

"자. 지금 우리 회사가 뭐 하는 회사인지 알고 있지?"

"아니…."

"아, 그러고 보니 회사 설명을 안 해줬구나. 우리 회사는 이 도시에서 유일하게 있는 양말을 만드는 회사야. 우리가 상체, 그러니까 위쪽은 계속 새로 태어나지만 다리 쪽은 계속 그대로 이어받잖아. 그렇거든. 그러니까 우리는 우리 다리랑 발을 보호하는 일이 중요하겠지? 그래서 발을 보호해주는 양말이 중요하고, 그러니까 우리가 하는 양말을 만드는 일이 중요한 거야. 알겠지?"

"응."

워낙 큰 환이 신이 나서 설명하는 탓에 작은 환도 그에 맞춰 같이 웃으며 대답을 하긴 했지만 작은 환은 큰 환이 뭐 때문에 그리 신난 것인지 알 수 없었다. 어쨌든 큰 환은 싱글벙글하며 설명을 계속 이어나갔다.

"자, 그럼 시작해볼까?"

큰 환은 컴퓨터를 두드려 가며 뭔가를 계속 설명 했다. 꽤나 열정적으로 설명하는 중간에도 그는 작은 환이 이해가 되는지 물었고, 작은 환은 그런 그에게 차마 모르겠다고 말할 수가 없어 그냥 이해가 된다고 대답을 했다. 하지만 작은 환은 아직도 양말이 그렇게까지 중요한 것인지, 그리고 그걸 만드는 게 또 그렇게 중요한 일인지 이해가 되지 않았다. 게다가 지금 큰 환이 컴퓨터를 가지고 설명하는 것의 내용이 양말을 만드는 것과 무슨 상관이 있는 것인지도 이해가 되지 않았다. 그러니 큰 환의 열정적인 설명은 작은 환에게는 시작부터 그리 큰 도움이 되지 않았다.

"뭐해?"

마침 지나가던 펑이 시끌시끌한 큰 환을 보며 물었다.

"아, 애가 지루하다 길래 그냥 좀 하는 거 가르치는 거야."

"보이지도 않겠구먼 가르치긴 뭘 가르치냐."

펑이 한마디 툭 던지고 지나가자 그제서야 큰 환은 작은 환을 제대로 돌아봤고, 그곳에는 책상 밑에서 고개도 못 올리고 있는 작은 환이 있었다.

"아. 진작 얘기하지."

큰 환은 오른쪽으로 몸을 눕히며 작은 환이 책상 위로 몸을 올릴 수 있게 했다.

"자. 해봐."

작은 환은 큰 환의 말에 책상에 올라타듯 기대 컴퓨터 모니터를 봤다. 그 곳에는 알 수 없는 그래프와 표들이 가득했고, 그 화면을 가만히 보고 있노라니 정신이 아득해져 감을 느꼈다.

"이거 뭐 하라고?"

"잠깐만."

큰 환은 다시 몸을 일으켜 일어나서 키보드를 두드리며 뭔가를 했다. 그리고는 다시 몸을 뉘어 작은 환이 화면을 볼 수 있게 했다.

"자, 봤지. 이걸 이렇게 바꾸라고."

작은 환이 다시 화면을 유심히 보니 안에 있는 그림이 뭔가 색깔이 바뀐 것 같기도 하고, 모양이 바뀐 것 같기도 하지만, 사실 뭐가 바뀌었는지도 모르겠다. 아니, 보다 보니 그냥 그대로인 것 같기도 했다. 머리만 어지러운 상황, 그냥 사실대로 말했다.

"못 봤는데."

"아. 이거… 이러면. 에이, 안 되겠네. 너 좀 더 큰 다음에 해야겠다."

큰 환은 동작을 계속 바꾸며 자신이 작업하는 것을 작은 환이 볼 수 있게 하려고 해봤지만 방법이 없자, 실망을 감추지 못했고, 잠깐 보기만 했는데도, 머리가 아팠던 작은 환은 다행이라고 생각했다. 하지만 앞으로 해야 할 일이라는 생각에 아직 제대로 시작해보지도 않았지만 막막해짐을 느꼈다. 그런 작은 환의 마음을 큰 환은 아는지 모르는지 전과 다름 없이 일에 몰두 했다. 작은 환은 지루함에 다시 졸다 깨다를 반복하며 일이 끝날 때까지 기다렸다.

작은 환에게는 너무나도 지루했던 하루를 마치자 큰 환은 다시 버스를 타고 왔던 길 그대로 집으로 향했다. 사무실에서는 졸음을 참지 못하고 계속 꾸벅꾸벅 졸던 작은 환은 버스에 타자 다시 정신이 또렷하게 차린 반면 큰 환은 이미 온 힘을 다 쓴 듯 축늘어져 잠들었다. 작은 환은 이미 어두컴컴해져 거의 보이지 않는 창밖을 하염없이 바라봤다. 집 앞 정류장에 도착하여 버스에 내렸을 때 귤들은 보이지 않았다.

"어? 왜 귤은 같이 안 왔어?"

"아마 먼저 집에 갔을 거야."

"왜?"

"우리는 같은 회사에 다니는 게 아니니까 퇴근 시간이 다른 거야."

"출근 시간은 같잖아. 근데 왜 달라?"

"다른 회사고 다른 일을 하니까 퇴근 시간이 다른 거야."

"그럼 우리만 일 많이 하는 거야? 억울한데."

"대신 우리는 월급을 더 많이 받지. 넌 그럼 일 조금 하고 월급 조금 받을래? 아니면 조금 더 하고 월급 더 많이 받을래? 월급 더 많이 받는 게 좋지? 맛있는 거 더 많이 사 먹을 수 있고, 사고 싶은 것도 더 살 수 있으니까. 그렇지?"

"으… 응."

작은 환은 큰 환의 재촉에 엉겁결에 그렇다라고 대답하긴 했지만 사실 그렇게 그것이 좋은지는 모르겠다라는 생각을 했다.

작은 환은 어두운 골목을 지나 집으로 도착하여 문을 열자마자 그들을 맞이하려 눈앞에 있는 귤에게 어리광을 부리듯 말했다.

"아, 힘들어. 너무 힘들어."

"넌 그냥 계속 졸고만 있었으면서 뭐가 그리 힘드냐?"

"맞아. 난 일이라도 배우지. 넌 가만히 있었을 거 아니야."

웃으며 핀잔을 주는 큰 환을 작은 귤이 약 올리듯 거들었다. 작은 환은 억울해서 얼굴이 벌게 졌지만 그렇다고 딱히 아니라고 할 수는 없었다. 사실이긴 하니까. 그렇지만 왠지 모르게 억울한 마음이 드는 것도 사실이었다. 괜히 마음 상해지려 하는데, 큰 귤이 그를 거들었다.

"처음으로 일하러 갔는데 힘든 게 당연한 거지. 아무 것도 못하고, 가만히 앉아만 있으면 더 답답한 게 당연한 거고. 안 그래? 맞지, 환아?"

"맞아. 맞아. 다 아무 것도 모르면서."

큰 귤의 말에 작은 환은 반기며 맞장구를 쳤다. 작은 환의 말에 큰 환은 웃으며 작은 환의 머리를 쓰다듬었다.

"그래. 그래. 피곤하니까 빨리 밥 먹고 쉬자."

"응. 밥 먹자."

작은 환은 그제서야 회사에서부터 내내 굳어져 있었던 얼굴이 서서히 풀어졌다.

"오늘은 첫 출근이니까 기념으로 우리끼리 파티하자. 내가 오는 길에 케이크 사왔어."

"진짜? 아싸. 어디 있어? 어디 있어?"

"냉장고에.

참, 올 때 창고에서 탁자 좀 가져오고."

"알았어."

케이크라는 말에 큰 환도 신이 나는지 큰 귤의 말이 채 끝나기도 전에 벌써 부엌 뒤쪽 창고로 향해갔다.

"자, 여기 있다. 이거 잘 들어."

"응."

작은 환은 조그만 손으로 케이크를 들고 창고로 향했다. 큰 환은 좁은 창고에서 자그마한 탁자를 꺼내 들었다. 그런데 큰 환이 창고 문을 닫을 때, 그 틈 사이로 낡은 가방 하나가 작은 환의 눈에 들어왔다. 그것은 둥글둥글하고 길쭉한 것이 그 동안 못 보던 모양이라 작은 환의 호기심이 다시 자극했다. 그는 그것이 뭔지 물어보고 싶었지만, 잠깐 생각하는 사이에 벌써 문이 닫혀버려 물어볼 기회를 놓쳤다.

"자, 테이블 여기 놓고. 케이크는 이 위에 이렇게."

"자, 파티다. 파티."

큰 귤은 형광등을 끄고 테이블 위에 놓여진 초에 불을 붙였다. 늘 작은 환의 일이라면 시큰둥해했던 작은 귤도 파티는 신이 난 듯 얼굴이 환해질 정도로 웃었다.

"출근 축하합니다~ 출근 축하합니다~"

큰 환과 귤들의 노래 소리에 작은 환은 얼굴에 미소가 가득하여 촛불을 껐다. 다들 한마음으로 기뻐하며, 축하를 하고, 박수를 쳤다. 작은 환은 큰 귤이 잘라 주는 케이크를 입 안에 가득 넣어놓고 우물우물거리며 삼키다가 문득 아까 창고 안에 있던 상자가 기억이 났다. 그는 큰 환을 불러 손가락으로 대강 모양을 그리며 물었다.

"아까 창고 안에 이렇게 이렇게 생긴 상자가 있었는데 그게 뭐야?"

"그게 뭐야? 그렇게 말하니까 모르겠다."

"너도 몰라? 검은 색 상자, 이렇게 이렇게 생긴 거."

"모르겠는데? 있다가 테이블 넣을 때 한 번 뭔지 같이 보자."

"그래. 알았어."

작은 환은 알았다고는 했지만 잠깐 잊었다가 다시 기억이 나니 괜히 마음이 급해졌다. 말이 나온 지 몇 분 지나지도 않았는데, 다시 보채기 시작했다."

"다 먹었으면 얼른얼른."

"아, 좀 숨 좀 쉬고 하자. 소화도 좀 시키고."

"아아…. 빨리. 빨리. 빨리."

"아이고, 알았다. 알았어."

작은 환의 보챔에 떠밀려 큰 환은 테이블을 들고 창고로 향했다. 큰 환이 창고 문을 열자 작은 환은 바로 아까 말한 그 상자에 시선이 꽂혔다. 그는 바로 손가락으로 그 상자를 가리켰다.

"저거. 저거."

"어느 거? 이거? 아, 이거."

작은 환의 작은 손가락 끝을 따라 시선을 옮기던 큰 환은 그가 무엇을 가리키는지 알게 되자 얼굴에 웃음을 가득 띄우며 그 상자를 집어 들었다.

"이거 오랜 만에 보네. 이게 뭐냐 하면."

큰 환은 그렇게 말하며 상자 열어 그 안에 있는 것을 꺼내 보여줬다. 상자와 비슷한 모양의 붉은 빛이 도는 황토색 나무로 된 물건을 꺼냈다. 그것에는 4개의 줄이 달려있었고, 길쭉한 막대기도 함께 나왔다. 작은 환은 그것을 뚫어져라 쳐다봤지만, 전혀 짐작이 가지 않아 눈이 몰릴 지경이었다. 하지만 그렇다고 해서 떠오르는 것이 있는 것은 아니었는데, 큰 환이 상자를 닫고 다시 설명을 시작했다.

"이건 바이올린이라는 건데, 말이야."

"그게 뭔데? 뭐 하는 건데?"

"이게 뭐냐 하면."

큰 환은 더 이상의 설명 대신 왼손으로 바이올린을 잡고는 자신의 왼쪽 얼굴 밑으로 가져갔다. 그리고 오른 손으로는 활을 들고는 연주하기 시작했다.

작은 환의 머리 위에서 울려 퍼지는 이제껏 한 번도 들어보지 못한 황홀하고 청아한, 높은 음은 부드럽게 시작하여 끊어질 듯 끊어지지 않고 이어졌고, 날카롭게 귀를 파고들어 가슴을 울려 댔다. 작은 환은 마치 천상의 노랫소리라도 들은 냥 시선을 빼앗겨 넋을 놓고, 입을 다물지 못했다. 무언가 가슴 속에서 벅차오르는 기분이 들어 숨이 가빠졌다.

"어, 바이올린 연주하네? 오랜만에 듣네. 너 연주하는 거."

"응. 환이가 아까 물었던 거 있잖아. 이거 보고 물은 거거든. 그래서."

잠시 주방에 들렀던 큰 귤이 그들을 보고 말하자 큰 환은 쑥스러워하며 대답을 했다.

"한번 더. 한 번 더. 다시 해줘."

작은 환은 큰 환이 바이올린을 얼굴에서 때고 연주를 그만 할 듯 하자 때를 쓰며 다시 해달라고 했다.

"그래?"

큰 환은 작은 환의 요청에 기분이 좋아지는지 웃으며 다시 다른 곡을 연주했다. 하지만 그런 것도 한두 번. 계속 한번 더를 외치는 작은 환에 큰 환의 표정은 점점 지쳐갔고, 그의 연주는 점점 더 짧아져만 갔다. 하지만 작은 환은 그래도 상관없는지 계속 더 듣고 싶어했다. 그러다가 그는 다른 욕심이 생겨났다.

"나도 해볼래. 나도 해볼래."

작은 환은 큰 환의 일곱 번째 연주가 끝나자 짧은 팔을 머리 위로 높이 들어 그가 들고 있는 바이올린을 잡으려고 버둥댔다.

"그래 볼래?"

큰 환은 조심스레 바이올린을 작은 환의 얼굴에 갖다 대주었다. 작은 환은 신이 나서 활을 받아 들고는 큰 환이 한 것처럼 바이올린 현에 대고 그었다. 하지만 기대했던 아름다운 소리와는 다른 끼익끼익 하는 듣기 싫은 기괴한 소리만 들렸다. 작은 환은 그 소리에 인상을 찌푸렸다.

"이거 뭐야. 나는 왜 안 돼?"

"기다려봐."

큰 환은 웃으며 왼 팔을 길게 뻗어 손가락으로 선을 짚고 다른 한 손으로 작은 환의 활을 쥔 손을 잡고 가볍게 바이올린을 그었다. 그러자 작은 환이 내던 탁하고 괴상한 소리와는 다른 맑고 고운 소리가 활과 선 사이에서 퍼져 나왔다. 작은 환은 바로 앞에서 보고 있지만 믿어지지 않는 듯 그 광경을 경이로운 눈으로 지켜봤다.

"나도, 나도 해보고 싶어."

"그래. 이건 어떻게 하냐 하면….”

"밤도 이제 늦었는데, 계속 하게?"

거실에 있던 큰 귤이 주방으로 와서 바이올린을 쥐고 있는 환들을 말렸다.

"아, 그렇지. 환아, 오늘은 그만해야겠다."

"아. 나도 해보고 싶은데….”

"안 돼. 너무 늦었어. 밤에는 시끄럽게 하면 옆집 사람들이 싫어하니까 오늘은 안 되고, 다음에 하자. 다음에."

"쳇. 알았어. 그럼 내일 하자. 내일."

"알았어."

"꼭."

"알았어."

"꼭. 꼭 해야 돼."

"알았다니까."

작은 환은 몇 번이고 큰 환에게 다짐을 받았다. 하지만 그런다고 아쉬움이 사라지지는 않는 법, 그는 큰 환이 바이올린을 다시 케이스 안에 집어넣는 동안 입맛을 다시며 그것에 계속 눈을 떼지 못했다.

30° 바이올린

"자, 아까 내가 한 것처럼 해봐."

큰 환의 말에 이미 지칠 대로 지친 작은 환은 무표정한 얼굴로 대답도 없이 컴퓨터의 키보드를 툭툭 두드렸다. 작은 환은 몇 시간째 반복되는 똑같은 작업에 질릴 만큼 질려있었다. 하지만 그를 지켜보고 있는 큰 환의 눈초리는 지칠 줄 모르는 것만 같았다.

"아니, 그거 말고, 이거부터 하라니까. 이거부터 해야 그게 식에 걸려서 돌아가지. 내가 계속 이야기 했잖아. 집중 좀 해."

큰 환은 팔짱을 끼고 모니터를 응시하다가 작은 환이 틀릴 때마다 손가락으로 그 부분을 툭툭 찍어 가리켰다. 큰 환은 같은 부분을 계속 틀리는 작은 환에 이미 짜증이 날대로 난 듯 하지만 그런 티를 안 내려고 노력하는 것이 작은 환의 눈에 보였다. 하지만 그렇다고 해서 그런 것이 작은 환의 부족한 이해력을 높여주지는 못했다.

"후우."

큰 환이 지적을 할 때마다 작은 환은 한숨을 길게 내쉬고 그 부분을 고쳤다. 작은 환은 지금 뭔가를 하고 있긴 하지만 도대체 뭘 하고 있는 건지 알지는 못한 채, 그냥 큰 환이 시키는 대로만 키보드를 손가락으로 누를 뿐인지라 이미 한참 전부터 그의 머릿속은 멍해져 있었고, 아무 생각도 없었다.

큰 환이 몸을 옆으로 기울였을 때 큰 환과 작은 환이 둘 다 컴퓨터 모니터를 겨우 볼 수 있게 됐을 만큼 작은 환이 자라자, 그때부터 큰 환은 작은 환에게 바로 일을 가르치기 시작했었다. 큰 환의 말로는 쉽다, 금방 배운다, 누구나 다 할 수 있는 것이다 라며 별거 아닌 듯 작은 환에게 말을 하며 일을 가르쳤지만, 작은 환은 배우는 첫날부터 큰 환이 말하는 단어 하나, 문장 하나가 낯설었고, 그가 당연하다고 말하는 것들은 작은 환에게는 어떻게 그렇게 되는 것인지 이해가 되지 않는 것 투성이였으므로 큰 환이 자신이 가르친 것을 해보라고 시킬 때면 그가 하던 것을 겉핥기로 겨우 흉내만 내며 버텨보긴 버텨봤었다. 하지만 점점 더 어려워만 지는 큰 환의 숙제들은 그런 식으로만 해서는 결코 따라 갈 수 없었다. 이제 그가 해야 되는 것은 그렇게 머리 아닌 손만으로 해결할 수 있는 수준의 업무가 아니었기에 작은 환에게 어려움이 닥친 것이었다.

이렇게 돼버린 것은 작은 환이 일을 배우는 것을 대충하거나 무관심해서 벌어진 것은 아니었다. 그도 처음에는 큰 환의 말을 따라가기 위해 이해가 안 되는 것들을 계속 물어보았고, 큰 환은 그런 질문들에 성실히 대답해주었다. 하지만 그렇다고 해도 똑같은 것을 계속 모른다고 되묻는 것은 한계가 있었다. 작은 환은 자신이 이해 못한다는 사실을 큰 환이 이해하지 못한다고 느껴지자 더는 길게 묻지 못하고 그냥 알아듣는 척 넘어가버리고 말았고, 그 순간부터 돌이킬 수 없을 만큼 멀리 떨어져버리고 말았다. 그렇게 돼버리니 그 후로 일을 하는 것은 마치 갑자기 앞이 안 보이게 된 사람이 허공으로 손을 휘젓는 듯 갈피를 잡지 못하고 헤매는 것 밖에 되지 않았고, 들리는 것은 답답함을 참지 못한 큰 환의 한숨소리뿐이었다. 그것이 쌓이고 쌓이다 보니 그 호기심 많고 궁금증도 많았던 작은 환은 의기소침해져 회사에서는 말수가 점점 줄어들게 되었고, 출근 하는 것이 점점 더 숨 막힐 듯 괴로워져 갔다.

반면, 큰 환의 입장에서는 계속 해서 일을 가르치지만, 가르쳐줬던 기초적인 것도 계속 잊거나 틀리는 그를 보며 밑 빠진 독에 물을 붓는 것 같은 기분을 느꼈고, 그럼에도 불구하고 가르칠 때마다 항상 이해를 하고 있는지, 못 하는 것인지 그냥 뚱한 표정으로 있다가 정작 해보라고 시키면 엉뚱한 다리만 긁어대는 작은 환에게 답답함을 느꼈다.

"잘 돼가?"

한숨 가득한 환들의 책상에 준들이 네 개의 손에 각각 커피를 들고 나타나 그것들을 내려놓으며 물었다.

"아니, 뭐."

"당연히 잘 하고 있지. 우리가 누구야. 일등사원 환이잖아."

큰 환은 작은 환이 채 입을 다 떼기도 전에 장난스레 의자 뒤로 몸을 젖혀 거만한 자세로 앉아 자신만만한 목소리로 잘 되어가고 있다고 했다. 작은 환은 그가 정말 지금 하고 있는 것이 잘 돼가고 있다고 생각하는지 묻고 싶어졌지만 그래 봤자 자신의 얼굴에 침을 뱉는 것 밖에 되지 않기에 입을 꾹 다물고 말을 아꼈다. 하지만 짐짓 여유 있는 듯한 표정의 큰 환과는 비교되는 뭔가 불편해 보이는 작은 환의 표정을 큰 준은 놓치지 않았다.

"얘 표정은 전혀 아닌 거 같은데?"

"얘 표정이 왜? 잘 하고 있잖아? 그렇지?"

"어. 엉."

강요하는 듯한 큰 환의 물음에 작은 환은 여전히 멍한 표정으로 떨떠름하게 대답했다. 그런 그들의 대화를 보며 큰 준은 돌아가는 상황이 이해된다는 듯 웃으며 내려놓은 커피 잔을 그들에게 내밀었다.

"많이 피곤해 보인다야. 커피라도 좀 마시고 해."

"오호. 감사. 마셔."

"어. 그래."

작은 환은 못 견딜 만큼 지겨워질 찰나에 준들이 와서 다행이라고 생각했다. 그는 큰 환에게 받은 머그잔 안의 커피를 홀짝홀짝 마시기 시작했다. 이제껏 온 몸이 무언가에 칭칭 감긴 듯 조여 있던 마음이 조금씩 풀어져 가는 것 같았다. 기왕이면 밖으로 나가 신선한 바람도 좀 쐬었으면 싶은데, 무엇이 그렇게 바쁘고 일이 많은 건지 큰 환과 큰 준은 그 자리에서 꼼짝도 않고 또 일 이야기를 시작했다.

"이번 주 마감은 다 되가는 거야? 월 마감까지 겹쳐서 할 일 많은 것 같던데….'

"잘 되고 있지. 그렇지, 환아?"

"어. 엉."

또 갑작스레 자신에게 물어보는 큰 환의 질문에 커피잔 안의 커피를 혀로 할짝대고 있던 작은 환은 놀라며 엉겁결에 대답하기는 했지만 사실 이것도 잘 돼가고 있는 것인지 역시 알 수 없었다. 지금 하고 있는 것이 그것인가 아니면 지난번에 한 것인가 그것도 아니면 다음에 해야 될 거라고 말한 것이던가. 분명 하고 있는 거긴 한데, 어떤 것을 하고 있는 건지 기억이 나지 않았다.

"다음 주 원재료 납품 계획은 받았어? 난 아직 못 받았는데."

"원래 내일까지 오는 거 아니었어?"

귓가를 스쳐 들어오는 큰 환과 큰 준의 대화 내용들, 이것도 분명 전에 큰 환에게서 배웠던 것들인데 가물가물 기억이 날 듯 나지 않았다. 그들의 대화가 길어질수록 분명 같은 언어의 대화를 듣고 있는데도 무슨 말인지 이해가 안 되는 터라 정신이 다른 곳으로 멀리 빠져나가는 것 같은 느낌을 받았다. 처음에는 작은 준도 자신과 다를 바가 없이 이해 못 하는 표정을 짓고 있어 자신이 이상한 것이 아니라는 생각에 안도했었지만, 어느 틈엔가 그들의 대화에 끼어들어간 작은 준은 자연스럽게 그들과 하나가 된 듯 보였고, 아무 말 없이 그저 보고만 있는 사람은 자신뿐인지라 자신이 바보처럼 느껴져 자존심이 상했다. 거기다 끝날 듯 끝나지 않는 그들의 대화에 점점 지루해져 갔고, 대화에 제외된 자신으로 인해 소외감마저 느껴졌다.

"수고했어."

"그래, 내일 봐. 내일은 단가 자료 넘겨줘야 돼."

"알았어. 걱정 하지 마."

"안녕. 잘 가. 하, 드디어 끝났다."

작은 환에게는 너무나도 길고 힘들었던 회사에서의 업무시간이 끝나고 환들은 다른 직장 동료들과 인사를 하고, 밖으로 향했다. 작은 환은 회사 문을 나서자 긴장감과 함께 맥도 탁 풀리는 것이 느껴져 자기도 모르게 어깨를 털썩 떨구고 앓는 소리를 냈다. 작은 환은 이제 끝났으니 그만 회사에 대한 일들은 잊고 싶은데, 큰 환은 그를 가만히 놔두지 않았다.

"오늘 한 거 다 할 만 했지? 별로 안 어려웠지? 지난번에도 다 했던 거잖아."

"뭐, 그냥."

"가르쳐 준 거는 다 기억하고 있고?"

"어느 정도는."

큰 환의 물음에 작은 환은 시큰둥하게 대답했다. 이미 작은 환의 머릿속에는 빨리 집으로 돌아가 바이올린을 연주하고 싶은 생각만 가득한지라 그에게 다시 한 번 일 했던 것을 되새기려는 큰 환의 말은 들어오지 않았다.

지난 몇 년간 큰 환이 매일 바이올린을 가르쳐주기는 했지만 길어야 겨우 하루에 30분 정도 밖에 안 되는 짧은 시간이라 그는 항상 시간에 목말라 있었기에, 퇴근을 하고 집으로 가는 이 시간은 초조함에 입술이 바싹바싹 말라만 갔다. 조금이라도 빨리 가야 바이올린을 할 수 있는 시간이 늘어날 텐데 하면서 말이다. 평소보다 차가 더 막힌다 싶으면 마음대로 구를 수도 없는 발을 동동 구르고 싶어졌다. 출근 하는 시간은 그리 긴 것 같지 않은데, 퇴근 하는 시간은 너무나 길게만 느껴졌다. 오늘도 길게만 느껴지는 퇴근 시간에 창 밖 전조등 불빛 가득한 도로를 보다 못 한 작은 환은 큰 환에게 짜증스레 물었다.

"회사에서 좀 더 일찍 나올 수는 없는 거야?"

"그럴 수는 없어. 단체생활이잖아."

그 사이 벌써 졸기 시작했던 큰 환은 작은 환의 목소리에 깬 것이 귀찮다는 듯 짧게 대답하고는 다시 고개를 뒤로 젖혔다.

"일 일찍 끝내는 사람은 일찍 나올 수 있게 바꿨으면 좋겠어. 맨날 이게 뭐야."

"그러면 뭐해. 어차피 이 버스 타고 나가는 시간은 똑같은 데."

툴툴거리는 작은 환에 큰 환은 더 눈을 감고 있기엔 글렀다는 것을 깨닫고는 몸을 일으켰다. 작은 환을 보며 웃으며 타이르듯 이야기하는 큰 환의 여유로운 모습에 작은 환은 약이 올랐다.

"우리가 차를 운전할 수는 없는 거야?"

"무슨 차?"

"저기 보면 작은 차들 있잖아. 저런 차들. 우리는 저런 차를 타고 다닐 수 없는 거야?"

"저런 건 중요하고 급한 일을 하는 사람들이 타고 다니는 거야."

"그럼 우리가 하는 일은 중요하지 않은 일이라서 다 같이 버스를 타고 다니는 거야?"

"아니, 꼭 그런 건 아니고. 그렇다고 우리가 급한 일을 하지는 않잖아."

"그럼 급한 일을 하는 사람들은 무슨 일을 하길래 차를 타는 거야?"

"소방관, 의사 이런 사람들 있잖아. 아니면 우리도 회사 다니면서도 급한 일을 하면 차를 탈 수는 있어.

근데 환아, 사람들마다 다들 각자의 위치가 있고, 다 잘 살 수 있게 그렇게 직업을 만들고, 일 할 수 있게 여러 가지 것들을 만들어 놓은 거야. 그러니까 그런 거에 불만 갖지 말고 우린 우리에게 주어진 일만 하고 살면 되는 거야. 알았지?"

큰 환의 대답에도 작은 환은 여전히 불만이 가득했지만, 더 말해봤자 입만 아플 뿐이기에, 또 큰 환에게 불평불만을 말하더라도 큰 환이 그것을 어떻게 해결해 줄 수도 없으니 그냥 입을 다물었다. 하지만 자꾸만 억지로 자신을 설득하려 하는 큰 환의 말들이 점점 싫어지는 작은 환이었다.

"바이올린. 바이올린."

작은 환은 집에 도착하자마자 바이올린을 찾았다.

"아이고, 숨 좀 돌리고 하자."

큰 환은 조급해서 몸이 근질근질한 작은 환의 마음을 모르는 건지 아니면 놀리는 건지 느긋하게 주방 냉장고로 가서 물을 꺼내 마셨다. 현관에서 주방까지 그 멀지 않은 거리, 그 길지 않은 시간이 작은 환에게는 못 견딜 만큼 멀고, 길고, 답답하게 느껴졌다.

"그냥 나한테 바이올린 먼저 주고 하면 안 돼?"

"뭐가 그렇게 급해?"

빙긋이 웃으며 말하는 큰 환의 표정에 작은 환은 더 몸이 달아올랐다. 작은 환은 회사에 있는 하루 종일 이 짧은 연습 시간만을 기다리며 그 괴로움을 견뎌왔는데, 막상 다 와서 이렇게 자신의 마음을 간 보듯이 간질간질 괴롭히니 속이 부글부글 끓었다.

"아, 그냥 좀 빨리빨리."

"알았어. 알았어."

작은 환이 거의 울상이 되어 소리를 지르자 큰 환은 또 느긋하게 웃으며 천천히 바이올린을 넣어놓은 창고로 걸어갔다. 언제부터인가 이렇게 큰 환이 자신을 약 올린다는 것을 알았지만 그럴 때마다 작은 환은 번번히 얼굴이 벌겋게 달아오를 정도로 당할 수 밖에 없었다.

겨우 바이올린을 손에 쥔 작은 환은 그제야 그제까지 회사에서 쌓였던 답답하고 불안하기까지 했던 마음이 눈 녹듯 사라지는 것을 느꼈다. 다시 한 번 마음을 가다듬고 바이올린을 턱 밑에 괴고는 천천히 활을 움직여 소리를 내기 시작했다. 그런대로 그럴듯한 소리를 내긴 하지만 큰 환에게서 처음 느꼈던 그 충격적인 기분을 자신의 연주에서는 아직 느낄 수가 없었다.

"손가락을 정확하게 짚어야지. 이상한 음이 나잖아."

그의 연주에 관심 없는 듯 안 듣는 척 신문을 뒤적뒤적하던 큰 환은 작은 환이 틀리자 또 훈수를 뒀다.

"아, 알아."

"아까 거기서는 3번 손가락 말고, 4번 손가락으로 눌렀어야 되고. 안 그럼 음 내려올 때 손가락이 모자라."

"응."

큰 환의 말을 따라 또 다시 연주를 해보는 작은 환. 몇 번 반복해서 연습을 하다가 갑자기 멈추고 물었다.

"근데, 좀 빨리빨리 가르쳐 주면 안 돼? 계속 똑같은 것만 하니까 실력이 안 늘잖아."

"다음으로 넘어갈 실력이 돼야 넘어가는 거지. 지금 그 실력에 진도만 계속 나간다고 실력이 늘겠니? 연습해."

큰 환은 그의 투정을 그저 가볍게 웃어넘겼다. 하지만 그런 웃음에 작은 환은 또 약이 바짝 올랐다.

"나도 연습할 시간이 많아서 계속 연습하고 싶다고. 연습할 시간이 모자라니까 계속 실력이 안 늘잖아."

"모자라면 모자란 데로 최선을 다해서 연습해야지, 시간이 모자란다고 투덜대봐야 소용없어. 그 시간에 연습이나 더 하는 게 나아."

"하지만….."

작은 환은 답답했지만 더 말하려 하다 그만두고 다시 바이올린을 잡았다. 전에도 몇 번이고 말해봤지만 이런저런 이유들로 그의 연습시간은 더 늘어나지 못했고, 그것도 주말에는 할 수 없는 것으로 정해졌다. 그런 속도로는 1년에 한 곡을 겨우 다 연주할 수 있을 정도 밖에 되지 않았다. 작은 환은 항상 부족함과 갈증으로 불만을 토로하고 투정을 부려보지만 돌아오는 것은 큰환의 어쩔 수 없다는 반응뿐. 시간을 가지고 신경전을 부려봤자 얻을 수 있는 것이라고는 그나마 있는 연습시간의 낭비 밖에 없다는 것을 알기에 더 쓸데없이 시간을 버리지 않으려 했다.

모자란 시간에 마음을 졸여가며 연습에 몰두하던 작은 환은 현관문이 열리는 소리에 그의 집중이 깨어짐을 느꼈다. 올 사람은 당연히 귤들뿐이다. 그녀들의 등장은 그가 연습을 끝내야 할 알람 소리 같은 것이다.

"일찍 왔네?"

"아니야, 우리도 금방 왔어."

"저녁은? 아직 안 먹었지?"

"응, 이제 먹어야지."

"일찍 왔으면 그 놈의 바이올린보다 먼저 저녁부터 준비하면 안 돼?"

반갑게 귤들을 맞으려던 작은 환은 작은 귤의 그 말에 또 기분이 확 나빠졌다. 뭐라 화를 내려고 입 안에 가득 신경질을 머금었는데, 큰 귤이 먼저 말을 꺼냈다.

"어째서? 듣기만 좋은데."

"듣기 좋기는 무슨. 그리고 듣기 좋고 싫고의 문제가 아니잖아. 같이 사는데, 일찍 와도 저 바이올린만 갖고 놀고 있고, 저녁 준비도 안 하고 있잖아. 우리는 맨날 회사 끝나고도 장보느라 집에 늦게 오는데, 집에 있으면 뭐라도 해봐야 될 거 아니야."

"그럴 수밖에 없잖아. 시간이 더 늦으면 다른 집에 시끄러운데…."

큰 환마저 거드는 덕에 작은 환은 다시 한 번 입 안에 머금은 말들을 삼켰다.

"그러니까 그 딴 거 그냥 안 하면 안 돼? 그거 안 한다고 별 상관없잖아."

오자마자 신경을 박박 긁는 작은 귤의 말들에 작은 환은 화가 머리끝까지 올랐다. 특히나 하루 종일 바이올린을 할 수 있는 이 시간만 기다렸던 작은 환에게 그 딴 거 안 하면 안 되냐는 말은 자신의 연주가 무시당하는 것 같은 기분이 들었기에 참을 수가 없었다.

"바이올린 연주 하는 게 어때서? 뭐가 나쁜데? 난 하고 싶은 것도 못 하나?"

작은 환은 버럭 소리를 질렀다.

"깜짝이야. 왜 그렇게 흥분을 하고 그래?"

작은 환의 고함소리에 정작 작은 귤보다 바로 옆에 있던 큰 환이 더 놀란 듯 했다.

"쟤가 자꾸 열 받게 하잖아. 내가 바이올린 하는 게…."

큰 환은 그의 큰 손으로 작은 환의 입을 막았다.

"됐어. 맨날 똑같은 거 가지고 또 싸운다."

"똑같은 게 아니라…."

작은 환은 자신의 입을 막고 있는 손을 억지로 치우고 억울함을 호소하려 했지만, 큰 환은 그 손에 힘을 주어 다시 작은 환의 입을 막았다.

"됐어. 됐어. 너 자꾸 그러면 앞으로 연습 안 시켜준다."

"아니. 왜. 또."

"어허. 그만."

작은 환은 큰 환이 힘으로 그의 입을 막았을 때는 어떻게든 그 손을 치워내고 말을 하려고 했으나 그가 바이올린을 가지고 협박을 해버리니 그 튀어나오려던 말을 속으로 삭힐 수밖에 없었다. 하지만 그렇게 쌓여버린 화는 풀어지지 않으니 괜히 더 씩씩대는 것으로 자신의 분노를 그들에게 표현했다.

"귤아. 너도. 가족인데, 하고 싶은 거 좀 하게 해주면 어때서. 저녁 준비야 다 같이 하면 되지."

큰 귤이 분을 못 이기고 있는 작은 환을 눈치 채서인지 그를 달래듯 작은 귤을 타이르며 화해를 시키려고 했다.

"얄밉잖아. 누구는 하고 싶은 거 없나?"

작은 귤은 그런 큰 귤의 노력에도 불구하고 물러서지 않고 입을 삐죽 내밀며 그녀 자신의 불만을 이야기 했다.

"어허. 그만 하래도. 힘들게 일 하고 집에 왔는데, 집에서는 좀 맘 편하게 있게 해주면 안 되겠니?"

"너도 너 하고 싶은 거 하면 되지. 너는 너 하고 싶은 거 하고, 나도 나 하고 싶은 거 하면 되잖아. 누가 하지 말래?"

아주 잠시 참고 있던 작은 환은 작은 귤의 틱틱대는 말에 다시 참지 못하고 큰 귤의 말이 채 끝나기도 전에 그녀에게 달려들었고, 그녀도 지지 않고 맞받아쳤다.

"그렇게 하면 하기 싫고 힘든 건 누가 하고?"

"어허. 자꾸 또 싸운다."

"쟤가 자꾸 이기적으로…."

이번에는 큰 귤이 작은 귤의 입을 손으로 막았다.

"너희는 맨날 싸우는 게 지겹지도 않니?"

"그래. 이렇게 맨날 싸울 거면 차라리 둘 다 그냥 하고 싶은 거 하고 노는 게 더 낫겠다."

"아니, 나는 노는 게 아니고…."

"그게 노는 거지. 노는 게 아니야?"

억울해하는 작은 환이 채 말을 끝내기도 전에 작은 귤이 큰 귤의 손을 떼고 그의 말을 가로 막았다.

"저게 진짜."

"아이고, 이러다가 나중에 커서 자기들끼리 움직일 수 있으면 진짜 치고 박고 싸우겠네. 자, 저녁이나 준비하자. 이제 바이올린은 넣어 놓고."

그들의 싸움은 또 큰 환과 큰 귤이 갈라서서 주방과 창고로 가면서 끝이 났다. 그러나 나눠지는 순간까지도 서로 노려보고 신경전을 멈추지 않았다. 그리고 그녀들이 보이지 않자 작은 환은 바로 큰 환에게 투덜댔다.

"아무래도 작은 귤이랑은 같이 가족 하기 싫어."

"가족이라는 게, 하고 싶다고 하고, 하기 싫다고 안 하는 게 아니야. 알면서 계속 그런다."

큰 환은 또 그를 부드러운 목소리로 타일러보고, 달래보려고 했지만 그의 분한 마음은 여전히 식어지지 않았다.

"쟤랑 계속 가족 하면 내가 정말 미쳐버릴 것 같으니까 그렇지."

"세상 살다 보면 그거보다 더 미쳐버릴 것 같은 일이 얼마나 많은데, 겨우 그 정도로 미치겠다고 그래?"

"매일 집에서 보는데, 짜증나게 하니까 그렇지."

"가족이잖아. 가족이니까 매일 보는 거고. 가족이니까 짜증나고 싶어도 참고 견뎌야 되는 거야."

"맨날 또 그 소리."

투덜대는 작은 환에게 큰 환은 가르치듯 점잖게 말해보지만 처음 몇 번은 통했던 것 같은 이 방법들도 이제 그에게는 전혀 먹히지 않았다. 작은 환은 여전히 씩씩대며 분노를 참지 못했지만 그래도 바이올린을 정리하는 그의 손은 정성스러웠다.

그들은 평소와 다름 없이 저녁을 먹고 다 함께 소파에 앉아 TV를 켰다. 하나 밖에 없는 TV 채널에서 하는 것이라고는 뉴스

밖에 없었다. 큰 환은 앵커와 이야기를 하는 것인지 싸우는 것인지 혼자 계속 중얼중얼댔다가 투덜투덜 큰 소리도 쳤다가 하며 TV를 봤다. 작은 환의 귀에는 무슨 말을 하는 지도 모르겠는데, 큰 환은 그게 그렇게 흥미진진한지 눈을 떼지 않고 보며 흥분을 했다. 작은 환은 자기도 큰 환만큼 크면 뉴스를 저렇게 좋아하게 될까 생각해보지만, 작은 귤은 물론 큰 귤 역시 졸린 눈으로 보는 것을 봐서는 큰다고 다 뉴스를 좋아하게 되는 것은 아닌 것 같았다. 아무리 보고 있어도 차라리 리모컨을 까딱까딱하며 볼륨을 높였다 줄였다 하는 것이 더 재미있을 지도 모른다는 생각을 했다.

　물론 무조건 TV에서 뉴스만 하는 것은 아니다. 평일에는 아침과 저녁시간에만 TV가 하고, 뉴스만 하지만, 토요일은 오후부터, 일요일은 아침부터 저녁까지 TV를 하고, 뉴스를 하는 시간 외에는 먼 옛날에 방송되었던 동물 다큐멘터리라든가 자연의 신비 같은 프로그램을 했다. 하지만 웬만큼 TV를 볼만큼의 여유가 있는 시간에는 뉴스를 하기 때문에 딱히 선택의 여지가 없다. 그래서 작은 환은 TV에는 별로 관심이 없었다. 차라리 그 시간에 바이올린이나 더 했으면 좋겠는데, 큰 환은 뉴스를 꼭 봐야하기 때문에 못 하게 했다. 물론 단지 그 이유뿐만 아니라 항상 퇴근 후에는 늦은 시간이기 때문에 이웃에 폐가 될 것이기도 하고, 작은 귤이 항상 짜증을 내며 훼방을 놓았기에 항상 하고 싶은 데로, 하고 싶은 만큼 바이올린을 연주하는 것은 작은 환에게는 이루어질 수 없는 꿈인 것만 같았다.

그렇게 특별한 일이 없는, 또 똑같은 하루 일과가 끝나고 다 함께 침대에 누워 잠을 청했다. 다들 말없이 누워 조용히 잠이 들었지만, 작은 환은 늘 그렇듯 잠이 쉽게 들지 않았다. 그는 시커먼 천장 구석을 멍하게 응시했다.

　'하아~ 피곤한데, 잠이 안 온다. 내일 또 회사 가야 되는데. 지겹다.　도대체 언제까지 회사를 다녀야 되는 거야? 진짜 평생, 나 다음 환이 나올 때까지, 아니지, 내가 떨어져 나갈 때까지 계속. 하아.

　내가 정말, 진짜로 회사에 맞는 건가? 벌써 몇 년 째인데….

　나는 아무리 해도 재미도 없고, 재능도 없는 거 같은데….

　매일매일 답도 없이 이렇게, 계속 이렇게….

　난 회사 다니는 것 보다 그냥 하루 종일 바이올린이나 계속 연주하고 싶은데..'

　작은 환은 시작도, 끝도, 답도 없는 고민들을 계속 해서 되씹으며 또 한참 동안을 잠들지 못하고 뜬 눈으로 지새다가 밤이 다 깊어져서야 겨우 잠이 들었다. 날이 가면 갈수록 그의 고민하는 시간은 점점 더 길어져만 갔다.

　<따닥, 따닥, 따닥.>

　별 다를 것 없는 오후 작은 환은 띄엄띄엄 자판 소리를 내며 일을 하고 앉아있었다. 무료하고 지루하다는 듯한 표정의 작은 환, 그를 옆에서 지켜보는 큰 환의 표정도 그리 다를 것은 없었다.

"아니, 이거 하라고. 이거."

그 둘 간의 정적을 깨는 것은 정기적으로 작은 환이 틀린 것을 지적해주는 큰 환의 목소리였다. 그리고.

<따르릉. 따르릉.>

책상 오른편 끝에 놓여진 전화벨 소리였다. 큰 환은 수화기를 듣자 바로 작은 환에게 넘겨줬다.

"이제부터는 전화도 네가 받아."

"응?"

갑자기 예고나 상의도 없이 전화를 넘기는 큰 환에 작은 환은 선뜻 손을 내밀어 수화기를 받을 수 없었다.

"뭐해? 끊어지기 전에 받아야지. 내가 하는 거 옆에서 들었잖아. 그대로 하면 돼."

작은 환은 당황할 수밖에 없었다. 이제껏 전화는 큰 환이 받았고, 그가 뭐라고 했는지 유심히 들은 적은 없었다. 그런데 이렇게 느닷없이 자신에게 넘어오는 수화기라니. 천천히 뻗는 그의 손이 미세하게 떨리는 듯 했다. 별 거 아닌 일에 왜 이리 긴장되는지 그 자신도 알 수 가 없었다. 수화기를 귀에 대고 침을 한 번 꼴깍 삼킨 후 조심스레 말을 했다.

"여보세요."

"어. 나 방적공장 판매팀 래인데, 환이 전화 아니야?"

"야, 그렇게 말하면 어떻게 해. 어느 부서 누군지 말을 해야 될 거 아니야. 전화 건 사람이 제대로 건 거 맞는지 확인 할 수 있도록."

작은 환은 수화기에서 들려오는 목소리와 옆에 있는 큰 환의 목소리가 겹쳐 정신이 사나워지려 했다. 고개를 돌려 큰 환을 보면서 일단 대답을 하고 다시 통화를 했다.

"응. 응, 나 환인데."

"아, 너 작은 환이구나. 큰 환이 좀 바꿔줄래?"

"알았어."

작은 환은 큰 환에게 수화기를 내밀었다.

"뭐?"

"바꿔 달래."

"누군데?"

"응. 그게….""

작은 환은 제대로 듣지 못하고 대충 넘긴 터라 기억이 나지 않았다. 머뭇거리는 사이 큰 환이 다시 물었다.

"애가 이야기 안 했어? 했을 건데?"

"아, 했는데, 못 들어서….""

"야, 그걸 왜 못 들어? 전화를 받았으면 누군지 무슨 용건인지는 기억해야 될 거 아니야."

"아, 그래. 알았어. 너 누구라고?"

작은 환은 다시 수화기를 대고 말했다. 하지만 채 대답을 듣기 전에 큰 환이 수화기를 뺏어 들었다.

"아, 됐어. 전화 바꿨는데, 누구니? 아, 래. 응."

큰 환이 통화하는 사이 안 그래도 갑자기 전화를 넘긴 탓에 기분이 별로 안 좋았던 작은 환은 큰 환이 뭐라고 하기까지 한 것에 마음이 상해 인상이 굳어졌다.

'쳇, 이랬다가 저랬다가 야. 그럴 거면 처음부터 자기가 받지 왜 나보고 받으라고 해가지고. 이름도 자기 때문에 못 들었는데.'

"응, 응. 아, 그거. 이제부터 그거 작은 환이가 할 거니까 작은 환이랑 이야기해."

혼자 마음속으로 투덜대던 작은 환은 옆에서 들려오는 통화 내용에 또 다시 긴장을 했다. 받은 김에 자기가 알아서 처리를 하지 왜 다시 자기에게 넘기나 싶었다.

"자, 받아."

"어. 응. 뭐라고 해야 돼?"

"그건 네가 들어보고 확인하고 생각해서 해야지. 받아봐."

작은 환은 어쩌면 아까보다도 더 떨리는 마음으로 전화를 받았다.

"응. 여보세요."

"아, 미안. 너로 담당자가 바뀐 지는 몰랐어."

"아니야. 괜찮아."

'나도 몰랐으니까.'

"빨리 용건을 물어야지."

작은 환은 자꾸만 옆에서 잔소리를 늘어놓는 큰 환이 거슬렸다.

'그럴 거면 직접 하라니까….'

하지만 그 생각은 직접 말하지 못하고 다시 전화에 대고 말했다.

"근데 무슨 일이야?"

"아, 우리 이번 주 제품 출발했는데, 우리 마감이 걸려있으니까 송장처리는 다음 달로 해줘야 된다는 거 이야기 하려고 전화한 거야. 안 그러면 우리 쪽 처리가 안 돼서 이중으로 재고가 잡힐 수가 있거든."

"응?"

'송장처리. 이중으로 재고? 그거 전에 들었던 건데. 그거 어떻게 해야 된다는 거지?'

"야, 적어. 중요한 일이면 다 적어 놔야지 나중에 안 까먹지."

그 사이 또 큰 환은 잔소리와 함께 수첩과 볼펜을 그의 앞에 가져다 줬다. 작은 환은 이해하지 못하는 그 말들을 아무 생각 없이 받아 적었다.

"아, 그래. 5일 이후에 처리."

"아, 참 그리고 이번에 들어간 제품이 파란색 10박스, 녹색 10박스, 노란색 10박스고, 내일 오후에 빨간색 10박스, 회색 10박스 들어갈 거야. 내일 오후에 들어가는 건 문제 없이 잘 들어갈 거니까 좀 봐줘."

"어. 문제없이 들어온다고?"

"들어오는 거 문제없대?"

큰 환의 물음에 작은 환은 말없이 고개를 끄덕이고는 래가 불러주는 숫자를 수첩에 계속 받아 적었다.

그리고 잠시 뒤. 또 다시 전화벨이 울렸다. 작은 환은 이번에는 별 망설임 없이 수화기를 들고, 수첩과 볼펜을 들었다. 큰 환은 그런 작은 환을 흐뭇하게 바라봤다.

"여보세요. 생산과 환인데, 누구야?"

"야, 나 판매과 걍인데."

작은 환은 수화기 너머의 목소리가 왠지 사납게 들렸다.

"응."

"너 작은 환이야?"

"응."

"큰 환 바꿔봐."

작은 환은 그의 말에 큰 환을 한 번 쓱 보다가 다시 계속 통화를 했다.

"이제 내가 담당이니까 나한테 말해."

그의 말에 큰 환은 더욱 뿌듯한 미소를 보였고, 작은 환도 슬쩍 웃음을 보였다.

"그래? 그럼 다음 달 생산 계획 보낸 것도 너야?"

"응? 생산계획? 응. 그거."

작은 환은 생산계획과 판매과, 걍이라는 이름으로 기억을 더듬어 보니 며칠 전에 큰 환이 시켜서 그에게 메일을 보냈고, 확인 전화도 했었다는 사실을 기억했다.

"응. 응. 응. 그래, 그거. 생산계획. 그거 3일전엔가 4일전에 메일 보냈잖아. 확인 전화도 하고."

그는 그렇게 말하며 컴퓨터에서 보낸 메일함을 뒤져 그에게 보낸 메일이 있다는 사실을 확인 했다.

"응. 응. 그래, 여기 있네. 보냈잖아. 3일 전에. 근데 왜?"

"야, 그거 열어봐. 네가 파일을 뭘로 보냈는지."

"응?"

"왜? 무슨 일인데?"

작은 환은 큰 환의 물음에도 대답하지 않고, 파일을 열어봤다. 하지만 파일도 잘 열리고, 얼핏 보기에도 안의 내용은 이상이 없었다. 그의 목소리가 짜증스러웠던 작은 환은 목소리를 높여 당당하게 말했다.

"이상 없는데? 도대체 뭐가 문제라는 거야?"

"그거 몇 월 걸 보낸 거야?"

"7월. 적혀있는 거 안 보여?"

"그러니까 왜 7월이냐고?"

강은 신경질을 버럭 내며 소리쳤고, 작은 환도 지지 않고 맞받아쳤다.

"이번 달이 7월이니까 당연히 7월걸 준거지."

"다음달 계획이잖아. 다음달. 그러면 8월을 줘야지 7월을 왜 줘? 7월은 지난달에 받았고, 이제 필요 없어. 7월 실적도 다 나온 마당에."

작은 환은 그의 말이 얼핏 맞는 것 같기도 해 큰 환을 쳐다봤다. 큰 환은 피식 웃으며 말했다.

"야, 바로 다시 보내준다고 별 거 아닌 거 가지고, 열 내지 말라 그래. 아 참, 자식."

"어. 어. 바로 보내줄게."

전화를 끊는 작은 환의 목소리는 기어들어갔다.

"야, 그래도 그렇지. 이번 달 계획을 보내주면 어떻게 해? 계획은 아직 안 한 걸 하는 건데, 7월은 이제 다 끝났잖아."

웃으며 가볍게 말하는 큰 환에 작은 환은 대꾸도 없이 컴퓨터 안의 생산계획 폴더를 열었다. 그런데 문제가 생겼다. 아무리 찾아도 8월의 생산계획이라는 파일은 없었다. 다른 폴더들을 열어 파일을 찾아봤지만 파일이 없었다. 키보드를 두드리는 그의 손이 다급해졌다. 큰 환은 그런 그에게 무심하게 물었다.

"보냈어?"

"아. 아니. 아직."

"뭐해? 빨리 그거부터 보내줘. 걔들 그거 가지고 내일 회의 자료 만들어야 돼."

"알았어."

대답을 한 작은 환의 손은 더욱 더 빨라졌다. 하지만 보이지 않는 파일. 분명히 만들었던 기억은 나는데, 없다. 그는 등에서 식은 땀이 흐르는 것이 느껴졌다. 그제야 뭔가 이상하다는 것을 깨달은 큰 환.

"뭐야? 뭐 문제 있어?"

"그게. 파일이 어디 갔지? 있어야 되는데…. 안 보이네."

작은 환은 들릴 듯 말듯한 목소리로 사실을 고했다. 그 말을 들은 큰 환은 살짝 놀란 듯 그를 보며 말했다.

"잘 찾아봐. 어디 있겠지. 지난번에 내가 가르쳐주면서 같이 만들었잖아."

"응. 응. 맞아. 기억나."

"근데 그게 어디 간단 말이야?"

"그건 나도 모르지."

작은 환의 목소리는 점점 더 줄어들었다.

"야, 너 설마. 그때 저장 안 했어? 파일 만들면 바로 바로 저장하라고 그랬잖아."

"아니. 저장 했는데. 했을 건데."

작은 환은 점점 자신감을 잃어갔다.

"아유. 정말 나와 봐."

큰 환은 답답한지 키보드를 두드리고 있는 작은 환을 옆으로 내리고는 직접 컴퓨터를 뒤져 찾아봤다. 하지만 그도 그 파일을 찾을 수는 없었다. 그의 표정은 순간 딱딱하게 굳어졌다가 길게 한숨을 내쉬고 다시 얼굴을 풀고, 작은 환에게 말했다.

"어쩔 수 없지. 이제부터 내가 만들 테니까 판매과에 전화해서 갱한테 조금만 기다리라고 그래."

"응? 응? 내가?"

"그래. 난 이제 이거 만들어야 되니까. 아. 이거 말고도 할 거 많은데."

큰 환은 다시 한숨을 내쉬었다. 그런 그의 모습에 작은 환은 더 위축되었다.

"알았어."

작은 환은 수화기를 들었다. 그렇지만 그는 그리고 멈춘 채로 가만히 있었다.

"뭐해? 걔들도 기다리는데, 빨리 전화해줘야 딴 거라도 먼저 하지."

"응. 근데 전화 어떻게 하는 거야?"

작은 환은 조심스럽게 큰 환을 보며 물었다. 큰 환은 그런 그를 보며 황당하다는 듯한 표정을 짓다가 말했다.

"여기 내선번호표가 전화기에 붙어 있잖아. 별 다음에 0번 누르고 내선번호, 자재과 20번."

"아니. 전화 판매과 해야 되는데…."

"판매과도 여기 적혀 있잖아. 16번. 보고 눌러. 아직 그것도 모르고 뭐했냐?"

짜증스럽다는 듯한 큰 환의 말에 작은 환도 은근 부아가 치밀었다.

'가르쳐줬어야 알지. 판매과, 자재과도 자기가 헷갈려놓고는.'

하지만 이미 잘못이 있는지라 그에게 차마 그 말은 할 수 없었다. 그냥 판매과로 전화를 하려는데, 아까 통화하던 강의 서슬 퍼런 목소리가 맘에 걸려 손이 쉽게 떨어지지 않았다. 그와 동시에 들려오는 신경질적인 키보드 두드리는 소리. 작은 환은 숨을 후하고 내쉬며 조심스레 버튼을 눌렀다. 신호 연결음이 가는 그 짧은 시간이 엄청 길게 느껴졌다. 그리고 뚝 하는 소리와 함께 들리는 목소리.

"판매과 팩인데, 누구?"

"으…. 응. 나 생산과 환인데 강이 있어?"

"음. 어디 보자.

지금 없네. 밖에 잠깐 나갔나 봐."

"아, 그래? 알았어."

작은 환은 다행이다라고 생각하며 전화를 끊었다. 하지만 다시 전화를 해야 할 생각을 하니 또 막막해졌다.

"뭐래? 기다린다 그래?"

"아니. 아니. 지금 자리 없데."

"그래? 언제 온데?"

"몰라. 얘기 안 하던데."

"좀 물어보지 참. 알았어. 그럼 좀 있다 다시 전화해봐. 꼭 해야 돼."

"알았어."

피하고 싶은 그의 마음을 아는지 큰 환은 다시 한 번 강조를 했다. 그는 시계를 보며 5분 후에 다시 전화를 하기로 생각했다. 5분. 그리 길지 않은 시간임에도 초침하나하나 가는 동안이 길게 느껴졌다. 주위는 타닥타닥 하는 키보드 소리만 들리고 그 외에는 아무 소리도 들리지 않았다. 작은 환은 기운이 빠지고 외로움이 느껴졌다.

'아, 하기 싫다.'

하지만 그렇다고 안 할 수는 없는 일. 그는 5분이 지나자 다시 수화기를 들었다. 꾹꾹 버튼을 깊게 눌러 전화를 연결했다. 그리고 전화를 받는 사람은 다시 팩이었다.

"응…. 응. 여보세요. 나 아까 전화했던 환인데. 생산과. 걍이 아직 안 들어왔어?"

"응. 아직 없네."

"혹시 언제 와?"

"모르겠는데. 화장실 갔나?"

"아, 알았어."

작은 환은 힘없이 전화를 끊었다. 그리고 큰 환을 보며 조심스럽게 말했다.

"걍이 아직 안 왔는데, 얘도 걔 언제 올지 모르겠데."

"응. 알았어."

계속 무언가를 만드느라 정신이 없는 큰 환은 그의 말에 건성으로 대답했다.

'그냥 전화하지 말까? 어차피 내가 두 번이나 전화했는데 없었잖아. 환이도 신경 안 쓰는 거 같고. 어차피 급하면 자기가 전화하겠지.'

그는 그렇게 생각하다가 만약 걍이 기다리다가 다시 전화를 해서 이제 그 파일을 만들고 있다는 사실을 알게 된다면 이라는 생각이 들자 전화를 하긴 해야겠다는 생각을 했다. 그는 다시 시계를 보고 5분을 세었다. 그리고 다시 거는 전화.

"판매과 팩인데."

"아, 나 환인데. 걍이 아직 안 왔어?"

"응. 아직. 아, 지금 들어왔다. 걍아, 전화 왔어. 잠깐만 돌려줄게."

"응, 알았어. 고마워."

작은 환이 대답하자 수화기에서는 통화 연결음이 흘러나왔고, 그는 숨을 크게 들어 마시고, 침을 꼴깍 삼켰다. 그리고 딸깍하는 소리를 들었다.

"판매과 강인데."

"아, 나 환인데. 아까 통화했던. 생산과."

"응. 그래. 파일 보냈어? 아직 메일 못 봤는데, 잠시만."

"아. 아니. 아직. 미안한데, 그거 파일이 지금 없어져서, 내가 그때 만들고 저장한다고 생각했는데, 저장이 안 됐는가."

"그런 이야기는 뭐 하러 해. 그냥 핵심만 말해."

　안 듣고 있는 줄 알았던 큰 환이 또 옆에서 참견을 했다. 그리고 수화기에서는 큰 소리가 들렸다.

"야, 뭐야? 그럼 지금 파일 없어? 야, 그럼 어떻게 해?"

"지금 큰 환이가 하고 있으니까 조금만 기다려줘."

"아이. 참. 진짜. 너. 아. 지금 그것만 하면 다 끝나는데. 오늘 집에 일이 있어서 일찍 끝내고 가려고 했는데, 이게 뭐야. 아. 참. 진짜. 그래서 언제 되는데?"

　그의 짜증스러운 목소리에도 작은 환은 이번에는 별 말을 할 수 없었다. 고분고분 큰 환에게 말을 전했다.

"언제 되냐는 데?"

"내일 아침에는 볼 수 있게 해준다 그래."

"내일 아침? 어, 내일 아침에는 볼 수 있게 해준다고 큰 환이가 그런다는데."

"뭐? 내일 아침?

당장 내일 아침에 회의 들어가는데, 내일 아침에 그걸 넘겨주면 나는 언제 회의 자료를 만들라고? 그게 도대체 말이 된다고 생각해? 너희 일 그딴 식으로 할 거야? 큰 환 바꿔봐."

"저기 바꿔."

작은 환의 말이 채 끝나기도 전에 큰 환이 수화기를 홱 낚아챘다.

"야, 너야 말로 일 그딴 식으로 할 거야? 파일 메일로 보내고, 확인 전화도 줬지? 그럼 당연히 너도 메일 제대로 왔는지, 이상 없는지 정도는 확인해야 될 거 아니야. 근데, 그때는 보지도 않고 가만히 있다가 이제 와서 잘못됐다 그러면 어떻게 해? 지금 다들 바쁠 때인지 몰라? 그거 진작에 확인했으면 이런 일도 없잖아. 우리는 시간이 남아서 너한테 메일 보냈다고 전화하는 줄 알아?"

"처음부터 제대로 보냈으면 이런 일도 없잖아."

"그건 우리 잘못 맞긴 한데, 그렇다고 너도 잘못한 게 없는 거 아니잖아. 그거 메일 잠깐 확인 하는 거 시간 얼마나 걸린다고 미루고 있다가 이제 열어봐서 서로 다 피곤하게 만드는 거야?"

그들의 전화상의 말싸움은 길어졌다. 작은 환은 자신 때문에 이런 싸움이 벌어지게 되자 어찌할 바를 몰라 조마조마 마음만 졸이고 있었다.

"그러니까 너도 책임이 있으니까 너무 그러지 말라고. 내가 최대한 빨리 처리해서 보내줄게. 알았어."

큰 환은 어떻게 잘 수습한 듯 보였다. 그는 전화를 끊고 작은 환에게 말했다.

"봤지? 이래서 확인전화가 중요한 거야. 그러면 이렇게 당당하게 말할 수 있어."

"미안해."

작은 환은 작은 목소리로 그에게 사과했다.

"앞으로 잘하면 되지 뭐. 우린 일등사원이잖아. 잘 할 수 있을 거야. 그건 그거고, 일단 이거부터 빨리 해야겠다. 에이 참, 그 자식 때문에 더 늦어버렸네."

큰 환은 다시 화면을 보며 키보드를 두드렸다.

'하, 힘들다.'

작은 환은 숨이 가빴다. 이곳에 있는 것이 불편했고, 자신은 이곳에 속해있지 못한 동떨어진 사람인 것 같은 기분이 들었다. 그냥 무기력하게 있는데, 다시 전화가 울렸다. 작은 환은 깜짝 놀랐다가 냉큼 수화기를 들었다.

"생산과 환인데."

"환아, 여기 공장인데, 큰일 났어."

수화기 너머의 그는 작은 환이 채 말을 끝내기도 전에 다급하게 말했다. 그는 그 이야기를 듣자 숨이 탁 막히는 기분이 들었다.

"큰 일? 뭔데?"

작은 환이 큰일이라고 외치자마자 큰 환은 또 수화기를 바로 낚아챘다.

"여보세요. 응. 무슨 일이야. 뭐?"

큰 환은 작은 환을 쳐다봤다. 그의 날카로운 눈빛에 작은 환은 또 무슨 일인가 가슴이 철렁했다.

"잠깐만. 야, 너 아까 방적공장에서 제품 문제없이 잘 들어온 다고 안 했어?"

"응. 그랬지."

작은 환은 그렇게 말하고는 수첩을 펼쳐 아까 적은 걸 보여주며 읽었다.

"오늘 파란색 10박스, 녹색 10박스, 노란색 10박스 넣고, 내일 오후에 빨간색 10박스, 회색 10박스 넣는다고….."

"야, 이거 다 오늘 들어와야 되는 거잖아."

큰 환은 그에게 말하는 것에 지치는 듯 어깨를 축 늘어뜨리고 한숨을 내뱉듯 말했다.

"응?"

"이거 7월 생산계획 오늘 날짜. 이거도 내가 가르쳐 주고 네가 만들었잖아. 이거 보면 내일 오전부터 이거 이거 만든다고 나와 있잖아."

큰 환은 바로 컴퓨터에서 7월 생산계획 파일을 열어 오늘 날짜를 손가락으로 찍어 보여줬다.

"아. 이게. 그 말인가….."

작은 환이 속삭이듯 내뱉은 그 말은 큰 환에게 들리지 않았을 것이다.

"잠깐만, 다시 전화 할게."

큰 환은 전화를 끊고 다시 전화를 걸었다.

"야, 너희들 지금 뭐 하는 거야? 제품 납기를 왜 안 지키고 네 마음대로 넣어?"

큰 환의 목소리는 사무실이 떠나갈 듯 컸다.

"어, 아까 작은 환이 담당자라고 해서 걔한테 말했는데."

"너 야. 너 그게 말이 돼? 지금 당장 내일 아침부터 제품 생산해야 되는데 결품이야, 결품. 내일 생산 못한다고. 그걸 그렇게 전화 한 통으로. 야, 가만히 생각해보니까 그 시간이면 제품 모자란 차 먼저 보내고 전화한 거잖아. 그게 소용이 있어? 다 저질러 놓고 전화만 틱 하는 게? 지금 우리랑 장난쳐? 일하는 게 장난이야? 야, 너 안 되겠다. 딴 사람 바꿔봐. 이거 책임질 수 있는 딴 사람 바꾸라고."

큰 환은 열이 받아서인지 목이 터져라 소리질러서인지 얼굴이 빨개졌다. 이번 싸움도 제법 길어지는 것 같았다.

"그래서 만드는 건 언제까지 되는데? 응. 그럼 바로 보낼 수 있는 거. 뭐? 차가 없어? 야, 정말 너 장난하나."

그 후로도 그들은 한참 싸우고는 전화를 끊었다.

"미안해."

작은 환은 전화를 끊자마자 사과를 했다. 큰 환은 그를 보며 그저 한숨만 내쉬었다.

"일단 급한 거부터 처리하자."

"알았어."

하지만 작은 환은 큰 환이 말한 급한 것이 어떤 것인지 모르겠고, 어떻게 처리를 해야 할 지 몰라 그냥 가만히 있었다. 그러는 사이 큰 환은 자리에서 일어나더니 준의 자리로 갔다.

"준아."

"응, 무슨 일이야, 이 바쁜 시간에?"

큰 준은 큰 환의 물음에 보지도 않고 하던 일을 계속 하며 말을 했다.

"야, 부탁 한 가지만 하자."

"안 돼. 나도 마감이야."

"진짜 급해서 그래. 지금 내가 공장가야 되는데, 다음 달 생산 계획을 만들다가 나왔거든. 그러니까 네가 그거 조금만 손봐서 강이한테 보내 줘."

"야, 나 안 된다니까 진짜 바빠."

"부탁해. 나 진짜 급해서."

"야."

큰 환은 그렇게 말하고, 그에게 투덜대는 큰 준을 뒤로 하고 사무실을 빠져나갔다.

"저렇게 해도 돼?"

"준이는 해줄 거야."

큰 환은 자신 있게 말했지만 작은 환은 자신의 잘못이 점점 다른 사람들에게까지 피해가 간다는 사실이 마음에 걸려 찜찜했다.

"근데 지금 공장가?"

"응. 너 공장도 처음이겠구나. 원래 다음주에 여유 있으면 견학으로 가려고 했는데, 이번에 견학은 안 되겠다."

'별로 기대도 안 했어.'

큰 환은 다급하게 걸음을 옮겨 건물을 빠져나가 좀 더 외곽으로 걸어나갔다. 얼마 안 걸으니 커다란 양말그림의 간판이 붙어 있는 넓은 건물이 보였다.

"여기가 공장이야."

마음이 급했던 큰 환의 설명은 그게 다였다. 그는 재빨리 안으로 들어가 다른 사람들과 재빨리 대강 인사를 하고는 뭔가 이야기를 나누더니 건물 뒤로 돌아가 주차장으로 갔다. 그리고 커다란 차에 올라탔다.

"다행이다. 그래도 차가 딱 한 대 비는 게 있었네."

"이 차는 뭐야?"

"아, 이건 트럭. 우리 제품납품차. 여기 공장에서 제품을 만들면 여기에 싣고 배달을 하는 거지."

"그럼 우리 지금 배달 가?"

작은 환은 전혀 예상하지 못했다는 듯한 표정을 지으며 물었다.

"아니, 아까 방적공장에서 제품들 덜 보내줬잖아. 지금 그거 만들고 있는 중인데, 거기서 배달할 차가 없어서 우리가 가지러 가는 거야. 내일 아침까지 그게 다 여기 들어와야 되거든."

그때 반대쪽 차문이 열리며 누군가 들어왔다. 그를 보니 면도도 제대로 하지 않고 푸르스름한 작업복은 헤지고 기름이 여기저기 시커멓게 묻어있어 꽤나 지저분해 보였다. 작은 환은 그런 그를 보자 놀랐다. 하지만 그는 별 일 아니라는 듯 말했다.

"아이고, 간만에 쉬는 시간인가 했더니."

"미안해. 이게 급한 일이라."

"뭐 어쩌겠어. 시키면 시키는 대로 해야지 뭐."

그는 그렇게 말하고 차의 시동을 걸었다. 트럭은 덜컹거리며 출발을 했고, 큰 길에 들어섰다. 작은 환은 차를 타니 이대로 집으로 돌아가고 싶다는 생각이 들었다.

트럭은 그들을 태우고 방적공장에 도착했다. 그곳에 도착하자마자 큰 환은 그리 크지 않은 그 공장 전체가 울리도록 큰 소리를 뼁뼁 내지르며 그들을 혼냈고, 그리고 그 이후에 래를 직접 만나 소개를 시켜줬다. 그렇게 큰 환에게 혼이 난 이후에 소개를 받으려니 작은 환은 민망함을 느꼈지만, 래는 그런 것에 신경 안 쓰는 것인지 웃으며 그와 인사를 나눴다. 그리고 잠시 후 그들이 들고 나오는 제품 상자들을 차에 싣고 다시 공장으로 출발했다. 이래저래 문제는 많았지만 트럭의 뒤쪽 적재 칸에 차곡차곡 쌓이는 제품들을 보자 그래도 다 해결이 된 듯하여 마음이 놓였다.

"아, 힘들었다."

"그러게. 안 그래도 바쁜데, 일이 많이 생기네. 야, 그래도 이런 일 또 생길 수도 있어. 네가 제대로 했다 하더라도 다른 사람이 누가 잘못할 수도 있고, 그러니까 이런 일을 잘 대처할 수 있어야 돼. 알았지?"

"알았어."

큰 환은 또 작은 환에게 무언가를 가르치려 했고, 작은 환은 알았다고 대답했다. 하지만 정말 그럴 수 있는지 자신은 없었다.

"자, 이제 우리는 돌아가자. 아직 할 일이 많이 남았어."
트럭으로 싣고 온 제품들이 창고에 쌓이는 것까지 다 보자 큰
환은 발걸음을 돌려 사무실로 가려고 했다. 그런데 저 멀리서 누
가 그들을 부르는 것이 들렸다. 누군가 싶어 봤는데, 처음 보는
사람이다. 푸르스름하고 꾀죄죄한 작업복을 입은 것이 보기로는
아마 양말공장 직원 중에 하나인 듯싶었다.
"야, 잠깐만."
"왜? 무슨 일이야?"
"너희들 사무실에서 왔지?"
"응."
"사무실에 준인지 뭔지가 전화 좀 달래. 급하데."
"준이가? 아니. 뭔데. 또."
"나야 모르지. 하여간 꼭 전화해 달래.
난 전달했다."
그는 그렇게 말하고 사라졌다. 큰 환은 떨떠름한 표정으로 다
시 걸음을 옮겨 공장사무실로 향했다. 그리고 준에게 전화를 했
다.
"무슨 일이야. 또 왜?
아. 야, 너 혹시 그거 생산계획 문제 생겼어?"
큰 환의 말에 작은 환은 또 가슴이 뜨끔했다.
"아니야. 그건 지금 내가 하고 있는데, 내가 지금 그거 말고도

할 게 많은데, 지금 그거 먼저 하고 있거든."

"응. 그래 잘 하고 있어."

"근데 문제가 생긴 게."

"뭔데?"

"백화점에서 전화가 왔는데 우리가 보낸 제품 상자에 양말이 30개씩 들어가잖아."

"그렇지."

"근데 20개씩 밖에 안 들은 상자가 10개가 나왔다고."

"그럼 더 보내줘. 보내주면 되지. 100개 더 보내면 되잖아."

큰 환은 별 거 아닌 일로 신경 쓴다는 듯이 가볍게 말했다.

"아니, 근데 그거 담당자가 벽이잖아. 진짜 그 녀석 이름 그대로 벽이야. 말이 안 통해. 공장에서 실수로 덜 담은 거라는데 일부러 빼돌린 거 아니냐는 둥, 이제까지 계속 이런 거 아니냐는 둥 못 믿겠다고 그러는 거야."

"그래서?"

"그래서 네가 좀 가서 만나봐. 만나서 잘 좀 이야기 하고 납품 영수증 받아와."

"야, 그걸 왜 나보고 하래? 내 일도 아닌데."

"알지. 근데 그렇다고 그거 담당이라고 할 사람이 누가 있냐? 아무도 없잖아. 근데 마침 또 네가 공장에 있고, 차도 한 대 수배해 놓고 있으니까 간 김에 네가 가면 된다 이 말이지."

"야, 안 돼. 나 아직 할 일도 많이 남고, 또 내가 걔를 만나면 뭐라 그러냐?"

"잘 할 수 있어. 부탁해. 믿어."

준은 그렇게 말하고 전화를 끊었다. 큰 환은 실성한 듯 허탈한 웃음을 웃었다.

"허허허. 참. 오늘 왜 이러냐? 하루 진짜 길다."

큰 환은 그렇게 말하고는 다시 발걸음을 옮겼다.

다시 트럭을 타고 들어간 백화점. 그들은 정문이 아닌 뒤쪽으로 뺑 돌아 차를 세우고 내렸다. 그곳의 뒷문 계단을 통해 오르락내리락 큰 환이 직접 상자들을 옮겼는데, 지나다니는 사람들이 많음에도 누구 하나 그들을 도와주지는 않았다. 큰 환이 마지막 상자까지 들고 올라가 매장에 놓으려는데, 뒤에서 큰 소리가 들렸다.

"이거 지금 뭐 하는 짓이야. 누가 제품 넣으래? 허락도 안 받고."

백화점 전체가 울릴 정도로 소리를 지르며 오는 그가 아마 벽인 듯싶었다.

"아, 이거 아까 배달 온 거 모자란다기에 가지고 온 거야."

"누가 그걸 몰라?

안 돼. 도로 다 가지고 가고, 납품 영수증도 못 끊어줘."

"아니, 왜 그래. 우리가 하루 이틀 거래하는 것도 아니고 공장에서 애들이 숫자 잘 못 세서 몇 개 못 담은 거 가지고. 미안해. 한 번만 봐줘."

버럭버럭 화를 내며 소리를 지르는 벽에게 큰 환은 나긋나긋

한 말투로 그에게 사정했다.

"웃기고 있네. 그게 숫자를 잘 못 센 건지. 아니면 일부러 빼돌린 건지 못 믿겠으니까 도로 다 가지고 가라고."

벽은 꽤 심하게 환들을 몰아붙였고, 큰 환의 얼굴은 벌겋게 달아올랐지만 화를 내지 않고 웃는 얼굴로 그에게 다시 한 번 사정했다.

"아니, 진짜 미안하다니까. 다음부터는 진짜로 이런 일 없도록 할 테니까 한 번만 봐줘."

"안 돼. 이번이 처음인지 아닌지도 모르잖아."

"이런 일 전에도 있었으면 알았겠지 몰랐겠어? 이번 한번만 실수 한 거니까 그냥 좀 넘어가주라."

이번에는 환들이 한참을 서서 혼나다가 겨우 큰 환이 그를 진정시켜서 제품들을 그 자리에 두고, 영수증을 받아냈다. 그에게 비는 것은 큰 환이었지만 자존심이 상하는 것은 둘 다였다.

"아, 저 나쁜 놈 저거."

다시 차에 타자마자 큰 환은 그 사이 쌓였던 분노를 터뜨렸다.

"그래도 잘 해결된 거지?"

"잘 해결되기는. 이제 앞으로 납품할 때마다 한 명씩 따라가서 숫자 확인시켜줘야 되는데. 저 얍삽한 놈이 자기 일하기 귀찮으니까 트집 잡아서 괴롭히는 거야. 양말을 상자에서 꺼내서 진열해야 되는데, 그거 하기 싫어서 이거 모자란 거 확인 한다는 핑계로 사람 한 명 더 붙여서 그거 시키려는 거야. 아, 저 야비한 놈."

"그럼 그건 누가 해?"

"뭐, 준이가 해야지. 모르겠다. 너도 정신 똑바로 차려야 돼. 회사 일에서 하나라도 실수하면 그거 가지고 물어뜯으려고 달려들려는 녀석들이 많아. 그런 애들이랑 다 싸워서 이겨내야지 지면 이런 녀석들한테 끌려가게 돼. 알았지?"

큰 환은 웃으며 말했다. 하지만 뭔가 아직 가슴에 남은 작은 환은 웃음이 나지 않았다.

"우리는 왜 이렇게 해야 되는 일이 많은 거야?"

"한 사람이 여러 가지 일을 할 수 있어야 더 회사가 효율적으로 돌아가니까. 그래서 그런 거지 뭐. 회사 다니다 보면 이런 일, 저런 일 많이 있어. 특히 오늘 같은 일은 짜증나긴 해도 큰 일은 아니야. 이런 일은 자주 있어. 이런 일도 잘 처리할 수 있어야 일등사원이 되는 거야. 알겠어?"

작은 환은 큰 환의 말에 더 대꾸를 하지는 않았지만 과연 정말 이런 것이 정말 좋은 것인지는 이해할 수 없었다.

그렇게 힘들게 일을 마치고 사무실로 돌아갔지만 여전히 사무실 안에도 해야 할 일들은 그대로 남아 있었다. 그들이 밖으로 돌아다니는 사이 하지 못한 일들까지 다 마치고서야 그들은 집으로 향할 수 있었다. 퇴근을 하려고 사무실을 나왔을 때 밖은 이미 캄캄한 밤이 되었지만 다행히도 통근버스가 추가 운행하는 기간이라 버스를 타고 갈 수 있었다.

환들이 집에 도착했을 때, 이미 귤들은 벌써 도착하여 식탁 위에 저녁을 다 차려놓고 그들을 기다리고 있었다. 늦은 저녁을 다 먹고 나자 큰 환은 평소와 다름없이 소파에 앉아 뉴스를 봤다. 작은 환은 이런 날이면 바이올린을 더 실컷 연주해 답답했던 하루 일과에서 쌓인 것들을 날려버리고 싶었지만, 오히려 바이올린은 꺼내보지도 못 하고 그냥 하루가 끝나 버리게 되었다. 침대에 누웠는데 뭔가 억울하고, 뭔가 놓고 나온 듯 찝찝한 기분이 들었다. 작은 환은 또 다들 깊이 잠이 들어버린 시간까지 잠들지 못하고 이리 뒤척이고, 저리 뒤척이며 여전히 해답 없는 고민들을 하다 어느 순간 기절하듯 잠이 들었다.

다음 날 아침, 그들은 전날 아침과 다름없이 일어나서 출근준비를 한 후, 통근버스를 타고 회사로 향했다. 어제의 피로가 채 가시지도 않았는데, 무슨 일이 그리도 많은 것인지 전날 그 시간까지 그렇게 힘들게 일을 했는데도 여전히 해야 될 일은 많이, 아니 언제 끝이 날 지 모를 정도로 수북이 쌓여 있었다.

"자, 우리 팀 다들 회의실로 모여 봐. 월 마감 자료 정리하자."

힘겹게 일들을 쳐내고 있는데, 점심을 먹자마자 훈이 사람들을 회의실로 모았다. 환들도 그의 말을 따라 회의실로 들어갔다. 사람들이 하나씩 앞으로 나와 여러 가지 그래프와 도표들로 가득한 커다란 화면을 가리키며, 알아듣지 못하는 말로 설명을 했다. 이것도 회사에 있는 지난 몇 년 동안 일주일에 적어도 한 번씩, 많으면 하루에도 두 세 번씩, 그렇게 몇 번이나 계속 했는데도 그 답답하고 숨막히는 분위기는 익숙해지지 않는다. 그렇게 앞에서 이야기를 하면 앉아 있는 다른 사람들이 하나씩 시비를 걸었다. 이게 맞니 틀리니, 그것이 왜 그렇게 되는 것인지 그들이 그렇게 어수선하고, 정신없이 이야기를 나누는 중에도 작은 환은 아무런 말없이 눈만 껌뻑껌뻑 하며 앉아있었다. 그러다 스멀스멀 눈앞이 어두워짐을 느끼는 작은 환은 누군가 부르는 소리에 화들짝 놀라 잠에서 깼다.

"환아, 지금 듣고 있어? 지금 중요한 부분 말하는 건데….."

작은 환이 정신을 차리고 고개를 들어보니 모두의 눈이 자신에게로 향해져 있음을 알 수 있었다. 그는 시선들에 얼굴이 빨개짐을 느꼈다. 창피한 듯 고개를 숙이며 들릴 듯 말 듯 작은 목소리로 입에서 새어 나오듯 한 마디 했다.

"아, 미안."

"하하. 애가 요새 회사 걱정이 많은지 밤에 잠을 통 못 자더라고…."

큰 환은 작은 환에게 몰린 화제를 다른 곳으로 옮기려 농담 섞인 말을 던졌지만, 그의 말에 작은 환은 말 못할 비밀을 들킨 것마냥 당황하여 얼굴이 더 빨개졌다.

'어떻게 알았지? 자고 있던 거 아니었나? 언제부터 알고 있었지?'

작은 환은 이상하게도 당장 졸다가 들킨 것보다 밤에 고민하느라 잠을 설친 것을 큰 환에게 들킨 것이 더 창피해졌다. 사실 잠을 설친 것 자체는 그리 숨길만한 이유가 있는 사실도 아니라고 생각했지만, 그렇다고 알리고 싶은 일도 아니었기에 부끄럽게만 생각이 들었다. 특히나 큰 환에게는 더욱 들키고 싶지 않았다. 작은 환은 마치 고민마저 들킨 것 같은 기분이 들었다.

"밥 먹은 직후라서 다들 식곤증이 오나 보네."

"그래, 잠시만 쉬었다 하자."

앞에서 발표를 하던 석이 진행을 멈추고, 휴식시간을 가졌다. 작은 환은 자기 때문에 흐름이 끊긴 것 같아 또 민망해졌다. 큰 환은 별 일 없었다는 듯 가벼운 발걸음으로 자리로 돌아가 커피를 타서 작은 환에게 내밀며 말을 걸었다.

"일 하는 거 많이 힘들지? 어제도 좀 고생 하긴 했고."

"아, 아니. 그냥. 밥 먹은 후라서 깜빡 졸았네."

작은 환은 큰 환이 졸았던 일을 언급하자 또 민망해지는 것을 느꼈다.

"그래? 무겁다 얼른 받아."

다른 생각 중이던 작은 환은 그제야 커피를 내민 큰 환의 손을 보고 그 잔을 받았다.

"앗, 뜨거워."

별 생각 없이 컵을 잡았던 작은 환은 하마터면 잔을 놓칠 뻔했다. 큰 환은 놀라 얼른 손을 뻗어 그 잔의 밑을 받쳤다.

"야. 조심조심. 깨지면 안 돼. 그거 우리 8번째 앞에 환이 만들어서 그때부터 계속 쓰던 거야. 아, 너한테는 9번째 앞에 환이겠구나. 하여간 그건 계속 물려줘야 되니까 조심해. 깨뜨리지 않게."

"이게 그렇게 오래 된 거야? 어쩐지 좀 낡아 보이긴 하던데."

작은 환은 다시 커피잔을 살펴보며 이야기했다.

"낡았다니. 얼마나 아껴서 물려받은 건데. 너도 조심해서 쓰고 너 다음 환한테도 물려줘야 돼."

"뭐 얼마나 대단한 거 물려준다고."

작은 환은 커피잔 하나에 너무 큰 의미를 부여하는 큰 환의 말에 웃음이 나왔다.

"그건 됐고 아까 하던 이야기 계속 하자면 원래 회사 일이라는 게 배우면 배울수록 어렵고 힘든 거야. 그래서 재미있는 거잖아. 그렇지 않아?"

"으. 응."

작은 환은 그렇다고 대답하긴 했지만 처음부터 지금까지 회사 일에서는 재미라고는 느껴본 적이 없었다. 반면에 작은 환이 볼 때 큰 환은 일 하는 것이 재미있는 것인지 일을 할 때면 눈을 부릅뜨고, 숨도 쉬지 않고 하는 것만 같았다. 작은 환은 그런 큰 환과 자신이 너무나도 다르다는 생각이 들었다. 태어나서부터 지금까지 쭉 함께 바로 옆에 붙어 있긴 했지만, 이렇게 자신과는 너무나도 다른 생각들을 당연하다는 듯 말할 때마다 큰 환과 너무나도 멀리 있는 것 같이 느껴졌다.

"금방 익숙해질 거야. 피곤해도 좀 참아. 앞으로 계속 해야 될 일이기도 하고, 또 지금 제대로 배워놔야 나중에 가르칠 때도 잘 가르치지. 어제 같은 일도 하다 보면 별거 아니야. 나 봐. 복잡한 것 같은데도 딱 급한 거부터 차례대로 해서 금방 해결했잖아."

작은 환은 큰 환의 말에 대답하지 않고 조용히 커피만 홀짝댔다. 사실 작은 환은 어제의 일이 제대로 해결 된 것인지 또 금방 해결 된 것인지 이해가 되지 않았는데, 어떻게 큰 환은 그렇게 자신만만하게 이야기 하는지 이해할 수 없었다. 작은 환은 항상 이럴 때 마다 막막함에 도망치고 싶다는 기분만 들었다.

짧은 쉬는 시간이 끝나고 다시 회의는 시작됐다. 회의실의 문을 넘어가자마자 그 안의 무거운 공기가 숨을 탁하고 막히게 만드는 것을 느꼈다. 사람이 다 모이자마자 금방 다시 시작된 회의, 아무 생각 없이 듣고만 있던 작은 환은 금세 또 졸리기 시작했다.

'뭐가 이래. 방금 전에 밖에 있을 때만해도 괜찮았는데…. 커피에 수면제라도 탄 건가. 커피를 마시면 잠이 깨야 되는데, 왜 더 잠이 오는 거지?'

작은 환이 멍하게 다른 생각에 빠져있는 동안, 큰 환의 차례가 됐다. 큰 환은 자리에서 일어나 앞으로 나갔다. 스크린으로 비춰지는 도표와 도식들을 보며 큰 환은 설명을 시작했다. 분명 비추고 있는 자료들은 자신의 손을 거쳐 만들어진 것인데, 그것을 설명하는 큰 환의 말이 무슨 말인지 이해가 되지 않았다. 그냥 무관심하게 그의 말들을 흘려들으며 그래도 발표를 자기가 하는 건 아니라 다행이다라고 생각하는 찰라, 큰 환이 자신을 부르는 소리에 얼떨떨한 기분으로 큰 환 쪽을 쳐다봤다.

"응? 왜?"

"설명하라고. 이 부분. 네가 만들었으니까 네가 제일 잘 알 거 아니야."

"응? 이거 설명?"

큰 환의 말에 작은 환은 당황하여 어쩔 줄 몰라 했다. 무엇을 설명해야 하는지조차 모르는 상황이라 머릿속이 캄캄해지고, 등에는 식은땀이 주르륵 흐르는 것이 느껴졌다. 갑자기 한 마디 상의도 없이 이런 일을 벌이다니. 작은 환은 항상 이런 식으로 자신과 상의도 없이 일을 넘기는 큰 환에 화가 났다. 하지만 작은 환에게는 그에 대해 화가 나는 것보다 지금 당장 이 상황을 어떻게 넘어갈 수 있을까 하는 문제가 더 시급한 것이었다.

"어…. 어떻게?"

작은 환은 속삭이듯 큰 환을 바라보며, 애원하는 눈빛을 보내며 말을 했지만, 큰 환의 재촉하는 눈빛이 냉정해 보여 더 말문이 막혔다. 아무 말도, 아무 것도 못하고 그저 멍청한 표정으로 사람들 앞에 서 있었다. 작은 환은 마치 발가벗겨진 채 사람들 앞에 서있는 것처럼 창피하고, 부끄러워 얼굴이 벌개졌고, 마치 시간이 멈춘 듯 이 시간이 길게만 느껴졌다.

'못 해먹겠다.'

머릿속에 드는 생각은 오직 이 하나뿐이었다.

그 후로 작은 환은 집으로 돌아갈 때까지 시무룩한 표정으로 말도 없이 있었다. 문제가 됐던 발표는, 사실 큰 문제라고도 할 수 없는 것이긴 했지만, 또 결국은 큰 환이 무사히 마무리를 지었지만 그 시간 동안 아무 것도 할 수 없었던 자신의 모습이 한심하고, 부끄러워 견딜 수가 없었다. 그 짧은 시간 동안 그는 갑자기 자신이 큰 환에게서 따로 떨어져 나가버린 듯한 기분이 들었다. 또다시 그의 머릿속에는 자신은 이곳과는 어울리지 않다는 생각과 자신이 여기서 뭘 하고 있는지 모르겠다는 생각 밖에 들지 않았다. 하지만 그런 작은 환의 고민을 아는지 모르는지 큰환은 그런 일이 없었던 일인 것 마냥 그 후에는 그저 평소와 다름없이 웃으며 이야기를 하고, 일을 가르쳤다. 물론 작은 환의 머리에는 그의 말들이 아무 것도 들어오지 않았다.

집으로 돌아가 바이올린을 연주하면서도 작은 환은 한마디도 하지 않았다. 큰 환이 한마디씩 툭툭 던지며 가르쳐 줄 때도 그는 그의 말을 따라 연주하면서도 그의 말에 대답을 하지는 않았다. 귤들이 돌아왔을 때도 그는 인사도 하지 않고 그냥 뚱한 표정만 보냈다. 그런 작은 환을 큰 귤이 이상하게 생각하며 물었다.

"작은 환이는 표정이 왜 그래? 회사에서 무슨 일 있었어?"

"응? 뭐가?"

그제야 큰 환은 무슨 일이 있는지 작은 환을 살폈다. 하지만 작은 환은 뾰로통한 표정으로 바이올린만 켰다.

"너 왜 그래? 화났어?

이제까지 바이올린 잘 켜놓고는 갑자기 왜?"

사실 작은 환은 회사에서부터 이런 상태였으니 갑자기는 아니다. 큰 환은 아무런 대꾸도 없이 바이올린에만 신경을 쓰고 있는 작은 환을 보며 긴가민가한 표정으로 귤에게 되물었다.

"혹시 얘. 회사에서 발표시켰는데, 못해서 그거 때문에 삐쳤나?"

"회사에서? 무슨 발표?"

"그냥 월 마감 자료 작성한 거, 환이가 만든 거 설명하라고 했더니, 한마디도 못하더라고. 근데, 진짜 그거 때문에 삐쳤나? 그래? 환아? 그거 때문에 그래?"

큰 환의 그 말에 작은 환은 짜증이 나 대답은 하지 않고, 신경질적으로, 더 큰 소리가 나게 바이올린을 켰다.

"아, 시끄러워. 그 놈의 바이올린 진짜."

이번에는 작은 귤이 작은 환에게 핀잔을 줬다. 안 그래도 기분이 나빴던 작은 환은 그녀의 말에 더 발끈하여 한 마디 하려고 했다. 하지만 그의 입이 채 떨어지기 전에 큰 귤이 먼저 말을 했다.

"환아. 이야기 중이잖니. 잠시만 있다가 해."

큰 귤이 가볍게 던진 짧은 한마디 말은 작은 환에게는 참담함을 남겼다.

'큰 귤까지도 나한테 이러는 거야? 난 집에서까지도 이런 취급을 받아야 되는 거야? 난 회사에서나, 집에서나 무시당하고, 쓸모없는 사람이야?'

큰 환과 큰 귤이 회사에서 있었던 발표 때의 이야기를 포함한 자질구레 한 일과들을 이야기하는 동안 작은 환의 머릿속에 있는 안 좋은 생각들은 꼬리에 꼬리를 물고 커져만 갔다. 작은 귤

은 그들의 대화에 끼어 웃는 것이 꼭 자신을 비웃는 것만 같았
다. 속이 부글부글 끓고 머릿속은 새까매진다.

　'혼자다. 집에서나, 회사에서나 사람들이랑 같이 있지만, 혼자
다. 내 스스로의 의지대로 할 수 있는 것은 아무 것도 없는데, 혼
자다.'

　작은 환은 여러 가지 생각들이 뒤섞이고 그것이 화학반응을
일으키듯 부글부글 끓어 터질 듯 했다.

　"배고프다. 밥 먹자."

　"그래. 밥 먹자. 환아. 바이올린 넣으러 가자."

　갑자기 모든 게 억울하고 눈물이 날 듯한 자신과는 달리 그냥
별 일 아닌 듯 가볍게 대화하고 상황을 끝내는 그들에게 작은 환
은 참을 수 없는 분노가 터져 나왔다.

　"싫어. 난 계속 할 거야."

　느닷없이 화난 목소리로 소리를 지르며 고집을 부리는 작은
환의 반응에 큰 귤과 큰 환은 순간 당황한 듯 잠시 말없이 그를
바라봤다.

　"너 갑자기 왜 그래? 왜 평소에 안 하던 짓을 하고 그래?"

　"아직도 회사 일 때문에 화나 있는 거야?"

　그들의 물음에도 작은 환은 못들은 척 여전히 신경질적으로
바이올린만 켜댔다. 하지만 사실 그건 연주라고 하기엔 너무 엉
망이었다. 그냥 시끄럽게 소리만 내고 있었다.

　"왜 그래? 이제 그만하고 밥 먹자. 이리 줘."

　"싫어."

작은 환은 내미는 큰 환의 손을 피해 소리를 지르고는, 몸을 비틀며 계속 연주했다.

"너 자꾸 이럴래? 갑자기 왜 이렇게 말을 안 들어?"

큰 환은 다시 말하며 손을 뻗었지만, 작은 환은 몸을 더 기울이고 팔을 쭉 뻗어 그의 손을 피했다.

"하여간 지 맘대로야. 너 때문에 다 밥 못 먹고 있잖아."

작은 귤은 그런 작은 환을 보며 비꼬듯 말했다.

"귤아. 바이올린 좀 뺏어."

큰 환은 허리를 돌려 귤 쪽으로 작은 환을 내밀었다.

"알았어. 이리 내."

작은 귤이 손을 뻗어 바이올린을 뺏으려고 했다. 작은 환이 몸을 비틀며 피하려고 했지만 피하지 못할 것 같았다. 작은 환은 바둥바둥 대는데, 그에게 다가가는 손이 쑥하고 사라졌다. 큰 귤이 몸을 돌려 작은 귤을 뒤로 보낸 것이다.

"아, 왜? 다 잡았었는데."

"환아, 이제 그만 하고 밥 먹자. 배고프잖아.

오늘은 그만하고, 내일도 하고, 모레도 하면 되지. 알았지? 그만하고 나한테 줘. 집어넣자. 착하지?"

큰 귤은 작은 환을 부드러운 목소리로 타일렀다. 고집 부리던 작은 환은 큰 귤의 말에 마음이 살짝 누그러졌다. 사실 이런 상태에서 바이올린을 더 갖고 있어봤자 연주가 될 리도 만무하고, 배가 고파지기도 해서 그만 해야겠다는 생각이 들기도 했지만, 그냥 이대로 순순히 바이올린을 넘기기는 싫어 바이올린을 내미는 것도 아니고, 안고 있는 것도 아닌 어정쩡한 자세로 있었다.

"됐다. 밥 먹자."

작은 환이 맘을 놓고 있는 사이 큰 환이 손을 쭉 뻗어 바이올린을 낚아챘다. 순식간에 바이올린을 빼앗긴 작은 환은 황당하고 화가 나기도 했지만, 이 상황을 멈출 적당한 기회가 없었던 터라 차라리 다행이라는 생각이 약간 들기도 했다. 하지만 그렇다고 기분이 좋을 리는 없는 법. 인상을 잔뜩 찌푸리며 입을 툭 내밀고 말 없이 있었다.

"에이, 그렇게 안 했어도 주려고 그랬는데, 왜 그랬어? 그렇지, 환아?"

큰 귤은 웃으며 작은 환에게 말했지만 작은 환은 인상을 찌푸린 채 입을 내밀고만 있었다.

"밥은 잘 먹네."

"그렇게 심통을 부려댔으니 밥이 잘 넘어가지."

"밥 잘 먹으면 좋은 거지 둘이서 왜 그래?"

큰 환과 작은 귤은 작은 환을 사이에 두고 주거니 받거니 놀려댔다. 작은 환은 또 다시 화가 울컥 올랐지만 큰 귤이 그 둘을 말리기도 했고, 더 싸우는 것도 피곤하여 그 둘이 알아채지도 못할 정도로 노려보는 것으로 가볍게 끝내고 밥 먹는데 집중했다.

그렇게 작은 환의 투정은 아무런 영향도 남기지 못한 채로 끝이 났다. 하지만 그의 투쟁은 그때부터가 시작이었을 뿐이었다.

회사에서 힘이 들고, 자신의 적성과 맞지 않는다고 느껴질 때마다 그는 집에 돌아가서는 바이올린을 끝내는 것으로 가족들과 항상 마찰을 일으켰다. 그런 상황에서는 제대로 된 연주가 될 리가 없었지만, 작은 환은 점점 더 고집을 부려댔고, 그럴수록 점점 더 환과 귤의 가족은 다툼이 많아졌다.

"아이고 정말, 너 또 이런다."

"하여간, 진짜 제 멋대로인 녀석이라니까."

"환아, 그만 하고 밥 먹자. 다 기다리고 있잖아."

"다 신경 쓰지 말고 그냥 먹어. 난 밥 안 먹고 계속 바이올린 켤 거야."

"아니, 너 그러고 있는데, 어떻게 밥을 먹어?"

"그래. 너도 배고플 텐데, 다 같이 먹어야지."

"그냥 애 내버려두고 우리끼리 먹자. 배고프면 자기 손해지, 뭐."

"아유, 너까지 왜 그러니?"

"저녁때마다 난리다, 난리야. 너 꼭 그렇게 해야겠어?"

"내가 뭘? 난 내가 하고 싶은 거 좀 하면 안 돼?"

"바이올린 매일 하게 해주잖아. 자꾸 그러면 아예 지금 하는 시간도 못 하게 한다."

"그러기만 해봐. 나도 그러면 회사 가서 손도 꼼짝 안 할 거니까."

"그러니까 그만 하고 밥 먹자. 내일도 또 하면 되잖아."

"모자라. 모자라다고. 겨우 감 잡았다 싶으면, 밥 먹어야 된다고 못 하게 하고, 그 뒤엔 늦었다고 못하게 하고, 회사 가면 또 못하고. 이런데 어떻게 실력이 늘어?"

"어쩔 수 없잖아. 시간이 그렇게 밖에 안 되는데."

"회사에서 일찍 나오면 되잖아."

"그렇게 안 된다니까."

"그럼 회사 가기 싫어."

"자꾸 무슨 그런 말도 안 되는 소리야."

어느새 언성이 높아진 환들의 대화에 귤들은 끼어들지도 못했다. 사실 작은 환은 회사 가기 싫다는 말을 내뱉고는 살짝 긴장이 되기도 했었다. 회사를 큰 환이 어떻게 생각하는지 알기에 선을 넘은 것 같아 더 큰 호통이 떨어질 것만 같았는데, 큰 환은 그렇게까지 화가 나지는 않은 것 같았다. 하지만 작은 환은 더 이상 해서는 안 될 것 같은 느낌이 들어 그 날은 입을 다물었다. 그렇지만 그렇게 선을 그어놓은 금기도 며칠 동안 몇 번씩 부딪히다 보니 점점 옅어져 갔다. 환들은 이제 집에 들어올 때마다 하루가 멀다 하고 다퉈댔다. 그것도 날이 갈수록 점점 더 심해져만 갔고, 귤의 힘으로 그들을 말리기엔 역부족이 되어갔다. 그렇게되니 그들이 싸울 때면 귤들은 아예 자리를 피해 버렸다.

그 날도 그렇게 싸움은 시작 되었었다. 무엇이 원인이었는지는 알 수 없었다. 사실 그 시작이 무엇 때문인지는 이제 그들에게 중요하지 않았다. 그냥 그 날도 특별히 뭔가 더 크거나 심각한 문제로 시작 된 것은 아니었다.

"회사 안 가면? 회사 안 가면 뭐하고 살 건데?"

"난 그냥 내가 하고 싶고, 좋아하는 일을 하고 싶어. 회사는 나한테 안 맞아. 잘하지도 못하고."

"겨우 그거 해보고 안 된다는 거야? 아직 할 일이 얼마나 많고. 할 수 있는 게 얼마나 많은데?"

"싫어. 싫다고."

"좀 참아. 참으면 되잖아. 이렇게 좋은 직장을, 너 뒤로도 계속 이어나가야 되는데, 겨우 너 바이올린 하고 싶은 거 하려고 뒤에 애들까지 다 못 하게 만들 거야?"

"그 애들도 자기가 하고 싶은 걸 하게 하면 되지."

"어떻게? 일자리가 그렇게 항상 널 위해 기다리고 있는 줄 알아?"

"자기한테 맞고 좋아하는 일이면 할 수 있겠지."

"그런 억지 좀 부리지마."

"이게 뭐가 억지라는 거야?"

"말도 안 돼. 그렇게 세상에서 살아가는 게 쉽지 않아."

"난 지금도 쉽지 않아."

"네 말대로 하고 싶은 데로만 하고 살면 어떻게 되는 지 알아? 집에서 쫓겨나고 철조망 밖으로 쫓겨나서 살아야 돼. 그렇게 살고 싶어?"

"하고 싶은 걸 할 수 있으면 그렇게 살아도 상관없어."

그렇게 소리를 질렀는데, 작은 환은 흥분한 와중에도 문득 이상한 생각이 들었다.

'도시 밖에는 사람이 못 사는 거 아니야? 동물들만 살고?

사람이 있는 걸 보긴 했지만 거기서 사는 사람은 아닌 것 같았는데.'

하지만 그에게는 더 이상의 생각을 할 수 있는 여유가 없었다.

얼굴이 벌겋게 달아오른 큰 환이 씩씩대며 창고로 향했다. 그리고 그는 바이올린 케이스를 찾아 꺼냈다.

"뭐해? 뭐 하려고?"

작은 환은 큰 환의 느닷없는 행동에 놀라 소리쳤다.

"이게 문제야. 이 딴 거 때문에 일을 안 한다는 게 말이 돼? 이딴 건 없애버려야 돼."

"안 돼. 하지 마. 안 돼."

작은 환은 다급하게 큰 환의 팔을 잡으며 저지했지만 힘에서 그를 당할 수는 없다. 그는 바이올린을 케이스에서 꺼내 당장이라도 내리칠 듯 머리 위로 높이 들어올렸다.

"처음부터 이걸 보여주는 게 아니었어."

"뭐해? 왜 그걸 들고 그래?"

작은 환의 다급한 목소리를 듣고 큰 귤이 무슨 일인가 싶어 그들이 있는 곳으로 다가와 물었다.

"환이 좀 말려봐. 미쳤나 봐."

"왜 그래? 그거 좀 내려놔. 왜 흥분하고 그래?"

"부숴버려야 돼. 이거 때문에 애가 정신을 못 차리고 계속 회사 그만둔다느니 이상한 소리나 해대잖아. 이 딴 거 아무 짝에도 쓸모 없어."

"그러지마. 환이 이제 회사 안 나간다고 안 할 거야. 그렇지 환아?"

"응. 응."

큰 귤의 중재에 작은 환은 급하게 대답했다. 하지만 그 뒤로는 말이 더 나오지 않았다.

'내가 정말 회사를 계속 다닐 수 있을까? 정말 계속 이렇게 살 수 있을까? 그냥 좀 참아볼까? 참을 수 있을까? 그냥 이대로 이전처럼만 하면….'

하지만 이제까지의 회사생활을 생각하니 답답하고 막막한 생각밖에 들지 않아 한숨만 나오려 했다. 너무나도 모자라기만 한 연습시간으로 그 괴로운 시간을 버틸 수 있을 까 고민스러웠다. 그런 작은 환을 대신해 큰 귤이 이야기 했다.

"들었지? 이제 열심히 다닌다잖아. 그러니까 그만 하고 이제 거실로 나가자."

큰 귤의 말에 큰 환은 망설이는 듯 눈빛이 흔들렸다. 하지만 이내 표정을 바꾸고는 냉정하게 말했다.

"아니야. 이건 두고두고 문제가 될 거야."

그리고는 들고 있던 바이올린을 창고 앞 시멘트 바닥에 그대로 내던졌다. 바이올린은 그대로 목이 부러져 바닥에 나뒹굴었다. 하지만 큰 환은 그걸로도 부족하다 싶은지 슬리퍼를 신은 발로 그 위를 밟아댔다.

"야."

큰 귤은 큰 환의 행동에 놀라 눈이 휘둥그레져서는 외마디 비명을 내지르고는 말문이 막힌 듯 아무 말도 하지 못했다. 작은 환은 순간 넋을 놓은 듯 입을 벌린 채 소리조차 내지 못했고, 두 눈에서는 툭 하고 눈물이 터지듯 나와 쉴 새 없이 주르륵 흘렀다.

45° 불량품

"잇. 잇."

"으이 참."

오늘도 아침부터 환들은 낑낑대며 애쓰는 소리가 문밖까지 들릴 정도로 힘겨루기를 해댔다. 그날 이후로, 그 둘은 원수처럼 다투었으며 이제는 그들 사이의 대화라는 것은 대부분이 말싸움일 정도가 되었다. 그런 날들을 지나오며 큰 환과 같은 각도가 될 만큼 자란 작은 환은 그만큼 다리에 힘을 줄 수 있게 되었다. 그렇게 되자 작은 환은 그 다리를 이끌고 자신이 가고 싶은 곳으로 가고, 하고 싶은 것을 하려고 했다. 아니, 사실로 말하자면 큰 환이 하려고 하는 것에 훼방을 놓고, 방해를 한다는 것이 더 맞을 것이다. 큰 환이 어디로 가고자 하면 다리에 안간힘을 주어 막고, 가지 않으려고 하는 곳에는 억지로 걸음을 옮겼다. 그 싸움의 끝은 결국 더 많이, 더 오래 걸어봤던 큰 환이 이기긴 하지만, 항상 작은 환의 고집 때문에 무엇을 하든 느려질 수밖에 없었고, 게다가 점점 더 자라나는 작은 환의 저항은 강해져만 갔다.

"아직도 저러고 있어?"

"그러게 말이야."

큰 귤의 물음에 작은 귤은 한심한 듯 환들을 보며 말했다. 처음 그들이 이렇게 팽팽한 상태에서 움직임의 주도권을 놓고 기싸움을 벌일 때까지만 해도 큰 귤은 이것이 누구나 어련히 다 겪게 되는 통과의례와 같은 일이라고 작은 귤에게 이야기 했었다. 하지만 이렇게까지 오랫동안 격렬하게 싸울 것이라고 예상치 못한 큰 환과 큰 귤은 당황스러워져 갔다. 그러니 별다른 다툼이나 신경전 없이 무난하게 이 평평한 균형의 시기를 지나온 작은 귤의 눈에는 지금 그들의 실랑이는 웃기지도 않는 일이었다. 작은 귤은 답답한 듯 몸을 일으켜 환들에게 소리쳤다.

"이제 그만 하고 좀. 출근 안 할 거야? 도대체 아침마다 왜 이래?"

"그래 좀 가자. 너 때문에 귤이도 늦겠다."

"안 가."

"도대체 왜? 오늘은 또 왜?"

"가기 싫어."

"그러니까 왜."

"싫은데 이유가 어디 있어? 네가 바이올린 부숴버린 건 이유가 있어서야?"

작은 환은 큰 환과 다툴 때면 항상 그렇듯 그가 바이올린을 부숴버린 그날의 일을 꺼냈다. 어쩌면 그 일을 되뇌기 위해 시비를 거는 것일지도 모르겠다.

"그건 내가 몇 번이나 이야기 했지만, 네가 자꾸 일을 안 하고 바이올린에만 미쳐가지고…."

"그게 이유가 된다고 생각해? 내가 간다 그랬잖아. 회사 간다고. 그런데도 너는 네 마음대로 내가 하고 싶은 것을 망가뜨렸어. 다 네 생각대로, 다 네 마음대로야."

"됐어. 매번 똑같은 걸로 또 싸우는 거야? 너희들 오늘 회사 안 갈 거야?"

듣다 못한 작은 귤이 다시 그들에게 다가가 신경질적인 목소리로 그들의 싸움에 끼어들었다.

"안 간다니까.

그리고 왜 너는 내가 말만 하면 끊고 시비야?"

"아, 좀 그만 하라고. 짜증난다고."

환들의 싸움은 작은 귤에게까지 번져 그녀도 악을 쓰고 소리를 지르기 시작했다.

"왜 너까지 소리를 지르고 그래? 다 그만 화내고. 환아, 어차피 너 그렇게 해 봤자 큰 환이가 가자는 대로 가잖아. 괜히 쓸데없이 힘 빼지 말고 그냥 즐겁게 같이 가자."

큰 귤은 다정한 목소리로 작은 환을 달래봤지만 그의 마음은 꿈쩍하지도 않았다. 아니, 어차피 큰 환의 뜻대로 된다는 사실이 작은 환을 더 화가 나게 했다. 그도 어차피 자신의 뜻대로 되지 않을 것이라는 것은 알고 있었지만, 그냥 순순히 따라가고 싶은 마음은 없었다. 작은 환은 할 수 있는 만큼 끙끙대며 진을 다 뺀 후에야 축 늘어져서 큰 환에게 끌려가듯 정류장으로 갔다. 그렇게 도착한 정류장에는 작은 환의 바램과는 달리 버스는 여전히 승객들을 태우고 있다. 터덜터덜 버스에 올라타 자리에 앉으면 둘 다 허리가 뻐근해져 옴을 느낀다.

"봐. 너 때문에 오늘도 안 좋은 자리에 앉았잖아. 내일부터는 좀 일찍 다니자. 나 좀 그만 괴롭히고."

큰 환은 버스 바퀴가 있는 부분에 다리를 접고 앉으며 투덜댔지만 작은 환은 그의 말에 콧방귀를 뀌며 대꾸하지 않았다. 그러는 사이 곧 문이 닫히고, 버스는 출발했다. 이제는 내릴 수 없는 시간. 예전과 다른 것 하나 없는 하루의 시작이었다.

'매일 이게 뭐 하는 거지? 다 지친다. 이렇게 싸우는 것도, 의미 없이 회사에 다니는 것도. 할 수 있는 것도 없지만, 뭘 해도 달라지는 건 없어.'

작은 환은 창밖을 멍하니 지켜보며 생각에 잠겼다. 그는 큰 환이 바이올린을 부숴버린 이후로 줄곧 어서 커서 반대로 자기가 마음대로 할 수 있는 날이 오길 조급하게 기다렸다. 하지만 큰 환과 거의 같은 높이로 설 수 있게 된 지금도 큰 환의 영향에서 벗어날 수 없자 무기력해짐을 느끼기 시작했다. 분명 조금만 더 자라면 그의 생각대로 움직일 수 있을 테지만, 그걸 알지만, 그 날이 마치 오지 않을 듯 너무나 멀게만 느껴졌다. 너무 늦어버릴까 겁이 났다. 하지만 그가 어떤 생각을 하고, 무엇에 겁을 내는지와 상관없이 그의 일상은 늘 똑같은 날들의 반복이었다.

그가 탄 버스는 전과 다름없이 똑같은 건물들을 지나가고, 외곽도로를 지나면 언제나 그 근방에 서 얼쩡대며 팻말을 들고 서 있는 철조망 밖 그 사람을 지나치게 된다. 그의 팻말 문구는 며칠마다 한 번씩 바뀌는데, 어느 순간부터 작은 환은 그 내용은 물론 그 사람 자체도 그냥 창 밖 풍경인양 신경 쓰지 않게 됐다. 하지만 가끔씩 멍하게 있다 보면 그가 눈에 들어온다.

'저 사람은 맨날 저렇게 있구나. 저기서 저렇게 하고 있는 게 재미있나? 저 사람도 나처럼 재미없고 하기 싫은 걸 억지로 하는 건가? 하긴 저렇게 위험한 곳에 저런 걸 들고 가만히 서있는 게 뭐가 재미있겠어? 누가 시키니까 하는 거겠지.'

작은 환은 별 의미 없는 생각들로 출근시간의 우울함과 지루함을 지웠다. 하지만 그리 오래가지는 못했다. 다시 무료해지자 철조망 밖을 뛰어다니는 동물들의 숫자나 멍하게 세어 보다가 어느새 정신을 잃고 잠이 들었다. 버스 창문에 머리를 비비다가 회사에 도착하여 큰 환이 움직이자 잠이 깼다. 그때부터 작은 환에게는 고난의 시간이 시작되었다.

매일 마주하는 회사이지만 들어 갈 때마다 보이는 칙칙한 입구는 마치 자신을 잡아먹는 거대한 괴물의 입 같아 보여 한 숨이 절로 나왔다. 자기도 모르게 다리에 힘을 주고 멈춰 서려고 하자 큰 환이 그를 노려봤다. 사실 작은 환은 그와 더 실랑이할 만큼의 힘이 아직 돌아오지 않았는데도 말이다. 하지만 큰 환은 그걸 알지 못한지라 계단을 하나씩 다리에 힘을 줘가며 조심스레 밟아 올라갔고, 그 느낌은 작은 환에게도 이어졌다.

사무실에 도착한 큰 환은 아직 일이 시작하지도 않았는데도 이미 많이 지쳐있는 듯 의자에 털썩 주저앉아 눈을 감고, 의자 뒤로 몸을 젖혔다. 그때 누군가 책상을 똑똑하고 두드리는 소리가 들렸다. 누군가 하고 다시 몸을 일으켜 보니 석과 훈이었다.

"안녕."

큰 환은 지친 목소리로 손가락을 흔들어 그들에게 인사를 했다.

"넌 별로 안녕치 않아 보이는데, 아침부터 왜 이리 뻗어있어?"

"왜긴 왜겠어? 지칠 만도 하잖아. 요새 힘들 때인데."

"뭐가?"

석의 말에 큰 환이 괜히 뜨끔하여 되물었다.

"뭐긴 뭐야? 요새 회사 분위기가 어떤지 몰라서 물어?"

"아. 뭐 회사 일이야 늘 힘든 거지. 언제는 쉬웠다고."

큰 환은 그게 뭐 별 일이냐는 듯 웃으며 말했다.

"너 잘났다, 그래. 근데 진짜 요새는 분위기 장난 아니지 않냐? 뉴스에서 수호가 요즘 생필품 물가가 비싸져서 사람들 살기 힘들다고 했잖아. 그래서 생필품 물가를 다 낮추라고 지시가 내려왔대."

"진짜? 뉴스에서 그렇게 말했다고 바로 그래?"

큰 환은 전혀 몰랐다는 듯 석에게 되물었다.

"시키면 시키는 대로 해야지, 뭐. 안 시켜도 알아서 눈치껏 해야 되고. 하여간 그러니 가격을 낮추긴 낮춰야 되는데, 이미 옛날부터 적정가격으로 낮출 만큼 낮춘 건데, 별 방법이 있겠냐? 대책을 내놓으라는데, 대책이 없지."

"뭐, 더 생산 간소화하고, 원가 낮추고 이러라는데, 그건 말처럼 쉽나. 바꾼다고 다 좋은 결과가 나오는 것도 아니고. 괜히 쓸데없이 회의랑 보고서만 많아졌지. 적정가격 맞추라는데, 적정한 일을 하는 건지 모르겠고, 효율적으로 만들라는데, 하는 짓이 효율적인지는 모르겠다."

석과 훈은 푸념을 늘어놓았지만, 큰 환은 그리 신경 쓰지 않는 듯 말했다.

"뭐, 시키는 대로 하다 보면 어떻게 되든 되겠지. 설마 그렇게 한다고 망하기야 하겠냐? 어찌 되든 되는 거지."

"하여간 일등 사원했던 거를 꼭 이런 식으로 티를 내. 잘 났다, 그래."

"근데 정부에서 정한 만큼 못 낮출 것 같으면 어떻게 할 거 같아?"

훈이 손짓으로 그들을 모으더니 낮은 목소리로 물었다.

"글쎄? 그냥 제품가격만 낮추려나? 그렇게는 안 하겠지?"

"당연하지. 설마 그러겠냐? 회사인데? 분명히 뭔가를 깎아내겠지."

"뭐를?"

"회사에서 비용이 드는 것 중에 제일 돈이 많이 드는 걸 깎겠지. 그렇다면 제일 많이 드는 게 뭐겠어?"

"뭔데?"

"당연하잖아. 월급. 다 같이 월급을 까겠지."

"야, 말도 안 돼. 그건. 생필품 가격이 비싸서 사람들이 힘든데, 그거 깎는다고, 사람들 월급을 같이 깎으면 그게 그거 아니야?"

이제껏 별 거 아니라는 듯 시큰둥하게 듣던 큰 환은 화들짝 놀라며 말을 했다. 그의 반응을 보자 석과 훈은 웃었다. 작은 환도 뭐 그리 놀랄 것까지 있나 싶은 생각이 들었다.

"그렇긴 그렇지. 아직 그렇게 정해진 건 아니야. 뭐, 어떻게 될지는 모르지. 어쩌면 부서당 몇 명씩 잘릴 수도 있고."

"잘린다고? 그런 일이 있을 수도 있어?"

이제껏 듣고만 있던 작은 환이 의아해하며 물었다.

"회사 입장에서는 차라리 자르는 게 더 쉬울 거야."

"그게 어떻게 쉬워?"

"봐. 아까만 해도 월급 깎는다고 하니까 큰 환이도 펄쩍 뛰었잖아. 그걸 전부다 한다고 생각해봐. 반발이 얼마나 많겠어? 근데 구조 조정한답시고 잘라버리면?"

"불만이 있어도…. 그 자른 사람들만 불만이 있겠지?"

"그렇지. 게다가 안 잘린 사람이 그러면 안 되는 거 아니냐 그러면 그 사람도 자르면 돼. 그럼 조용해지잖아. 그러니까 회사 입장에서는 더 쉬운 거야."

분명 엄청난 일을 이야기 함에도 훈은 그저 지나가는 이야기처럼 쉽게 말했다.

"잘린 사람은 진짜 어떡하냐? 진짜 막막하겠다."

"아직 확정된 것은 아니라니까. 그래도 혹시나 모르니까 조심해야지. 아침에 이렇게 모여서 오래 이야기하고 놀고 있으면 찍혀서 우리가 제일 먼저 잘릴 지도 몰라."

훈은 농담으로 무거워지려는 분위기를 바꿨다. 큰 환도 그에 거들어 한 마디 했다.

"너희들이나 그렇지. 우리는 일등사원이라 괜찮아."

"근데 만약에 사람들 쫓아내면 그 사람들 하던 일은 어떻게 해?"

작은 환은 심각한 표정으로 다시 그들의 대화에 끼어들었다.

"남은 사람들이 나눠서 해야지."

"안 그래도 일이 이렇게 많은데 거기서 또 일을 나눠준다는 거야?"

"회사 나갈래 아니면 일 더 하고 회사 계속 다닐래 라고 물으면 일 더하더라도 회사 다닌다고 하지 별 수 있어?"

작은 환은 그것은 그것 나름대로 또 끔찍하다고 생각했다. 그는 차라리 잘려서 회사를 그만 두는 것이 자신에게는 더 좋을지도 모르겠다는 생각이 들었다.

"하여간 우리는 잘리기 싫어서 일하러 간다."

"그래. 다들 열심히 좀 살아라. 잘리고 나서 후회하지 말고."

그들은 다시 농담으로 무거웠던 아침의 대화를 마치고 헤어졌다.

큰 환은 다시 고개를 뒤로 젖히고, 잠시 눈을 감고 고개를 좌우로 몇 번 털어내고는, 이내 정신을 차리고 의자에서 튕겨 나오듯 상체를 일으켜 똑바로 앉았다. 그리고 곧장 작은 환에게 고개를 돌려 기합을 넣듯 이야기 했다.

"자, 아까 이야기 잘 들었지? 잘리기 싫으면 열심히 해야 돼. 이제 어제 가기 전에 하던 거 마저 끝내야지?"

"뭐? 네가 하던 거잖아."

의욕적으로 말을 꺼낸 큰 환과는 달리 작은 환은 퉁명스럽게 대꾸했다.

"네 일인데 모르겠다, 해서 내가 대신 해준 거잖아. 어제 하면서 가르쳐줬으니까 이제 할 줄 알 거 아니야. 나머지는 네가 해야지. 다 똑같은 건데. 어제 가르쳐 준 대로 해봐."

"그게 왜 내 일인데?"

"그거 내가 지난달에 이번 달부터 넘겨준다고 그렇게 하기로 했잖아. 잔말 말고 얼른 해."

큰 환은 작은 환의 말을 대강 무시하고 일을 시키려고 했지만 작은 환은 그리 쉽게 물러서지 않았다.

"난 그렇게 하겠다고 한 적 없어. 네가 그냥 그렇게 얘기한 거지."

"자꾸 그런 말도 안 되는 소리 할래? 그럼 언제 일 다 배워서 언제 일 하게? 아직 배워야 될 것도 많은데.

나중에 나 없으면 이거 가르쳐 줄 사람도 없어."

"나중에 난 이런 거 안 할 거야. 난 내가 하고 싶은 걸 할 거야."

"너 또 말도 안 되는 소리 할래? 여기서 일 안 하면 뭐하게? 이 젠 있지도 않은 바이올린 하게?

혹시나 바이올린 있어도, 그거 가지고 먹고 살만한 돈이 나오 는 줄 알아? 이렇게 좋은 일자리 네 힘으로는 찾기도 힘들어. 다 른 사람들은 이런 거 하고 싶어도 못하는데, 어쩌면 여기서 일하 고 있는 사람도 쫓겨날지도 모르는 판에 배부른 소리 하지 말고 그냥 시키면 시키는 대로 좀 해."

큰 환은 누가 들을까 목소리를 낮춰 이야기를 했지만 화가 나 있는 목소리를 감출 수는 없었다. 작은 환은 입 꼬리를 잔뜩 올 리며 역시나 작지만 불만 가득한 목소리로 이야기했다.

"내가 왜 네 말을 들어야 되는데? 왜 넌 네 마음대로 하고 나 는 안 되는데? 난 너도 아니고, 네가 시키는 대로 하는 로봇도 아니야. 넌 너무 이기적이야. 너만 생각해. 난 내가 하고 싶은 대 로 할 수 있는 자유가 있어."

"뭘 그런 쓸데없는…. 어디서 못된 말만 배워가지고…."

큰 환은 작은 환의 대꾸에 눈을 부라리며 혼을 냈다. 그 사이 지나가던 준들이 무슨 일인가 싶어 그들 뒤로 다가와 말을 걸었 다.

"아침부터 뭐로 이리 열띤 토론 중이야?"

말다툼으로 얼굴이 벌겋게 달아오르고, 일그러진 환들과는 달리 준들이 뒤에서 여유롭고 평화로운 표정으로 커피잔을 들고 그들을 보고 있었다.

"아무것도 아니야."

"그래?

아침부터 너무 열심히 하지 마."

"왜?"

"힘들어."

큰 준의 어이없는 농담에 큰 환은 허탈하게 웃으며 말했다.

"뭐야, 그게?"

"커피나 한 잔씩 하면서 여유 있게, 열 내지 말고 천천히 해."

준은 그렇게 말하고는 자신의 자리로 돌아갔다.

"야, 말만 하지 말고 한 잔씩 타주고 이야기해야지. 어이."

큰 환이 준의 등 뒤에다 대고 웃으며 소리쳤지만 준은 들은 채도 하지 않고, 그냥 계속 걸어갔다.

"하. 그래. 좀 여유 있게."

준이 시야에서 사라지자 큰 환은 한숨처럼 혼잣말을 내뱉더니 자리에서 일어났다. 그리고는 책상 서랍에서 늘 쓰던 커피 잔 두 개를 들고는 탕비실로 향했다. 말없이 조용히 커피 두 잔을 타고 는 한 잔을 작은 환에게 건네줬다.

"마셔."

작은 환은 좀 전까지 자신과 함께 신경전을 벌이던 큰 환이 갑자기 달라진 표정과 목소리로 커피를 타서 주자 의아해하며 머뭇머뭇했다. 하지만 큰 환이 재차 커피 잔을 들이밀자 망설이다 결국 손을 내밀어 그 잔을 받았다.

"회사 일 힘들지? 그래. 처음부터 다 잘 할 수는 없으니까. 안 되는 것도 있고, 어려운 것도 있을 거야. 그래도 열심히 하다 보면 다 잘 될 거야."

큰 환은 작은 환을 타이르듯 혼자서 주저리주저리 이야기했다. 하지만 그런 이야기들로 작은 환의 마음을 움직일 수 있는 시기는 이미 오래 전에 지났다.

'처음이라니. 이 짓을 몇 년째 하고 있는데. 안 맞는 거야. 그냥 안 맞는 거라고. 열심히 한다고 해서 잘 될 거 같지도 않지만, 열심히 하고 싶지도 않아. 만약에 정말 미친 듯이 열심히 해서 잘 할 수 있다고 해도 난 그 노력을 내가 좋아하는 거, 나한테 더 잘 맞는 것에 하고 싶다고.'

작은 환은 그런 큰 환의 충고가 듣기 싫었지만, 굳이 당장 여기서 싸움을 다시 점화시키고 싶은 마음은 없어 대꾸하지 않고 그냥 입을 다물었다. 하지만 큰 환의 이야기는 멈추지 않았다.

"그리고 아까 회사 잘릴 지도 모른다는 이야기 너무 신경 쓰지 마. 그건 최후의 최후에나 그렇게 되는 거고, 벌써 다른 계획들이 다 나와 있을 거야. 또, 사실 그렇게 하는 것보다 회사 입장에서는 더 편한 방법이 있어. 뭔지 궁금하지? 뭐냐 하면, 그걸 우리 회사가 다 짊어질 필요는 없잖아. 방적공장이나 상자 공장, 이런데 우리가 물건을 사니까 그걸 더 싸게 해서 사면 돼. 그거로도 안 됐을 때 자르니, 월급을 깎니 하는 거지 처음부터 우리가 그럴 이유는 없어. 아까 걔들도 그건 다 아는데, 그냥 하는 말이고. 그러니까 그런 일은 있을지 없일 지도 모르고 설령 그런 일이 생긴다고 해도 이제까지 내가 다 잘 해왔으니까 괜찮아. 넌 너 할 일만 제대로 하면 아무 문제없어."

하지만 그런 그의 이야기는 작은 환에게는 아무런 효과도 없는 말이었다. 아니, 오히려 그는 쫓겨나는 것이 자신이 바라는 것인지도 모른다는 생각을 했다. 그는 대꾸하기도 귀찮아 그냥 큰 환이 마음대로 떠들게 내버려뒀다.

커피를 마시고 나자 환들은 다시 자리로 돌아갔다. 작은 환은 이제 다시 큰 환이 일을 시킬 테고, 그렇게 되면 다시 싸워야 할 텐데, 그런 생각을 하니 이제는 지치고, 약간 부담스럽다는 생각이 들었다. 어떻게 해야 할까 생각하는 찰라, 환들이 채 자리에 앉기도 전에 훈이 또 그들과 생산과 전부를 불렀다. 회의를 소집한 것이다.

"아, 아침부터 또 무슨 회의야."

큰 환은 투덜대며 회의실로 향했고, 작은 환도 다행히 한 순간은 넘겼다고 생각했지만 그렇다고 회의가 좋은 것은 아니었다. 환들은 시큰둥한 표정으로 팔짱을 끼며 회의실 의자에 앉아 회의가 시작하길 기다렸다. 그리고 함께 회의를 기다리는 다른 이들도 아침부터 하는 회의가 마음에 안 들기는 마찬가지였다.

"아, 또 오늘은 무슨 일 때문에 아침부터 모이라는 거야?"

"할 일도 많은데, 맨날 회의야?"

회의실 안의 웅성웅성하는 소리가 점점 더 커져만 갔다. 안 그래도 많았던 회의가 요즘 들어 점점 더 잦아지자 불만들이 더 커지는 듯 했다. 그런 다른 이들의 투덜투덜거리는 소리도 작은 환에게는 스트레스가 되었다. 아직 시작도 안 한 회의가 빨리 끝났으면 좋겠다는 생각이 들었지만 회의를 주최한 훈은 사람들을 모아놓고 아직 들어오지도 않았다. 여기저기서 불만이 슬슬 쌓이는 중에 석이 옆으로 바짝 다가와 말을 걸었다.

"야, 이거 무슨 회의일 것 같아?"

"뻔하지, 뭐. 또 생산계획 최적화나 재고 최소화 방안 내놓으라는 거 아니야? 몇 주째 그러고 있잖아."

큰 환은 귀찮다는 듯 피곤한 눈을 비비며 말했다.

"이번에 진짜 그거 아니야? 아침에 말했던 거."

"뭐?"

"퇴출. 우리 부서에서 누가 잘릴지 말지 정하자는 거야. 딱 아침에 얘기 나오자마자 어떻게 이러냐?"

"에이, 설마. 요새 회의 한두 번 하는 것도 아니고."

"그러니까, 회의가 계속 늘어난다는 건 그만큼 해결이 안 된다는 거 아니야. 그러다 보면 어떻게 되겠어? 결국 극단의 조치가 나오겠지. 이번이 아니더라도 다음, 아니면 다 다음엔 아마 이 이야기가 꼭 나올 거야."

"에이, 그렇게 하더라도 아직 순서가 다른 업체들 구매비용부터 깎고 난 다음에 그 말이 나오더라도 나오지, 어떻게 바로 그래?"

"업체들도 이미 그전부터 깔 만큼 다 깐 상태라서 더 까기도 힘들어."

"그건 그쪽 사정이지. 우리가 그쪽까지 신경 써줘야 되는 건 아니잖아. 일단 까고 나면 거기서 걔들이 또 알아서 하겠지."

"설령 그렇게 하더라도 구매비용은 구매과 실적이지 우리 실적은 아니잖아. 아, 자재과 실적인가? 하여간 그게 우리건 아니야. 부서마다 다 할당량이 있다는 거 몰라? 거기서 하는 건 우리랑 상관이 없어."

큰 환은 그의 말에 긴가민가한 표정을 지었다. 그러는 사이 드디어 훈이 두꺼운 서류 뭉치를 들고 들어왔다.

"미안. 늦었지? 아침부터 너무 일이 많아서. 다들 바쁘니까 빨리 시작할게."

"이번에는 무슨 일이야?"

"뭐겠어? 또 그 지긋지긋한 원가절감이지. 이 회사의 효율적인 운영과 이윤창출을 위한 어쩌고저쩌고. 어차피 다 아는 내용이니까 빨리 시작하자."

"그거 했잖아. 목표치도 다 된 거 같은데, 왜 자꾸 그러는 거야? 계획서 올렸다며?"

"그거 올리려고 했는데 못했어. 더 해야 돼. 목표 금액이 우리 부서가 제일 낮아. 다른 부서보다 목표치 대비 10%정도가 더 낮아. 남들보다 더 잘하진 못하더라도, 더 못하진 말아야지."

"다른 부서랑 우리랑 같은 것도 아닌데, 어떻게 그걸 똑같이 다 맞춰? 이미 할 만큼 다 했잖아."

"맞아. 다른 부서처럼 우리가 실을 더 싼 걸로 바꿀 수 있는 것도 아니고, 디자인을 바꿔서 무늬를 없앨 수 있는 것도 아니고, 실 엮는 걸 더 성기게 해서 재료를 아낄 수 있는 것도 아니고, 크기를 살짝 줄일 수 있는 것도 아니고. 우리가 되는 게 없는데, 어떻게 더 해? 뭐로 아껴?"

회의실 곳곳에서 불만이 여기저기서 터져 나왔다.

"옛말에 마른 수건도 짜면 물이 나온다고 했어. 짤 수 있을 만큼 짜봐야지."

"안 돼. 못해. 지금 그것 말고도 할 일이 얼마나 쌓여있는데, 계속 이거에 매달려야 돼?"

사람들은 여전히 불만을 토로했다. 훈은 난처하다는 표정으로 말했다.

"힘든 거 알아. 근데 어쩔 수 없잖아. 나라고 이게 재미있어서, 너희들을 괴롭히고 싶어서 하는 건 아니잖아. 회사 생활이라는 게 적어도 남들 하는 만큼은 해야지 그것만큼 안 되면 열심히 일하고도 비교돼서 일을 안 한 것처럼 보여. 그러긴 싫잖아. 다들 열심히 했는데 그런 취급 받으면. 그냥 말로만 그런 취급만 받는 게 아니라 요새 도는 소문처럼 감봉이나 인원감축을 해야 될지도 몰라."

다들 훈의 말에 더 불만을 말하지는 않았지만 표정이 좋지는 못했다. 그제야 회의가 시작되기는 했지만 분위기가 좋지 못할 뿐만 아니라 그리 효과적이지는 못한 것 같았다. 그렇게 회의는 또 별다른 성과 없이 무기력하게 끝이 났다.

"아우, 정말 짜증난다. 이놈의 회의. 끝이 안 나, 끝이."

"매일 똑같이 결론도 안 나는 거 왜 자꾸 하는지 몰라."

"뉴스에 그거 한 마디 나왔다고, 이렇게까지 해야 되는 거야? 회사도 참 정말 이상해."

"그러게 말이야. 너무 오버야."

회의실을 나오면서 다른 사람들의 구시렁대는 소리가 작은 환의 귀에도 들렸다.

'다른 사람들도 회사에 불만은 많구나. 회사에 다니기 싫은 건 나뿐인 줄 알았는데, 아니었네. 근데 왜 그럼 다들 그냥 잘리든 말든 그냥 하던 대로 하면 되지 왜 굳이 그렇게까지 애를 쓰는 거야?'

작은 환은 불평만 늘여놓고 그럼에도 불구하고 회사에 얽매여, 잘릴지도 모른다는 말에 전전긍긍하는 다른 사람들이 이해가 되지 않았으나 다시 생각해보니 자신의 상황도 그들과 그리다른 것은 아니었다. 하지만 사람들의 불만과는 상관없이 그런식의 회의는 그 후로도 계속, 자주 소집되었다.

그러던 어느 날, 환들이 회의를 마치고 돌아와 자리에 앉았는데, 그의 책상 위에 있던 전화벨이 울렸다.

"뭐해? 왜 또 전화 안 받아? 아휴, 참."

큰 환은 전화를 받지 않는 작은 환이 이젠 익숙한 듯 투덜대고는 자신이 손을 뻗어 울리고 있는 전화기를 들었다.

"여기 공장인데, 거기 생산과니?"

뭔가 날카롭고 큰 목소리가 수화기 너머로부터 들려왔다.

"응, 난 생산과 환인데, 누구야?"

"야, 너희들은 왜 계속 이랬다저랬다 하나?"

전화 상대는 큰 환의 질문에는 답하지도 않고, 대뜸 따지기 시작했다.

"무슨 말이야?"

"야, 너희가 원재료 재고 줄여야 된다고, 원재료 창고도 나머지 안 쓰는 건 다 잠그라 그래서 다 잠갔는데, 이거 실 들어온 거는 계획보다 더 들어왔잖아. 이거 창고에 다 안 들어가. 이거 어쩔 거야?"

큰 환은 그의 말에 어이없어하며 받아 쳤다.

"그건 구매 쪽에 물어야지 왜 생산에 물어?"

"아니, 언제는 생산관련 된 건 생산과에 말하라며. 똑같이 물건 들어오는 건데, 어떨 때는 구매고, 어떨 때는 생산이고, 어떨 때는 자재야? 난 그런 거 모르겠고. 하여간에 이거 제품 못 받으니까 알아서 해. 난 이야기 했어."

그는 그렇게 신경질적으로 말하고는 전화를 뚝 끊어버렸다. 큰 환은 뭐 이런 예의 없는 녀석이 있나 황당해하며 있는데, 몇 분이 채 지나지 않아 다시 전화가 울렸다. 큰 환은 신경질적으로 전화를 벌컥 들었다. 하지만 거기에는 다른 목소리가 있었다.

"나 방적공장 래인데. 환이 자리에 있어?"

"응, 나. 말해."

"환아, 네가 제품 더 받지 말라고 그랬어?"

그의 물음에 큰 환은 다시 어이없어 하며 짜증스러운 목소리로 대답했다.

"아니, 그거 내 담당 아니라니까."

"근데 공장에서는 너한테 말했다던데?"

"걔가 그렇게 말했어도 내 담당 아니라고."

큰 환은 점점 더 짜증이 늘었고 낮춰서 말하던 목소리도 점점 커져갔다. 하지만 래는 그런 것에 아랑곳하지 않고 자신의 할 말을 계속 이어갔다.

"근데 제품 그냥 받으라고 하면 안 돼? 너희 회사에서 제품 더 싼 거 쓰고, 가격도 더 낮춰서 우리 회사 이익도 더 줄어든 거까지만 해도 좀 심한데, 거기다가 재고 비용 줄인다고 한 번 납품할 때 제품 수도 줄여버리면 우리가 이제까지 납품차가 한 번 갔던 게, 두 번으로 늘잖아. 그럼 유류비 더 들고, 납품차랑 기사도 더 늘려야 돼. 그럼 우리 회사는 남는 게 없어. 그런 식으로는 우리 너희한테 납품 못해."

"아니, 야. 그거 나한테 이야기해도 소용없다니까. 구매 쪽에 전화 돌려줄 테니까 납품하든지 말든지 거기다가 이야기 하라고."

큰 환은 그에게 소리치고는 전화기를 내려놓고, 버튼을 눌러 다른 쪽으로 전화를 돌렸다.

"아유, 정말. 내 일 아니라니까 자꾸 나한테 말해."

큰 환의 짜증지수는 점점 더 올라만 갔다.

"자, 이제 우리 일 시작해 볼까?"

큰 환은 잠시 숨을 고르고는 작은 환에게 이야기 했다. 하지만 이번에도 채 시작해보기도 전에 다른 방해자가 그들의 앞에 나타났다.

"야, 너 이거 좀 봐봐."

훈이었다. 그는 큰일이라도 난 것처럼 호들갑을 떨며 서류 한 장을 들고 그들의 자리로 잔걸음으로 급하게 다가왔다.

"아, 또 왜. 그건 뭔데?"

"이거 이번 달 공장 수율이고, 이건 지난 달 수율인데. 봐봐. 이거 너무 확 떨어졌어. 이거 지금 왜 이런 거냐?"

"응? 그러네. 이거 갑자기 왜 이렇게 됐지? 이거 그 전부터 계속 떨어지고 있었네."

큰 환은 그가 내민 종이를 보며 갸우뚱했다.

"야, 그걸 나한테 물으면 어떻게 하냐? 이거 담당자는 너흰데. 이거 빨리 메워야지 아니면 다음 달에 실적 나오면 징계 먹을 수도 있어. 지금 안 그래도 생산비용 낮추라고 난리인데, 이거 다 그대로 불량비용으로 넘어가봐. 이제까지 한 거 다 날아가."

"아. 참. 알았어. 내가 알아서 처리할 테니까 가봐."

큰 환의 말에 주저리주저리 잔소리를 늘어놓던 훈은 순순히 그 서류를 놓고 갔고, 큰 환은 다시 짜증스러운 표정으로 공장으로 전화를 했다.

"나 생산과 환인데. 이번 달 제품 수율 다 왜 이래? 다 못쓰는 거야?"

"왜긴 왜야? 지금 안 그래도 실을 싸구려 실로 바꿨는데, 그거
도 양 줄인다고, 적게 쓰니까 약해져서 올이 다 터진 거지. 디자
인도 좀 바뀌기도 했고."

"야, 그럼 어떻게 해?"

"그걸 왜 우리한테 뭐라고 그래? 우리가 잘못한 게 아니잖아.
그거 그렇게 하면 안 된다니까 이렇게 해야 된다고 사무실에서
다 결정한 일이라고 해놓고서는 이제 와서 그래."

전화 상대는 따지는 큰 환에 외려 더 큰 소리로 화를 냈다.

"아우.."

큰 환은 답답한 듯 전화를 끊으며 짧게 짐승의 울음소리 같은
신음소리를 냈다. 그리고 자리에서 일어났다.

"어디 가게?"

작은 환은 일어나서 짐을 챙기는 큰 환에게 무뚝뚝한 말투로
물었다.

"공장. 현장에 가봐야지."

큰 환은 짧게 말하고는 사무실 밖으로 나가 바쁘게 걸어 공장
으로 향했다.

"야, 불량 난 거 다 어디 있어?"

큰 환은 공장 사무실에 도착하자마자 거기 앉아 있는 사람에
게 따지듯이 물었다. 그는 큰 환에게 손짓으로 따라오라고 한
뒤, 그를 창고로 데리고 갔다. 창고 문을 열고, 불을 켜자 그곳에
는 불량 양말들이 산더미처럼 쌓여 있었다.

"이렇게나 많아? 이렇게 될 때까지 다 뭐했어?"

"아니, 이렇게 될 거라고 이야기를 해도 그건 그냥 알아서 잘 하라고 하고 시키는 대로 하라고 하면 우리가 무슨 수가 있냐?"

"미리 이야기라도 하든가. 참 답답하다."

"말하면 다 자기일 아니라고 하면서 뭐."

"으이구."

자기는 아무 잘못 없다는 듯한 말투의 그를 보며 큰 환은 속이 답답한 듯 한숨을 푹푹 내쉬었다. 그 모습을 지켜보던 작은 환은 이 상황이 우습기만 했다. 큰 환이 양말 한 짝을 들어 살펴보자 여기저기 실이 끊어진 것이 발견되었다.

"너희들 기계설정 바꾼 거 뭐야? 간격만 바꿨지?"

"응. 그거 바꾸라고 해서 바꿨지."

"그것만 바꾸면 뭐해? 바꿀 때 각도도 같이 바꿔야 힘을 다 같이 받아서 안 터지지."

"그걸 바꾸라고 말을 해줘야 바꾸지."

"아유. 다들 일 하루 이틀 해? 이걸 바꾸면 당연히 그게 따라가야지. 도대체 이렇게 시킨 녀석이나 이렇게 시킨다고 딱 그것만 하는 녀석이나 참."

그들은 서로를 보며 답답하다는 듯 이야기를 했다. 하지만 큰 환의 말은 옆에서 듣고 있던 작은 환도 몰랐던 사실이었다.

"이거 당장 설정 바꾸고 생산해."

"그럼 지금 라인 멈춰야 되는데? 그래도 괜찮겠어?"

"지금 이 상태에서 계속 해 봤자 불량만 더 만들어. 아니다. 같이 가자. 같이 가서 내가 가르쳐 줄게."

큰 환은 그와 함께 기계로 가서 컴퓨터의 버튼을 누른 후 설정을 바꿨다.

"자, 됐다. 이제 수율은 다시 올라갈 거야. 만약에 또 이상 있으면 바로 이야기해. 일 커질 때까지 쌓아두지 말고."

"아이 참, 그거. 우리는 시키는 대로 한 거라니까 그러네."

큰 환은 끝까지 책임이 없다고 말하는 그에게 더 대꾸하지 않고, 불량더미가 있던 창고로 다시 갔다. 그는 한숨을 푹 내쉬었다.

"하아. 이제 이건 어떻게 하냐?"

"이미 나버린 걸 어쩐다고."

작은 환은 마치 자신은 아무 상관이 없는 것처럼 말했다. 그들이 그렇게 그 앞에서 그것들을 보고 있을 때, 누군가 그들의 뒤에 다가와 말을 걸었다.

"어, 너희들 생산과 환이잖아? 너희들이 공장엔 웬일이야?"

그 목소리에 돌아보니 조금 낯익은 얼굴이 보였다. 작은 환이 기억을 더듬어보니 예전에 사무실에서 본 적이 있는 품질과의 육이었다.

"아, 육아. 넌 웬일이야?"

큰 환의 말에 육은 마침 잘 됐다는 듯 하소연을 하기 시작했다.

"말도 마라. 백화점에 불려갔다가 완전 욕만 실컷 얻어먹고 왔다.”

“왜?”

“처음에는 백화점에서 양말 산 사람들이 뜯어서 신자마자 양말이 바로 터진다고 해서 항의 들어왔다고, 빨리 와보라고 해서 갔거든, 근데 가니까 또 그거 말고도, 뭐 양말을 신었는데 흘러내리니, 걷는데 벗겨지니, 빨았는데 색이 빠지니 막 이런다고 나한테 뭐라고 하는데, 참.”

“그래서 뭐랬어?”

“뭐라 하긴. 미안하다고 조사해보겠다고 하고 왔지. 아이고, 참 이거 또 뭐라고 입을 털어줘야 넘어갈 수 있을까 모르겠다. 한두 개도 아니고. 근데 이것들은 다 뭐야? 불량인 거 같은데, 이렇게나 많이 쌓여있어?”

육이 눈앞의 양말더미에 관심을 갖자 큰 환은 잘 됐구나 싶어 바로 말을 꺼냈다.

“아, 이거. 잘 됐다. 안 그래도 너한테 할 말 있었는데.”

“뭐?”

“이거 지금 다 불량으로 나온 건데.. 이거 어떻게 좀 안 되겠냐?”

“뭐가? 이거? 이거 어쩐다고?”

육은 큰 환의 말에 영문을 몰라 되물었다.

“이거 좀 쓰면 안 되냐는 거지.”

“야, 지금 방금 전까지 불량 때문에 나 욕먹고 왔다니까 이건 무슨 소리야.”

"아니, 그냥 쓴다는 게 아니고, 그래도 쓸 만 한 것만 골라서 고쳐서 내야지."

큰 환은 울컥하고 화를 내려는 육을 살살 구슬리기 시작했다. 육은 그런 그를 의심스러운 눈으로 바라보며 물었다.

"이걸 무슨 수로?"

"여기 터진 부분만 실로 살짝 꿰매면 쓸 수 있잖아, 그러지 않 겠어?"

"안 돼. 티나."

"걱정하지 마. 그 부분은 내가 확실히 알아서 할 게. 티 안 나 게 할 테니까 이거 좀 쓰게 해줘. 요새 가격 낮춘다고 다들 끙끙 앓고 있는데, 이만큼을 다 못 쓰게 되면 진짜 난리나. 우리 좀 살 려줘라. 게다가 이거 다 못쓰고 버리면 다 낭비잖아. 안 그래도 모든 게 다 부족한 시기인데, 이만큼을 다 못쓰고 버린다고 생각 해봐. 이게 얼마나 큰 국가적인 손실이야."

국가적 손실까지 나오는 너무나 거창해져 버린 큰 환의 설득 에 육은 마음이 흔들리는 듯 했다.

"아이 참. 안 되는데.. 근데 이걸 다 하겠다고? 앞으로 얼마나 더 나올지도 모르는데?"

"걱정하지마. 이만큼은 더 안 나와. 설정 다 바꿔놨어."

큰 환은 아무 문제없다는 듯, 다 해결해놓았노라고 자신만만 하게 이야기 했다.

"그래도 많잖아. 이걸 다?"

"해야지, 뭐. 별 수 있나. 우리가 이상 없이 다 해놓을 테니까 걱정 하지 마."

작은 환은 아까 전부터 육에게 걱정 말라고만 하는 큰 환의 말에 기분이 점점 싸해져 갔다. 뭔가 이상하게 마음에 걸리는 게 있었지만 일단은 말없이 그들의 대화를 듣기만 했다. 그러는 사이 육은 큰 환에게 설득이 되었다.

"일단 알았어. 한 번 해봐. 근데 문제 생기면 다 도로 뺀다. 알았지?"

"알았어."

육과의 대화를 마치고 그가 사라지자 작은 환은 그 싸한 기분을 확인하려 한시름 놓았다는 듯 밝아진 큰 환에게 물었다.

"근데 꿰맨다는 게 무슨 말이야?"

"무슨 말이긴 무슨 말이야. 꿰맨다. 말 그대로 바늘과 실로 끊어진 부분을 손으로 꿰맨다는 말이지."

"응?"

작은 환은 눈이 휘둥그래졌다. 그 단어를 몰라서 물어본 것이 아니다. 이 많은 양의 양말들을 하나하나 손으로 꿰맨다는 것이 이해할 수 없는 일이었기 때문이다.

"이걸 다? 설마 우리 둘이서?"

"당연히 아니지. 우리가 어떻게 이 많은 걸 다 하냐?"

"그렇지?"

작은 환은 그의 대답에 다행이라고 한시름 놓았다. 하지만 그의 말은 그대로 끝이 아니었다.

"우리만으로는 다 못하니까. 애들 더 모아야지."

큰 환의 당연하다는 듯 하는 말에 작은 환은 어이가 없어 눈을 동그랗게 뜨고 어이없는 표정을 지었지만, 큰 환은 이런 일에도 익숙한 듯 사무실로 전화를 걸어 급한 일이라고 훈과 준을 공장으로 불러냈다. 석도 함께 불렀지만 그는 더 급한 일이 있다고 오지 않았다. 큰 환은 그들이 오자 여기서 있었던 일을 말해주고는 다 같이 이것을 꿰매야 한다고 했다. 그 말을 들은 그들도 딱히 작은 환의 반응과 다를 것은 없었다. 하지만 그들에게 다른 좋은 방법이 없는 이상 그들은 큰 환의 말을 따를 수밖에 없었다.

"너도 이거 열심히 해야 돼. 오늘 할당량 다 채울 때까지 집에 못 가. 알았지?"

별로 하고 싶은 마음이 없었던 작은 환은 그의 말에 어쩔 수 없이 바늘을 잡게 되었다. 하지만 바느질 같은 것을 해본 적이 없는 작은 환이 그것에 익숙해지는 것은 너무 힘이 들었다.

"아직 그것 밖에 못 했어? 빨리 해야 돼."

"매듭이 너무 약하잖아. 이럼 다시 풀려."

"이거 너무 두껍게 됐잖아. 이럼 티나."

작은 환은 큰 환이 잔소리를 늘어놓을 때마다 하기 싫다고 던져버리고 싶었지만, 자신은 큰 환과의 다툼 때문에 다른 사람들에게까지 피해를 줄만큼 이기적인 사람이 아니라고 생각하기 때문에 그렇게 하지는 않았다.

하지만 그는 손가락 끝이 바늘에 찔려 따끔거릴 때마다 짜증이 솟구치는 것을 느꼈다. 특히나 바이올린을 연주했을 적에 굳은살이 박혔다가 지금은 사라진 부분이 바늘에 찔려 구멍이 뚫릴 때면, 그리 아프진 않았지만 기분이 묘한 것이 더 불쾌해졌다. 그에게는 회사에서 일을 하는 것도 싫었지만 그것보다도 이렇게 바느질을 하는 것이 더 싫었다. 빨리 이걸 다 해치워버리고 그만 두고 싶은데, 문제는 거기에 있는 것을 다하는 것만으로 끝이 나는 것이 아니었다. 큰 환이 기계의 설정을 바꾸어 전보다 나아지기는 했지만, 그 전에 더 좋은 실을 더 많이 썼을 때보다 더 좋은 제품이 나올 리는 없었다. 당연하게도 그 때보다는 더 많은 양의 불량품이 나올 수밖에 없었고, 그것들을 꿰매는 것은 다 환들의 일거리였다. 출근하면 매일 공장으로 가 바느질을 하니 작은 환은 이게 도대체 뭐 하는 짓인가, 왜 이런 것을 하고 있나 싶었다. 분명 일을 하고 있는 것이긴 한데, 이걸 업무를 하고 있다 라고 하기에는 뭔가 이상하고, 그렇다고 누가 알아주는 것도 아니었다. 그럼에도 옆에서 열심히 바느질을 하고 있는 큰 환이 한심해 보였다. 답답해 보였다. 이런 비효율적인 일에 매달려 있는 큰 환이 바보 같고, 멍청해 보였다.

그렇게 며칠째 끊임없이 쏟아져 나오는 바느질거리들을 대강 처리하고 다시 회사로 돌아가는 길, 벌써 날은 어두워져 갔다. 사무실을 향해 걷고 있는 환들은 이미 지칠 만큼 지쳐있었다.
"아, 들어가면 또 월 마감해야 되는데, 오늘도 집에 늦게 들어가겠다. 무슨 일이 끝이 없어."
지쳐서 앓는 소리를 내고 있는 큰 환을 보고 있던 작은 환은 그런 그의 반응이 어처구니가 없어 한마디 했다.

"그렇게 싫은 거면 왜 이러고 있어? 그냥 그만둬. 너도 그렇지만 다 이상해. 이게 도대체 다 뭐 하는 거야? 다 그렇게 짜증내고 하기 싫다면서, 왜 다들 그렇게 회사에 목이 매여서 바보짓을 계속 하는 거야? 너도 이렇게 구멍 난 양말 바느질 하는 거 싫어하면서, 왜 계속 이러고 있는 거야? 이게 네가 옛날부터 말했던 그 중요하고 가치 있는 일이야?"

"그런 이야기 하지 마. 다른 사람들도 그렇고 나도 그렇고, 힘든 건 맞아. 근데, 힘들어도 다 참고 견디는 거야. 가족을 위해서, 우리의 미래를 위해서 그걸 위해서 회사를 다니는 거지. 자기 하나 힘들다고 덜렁 내팽개치는 건 이기적인 거야."

"너야 말로 그런 말 하지 마. 그렇게 다음 사람에게 하기 싫은 걸 강요하는 게, 너도 하기 싫은 걸 강요하는 게 더 이기적이야. 내가 이 일을 억지로 계속했는데, 만약에 다음 환도 이 일이 하기 싫다고 하면 난 그걸 설득할 방법이 없어."

"하기 싫다고 한 게 아니야. 힘들다고 한 거지. 다들 그래. 근데, 힘든 건 순간이야. 좋아하고 싫어하는 것도 그때그때 달라져. 만약에 네가 일을 그만두고 바이올린을 연주한다고 해도, 그게 좋은 것도 잠깐이야. 나중에 돈도 못 벌어서, 먹을 거 못 먹고, 입을 거 못 입으면 그때도 바이올린을 연주하는 게 좋을 것 같아? 아닐걸? 넌 아마 나중에 내가 바이올린을 부서 버린 걸 고마워하게 될 거야."

"그런 일은 절대 없어. 넌 이기적인 멍청이야."

작은 환은 그의 말에 화가 나 또 목소리가 높아졌다. 큰 환 역시 그의 말에 화가 난 듯 했다.

"넌 무슨 말을 그렇게 해? 내가 너 잘못되라고 하는 말이야? 다 너 잘 되라고 하는 말이잖아."

"그렇기도 하겠지. 억지로 하기 싫은 일을 시키고, 바이올린을 부수고, 이렇게 바느질이나 하는 게 참 잘 되는 일이기도 하다. 근데, 넌 이런 식으로 만든 양말 사 신을 수 있겠어? 실은 싸구려 실인데 그것도 아까워서 적게 쓰고, 크기도 안 맞고, 불량품이라고 나오는 것들은 다 손으로 꿰매서 나오는 그런 걸. 이런 일을 하는데, 내가 보람을 느끼면서, 내가 제대로 되는 일을 하는 거라고 생각하면서 살 수 있겠어? 이게 내가 잘 되는 일이야?"

작은 환은 큰 환이 자신을 위한 것이라는 말에 더 기분이 나빠져 그의 말을 비꼬았다.

"그런 제품 신는데 아무 문제 없어. 옛날에는 더 심한 것도 잘 신고 다녔어. 그냥 발만 감쌀 수 있어도 감사하면서 신고 다녔다고."

"참. 말도 안 되는 소리 잘도 한다. 그럼 양말 사는 손님들한테도 구멍 난 양말도 옛날에는 다 잘 신고 다녔으니까 그냥 군소리 하지 말고, 신고 다니라고 할 수 있어?"

작은 환은 큰 환의 논리에 어이가 없고, 그런 말로 우겨대는 그가 다시 한 번 정말 한심해 보였다.

"지금 그런 이야기를 왜 하는 건데? 지금 그게 문제가 된 게 아니잖아."

"그게 왜 문제가 아니라고 생각하는 건데? 그 문제가 다는 아니지만, 그것도 문제야. 아니, 여기는 문제가 아닌 게 없어. 다 이상해. 진짜 내가 왜 이러고 있어야 되는 건지도 모르겠고, 어느 하나 이상하지 않은 게 없어."

"그게 도대체 무슨 말이야. 뭐가 이상하고 뭐가 문제라는 거야?"

"이게 안 이상해? 우리가 이렇게 바느질로 불량품들을 꿰매는 거부터 회사에 들어가면 결론도 안 나오는 무의미한 회의들이나 주구장창 해대는 거, 네가 가르쳐 준 일들은 양말을 만드는데 진짜 소용이 있는 건지도 모르겠고, 양말을 만든다는 게 네 말대로 그렇게 중요한 일인지도 모르겠고, 그리고 억지로 참아가면서 하기 싫은 일을 하고 월급을 받는 게 그렇게 나와 가족들의 미래를 위한 일인지도 난 모르겠어."

"그건 네가 아직 세상을 아직 덜 살아봐서 그래.
더 살아봐. 더 살아보면 그런 건 다 아무것도 아니라는 걸 알게 될 거야."

"그게 왜 아무 것도 아니야. 그런 걸 이상하다고 생각 안 하는 게 더 이상해."

"내가 너보다 더 많이 살았고, 더 많이 봤잖아. 너도 나중에 살아보면 내 말이 옳다는 걸 알게 될 거야. 그러니까 내 말을 믿고 그냥 시키는 대로 해. 좀."

"네가 세상을 다 본 것도 아니잖아. 네가 어떻게 다 옳다고 할 수가 있어?"

작은 환은 큰 환과 말싸움을 할 때마다 그가 자신이 먼저 태어나서 더 많이 살았기에 자신이 옳다고 말을 하는 것이 혐오스럽게 느껴졌다. 자신은 후에 다음 환이 태어나더라도 그런 말은 하지 않을 것이라고 다짐을 했다.

"넌 뭐가 그렇게 다 부정적이고 삐딱해? 그냥 좀 제발 내 말 좀 들어."

작은 환은 큰 환의 말에 답답함에 헛웃음만 나왔다. 큰 환은 계속 그의 말을 이어갔다.

"네가 바느질 때문에 힘든 거 알아. 조금만 참아. 조금만 더 하면 끝날 거야."

"단지 그것만 문제가 아니라고."

작은 환은 일부러 그러는 것인지 아니면 정말 그렇게 생각하는 것인지 단지 자신이 바느질하기 싫어서 투정부리는 것으로 보는 듯한 큰 환에 답답함에 소리쳤다. 게다가 매일 나오는 바느질거리들을 어떻게 끝낸다는 것인지. 그가 자신을 달래려 무작정 말을 내지르고 마는 것 같아 그 답답함은 더 가중되었다.

환들이 사무실로 들어갔을 때, 불이 듬성듬성 켜져 있고, 조용한 것이 휑한 기분이 들었다. 큰 환은 자기 자리에 형광등과 컴퓨터의 전원을 켜고 자리에 앉았다. 큰 환은 키보드를 자기 쪽으로 당기며 일을 하기 시작했다. 작은 환은 그 모습을 보고 있노라니 한숨이 절로 나왔다.

'도대체 왜 이렇게까지 하는 거야? 뭐가 그렇게 아쉬워서 아직까지 이러고 있어야 되는 거야? 이게 좋아? 이게 즐거워? 아니면 이게 무슨 의미가 있어? 이게 도대체 뭐라고 계속 이러는 거야?'

하지만 그러고 있는 큰 환도 그리 즐거워 보이진 않았다. 타닥타닥 키보드 소리가 점점 거칠어지다가 뚝 끊겼다.

"하아. 도대체 내가 언제까지 이걸 해야 되는지 모르겠다."

"하기 싫으면 그만 둬. 그만 두라니까?"

"그 얘기가 아니잖아. 너는 언제까지 그렇게 아무 것도 안 하고, 그렇게 구경만 하고 있을 거냐고? 빨리 배워서 너도 일을 할 수 있어야 될 거 아니야?"

"내가 왜? 나도 너처럼 이렇게 멍청하게 이렇게 평생 낮에는 바느질이나 하다가 밤늦게 들어와서도 일하고 그렇게 살라고? 난 그렇게 못해?"

"그럼 도대체 앞으로 넌 뭐하게? 뭐하고 살게? 다른 거 할게 있어? 넌 도대체 뭐가 그렇게 불만이야? 툭하면 회사 가기 싫어, 일 하기 싫어, 배우기도 싫어. 내가 다 괜찮아질 거라고 했잖아. 익숙해질 거라고. 달래도 안 돼. 화내도 안 돼. 그냥 기다려 봐도 안 돼. 내가 너한테 뭘 더 해야 돼? 너한테 뭘 더 해줘야 내 말을 듣겠어? 내가 언제까지 널 참아야 되는 거냐고?"

"참는 것도, 기다리는 것도 하기 싫으면 그만 두라고. 잘 됐네. 내가 그렇게 하라고 한 거 아니잖아. 네 입맛대로 날 만들려고 하는 거지 내가 하고 싶어서 하는 게 아니었잖아. 결국 네가 하고 싶은 대로 다 하려는 거잖아. 근데 왜 네가 화를 내는 건데? 너야 말로 뭐가 불만이야?"

"그래서, 그럼 네가 하고 싶은 건 뭔데? 설마 그 바이올린? 돈도 못 버는 그거? 이제는 있지도 않아. 쓸데없는데 정신 팔리지 말고 일에 집중하라고."

"그래 바이올린. 나도 어쩌면 네 말대로 나중에 일이 좋아지고 할지도 몰랐겠지. 만약에 네가 그 바이올린만 부수지 않았으면! 넌 그렇게 내가 하지 말라는 건, 내가 하고 싶다는 건 그렇게 해 놓고도 네가 참았다고, 나한테 해 줄만큼 해줬다고 말할 수 있는 거야?"

"그런 말도 안 되는 핑계 대지마. 그게 언제 적 일인데 아직까지 그 핑계로 일을 안 한다는 거야?"

"핑계? 언제 적 일? 넌 나한테 그런 말을 할 자격이…."

"소란스럽네."

어느새 나타난 준이 책상에 앉아있는 그들을 걱정스러운 눈으로 내려다보며 말했다. 큰 환은 그를 보자 열이 바짝 올랐던 얼굴이 금세 식었다. 그는 아무 일도 없다는 듯 웃으며 말했다.

"아, 뭐 별거 아니야. 너도 아직 퇴근 안 했어?"

"일이 한두 개여야지. 끝이 안나, 끝이. 너흰 얼마나 남았냐?"

"우린 이제 시작이지."

"이제? 언제 끝내려고?"

"어쩔 수 있냐? 밤새서라도 끝내야지."

작은 환은 당연하다는 듯 대답하는 큰 환의 얼굴을 어이없다는 듯 바라보았다. 큰 환은 그런 작은 환의 눈빛을 보자 되려 황당하다는 듯 말했다.

"뭐? 네가 하냐? 내가 다 하는데 네가 뭐가 불만이야."

"아직도 네가 일을 다 하는 거야? 이제 좀 넘겨줘. 하여간 욕심만 많아가지고. 고집불통이야. 그렇지?"

큰 준의 말에 작은 환은 웃었다. 다른 말은 몰라도 그가 욕심 많다, 고집불통이라는 말은 인정했다.

"그런 거 아니야. 작은 준이는 요즘 일 배우고 할만 해?"

"뭐 그냥 그래. 요새는 일이 자꾸 많아지니까 큰 준이도 모르는 거 같아."

큰 환의 질문에 작은 준은 웃으며 대답을 했다. 방금 전 작은 환과 다투던 것과는 다른 화기애애한 분위기가 되었다. 하지만 그런 분위기는 그리 오래가지 못했다.

"그래도 준이는 좀 배우려고 하네. 누구처럼 배우기 싫다고 때쓰지 않고."

"그러게 큰 준이는 누구처럼 욕심 많고, 고집불통은 아닌가 보지."

"워워워. 진정해. 진정해. 어째 달래려고 왔더니 우리까지 끼워서 또 싸우려고 그러냐? 양심도 없이."

"싸우는 거 아니야. 애가 하도 말을 안 들어서⋯."

"아, 됐어. 그만 하고 일이나 해. 진짜 여기서 밤 샐 거야?"

큰 준은 큰 환의 말을 끊었다. 그러자 큰 환은 짜증의 화살의 방향이 큰 준에게로 향했다.

"그럼 너희는 일이나 하지. 왜 우리한테 와서 이러냐?"

"그래도 너 생각해주는 건 나 밖에 없잖아."

"됐어. 필요 없어. 야, 너나 잘해."

큰 환은 큰 준에게 짜증스레 이야기를 했다. 작은 환은 그런 큰 환이 또 못마땅했다.

'친구가 걱정해서 온 건데 저래도 되는 거야? 진짜 이상해. 괴팍해. 내가 큰 준 같았으면 더 친구도 안 해.'

"알았다. 난 이만 가마. 그만 싸우고 너도 얼른 끝내고 퇴근해."

"아, 됐어. 싸우는 거 아니라니까. 넌 자꾸 아무 것도 모르면서 끼어드냐?"

큰 환은 일어서는 큰 준에게 끝까지 짜증을 냈다.

"아, 알았어. 거참 분위기 험악하네. 좀 풀어주려고 왔더니만."

"그러게 그냥 신경 쓰지 말자니까."

"어떻게 그래? 다 들리는데….”

큰 준은 돌아가면서도 작은 준과 함께 주거니 받거니 구시렁댔다. 그 뒷모습을 보는 큰 환은 한숨을 길게 내쉬었다.

"그냥 내가 다할게. 나중에 내가 없을 때 누구한테 물어보고 하던지 아니면 대충 끼워 맞춰 하던지 그건 모르겠고, 일단은 내가 할 테니까 제발 민폐라도 끼치지 마. 너 때문에 다른 사람들까지 신경 쓰고 있잖아."

큰 환은 기분 내키는 대로 말을 마구 내뱉었다. 작은 환은 그 말들이 너무 가슴에 깊이 박혔다. 그래서 그 역시 큰 환에게 상처가 될 말들을 던졌다.

"내가 멍청이지. 말도 안 통하는 너랑 이야기하는 내가 멍청이지. 내가 너랑 더 이야기하나 봐라."

큰 환이 일을 다 끝냈을 때, 시간은 이미 새벽을 지났다. 지쳐서 꾸벅꾸벅 졸고 있던 작은 환이 정신을 차렸을 때, 큰 환은 책상에 엎드려 잠이 들어있었다. 작은 환은 그러고 있는 그가 이해가 안 되고, 이해하고 싶지 않았다.

'나는 절대로 이렇게는 안 살 거야.'

그가 정신이 차려가면 갈수록 어제 저녁부터 굶은 속은 쓰라렸고, 잠도 제대로 자지 못한 터라 머리가 어지러웠다. 고개를 드니 여전히 사무실 안에는 듬성듬성 불이 켜져 있었고, 어떤 사람들은 큰 환처럼 엎드려서, 혹은 의자 뒤로 기대 잠이 들었지만, 어떤 사람들은 여전히 일을 하는 중이라 키보드를 두드리는 소리가 고요한 사무실 안을 울렸다. 타닥타닥 하는 소리가 묘한 박자감이 느껴졌다. 새벽이 되자 창밖은 점점 푸른빛이 밝아졌고, 작은 환은 눈이 따가워져 갔다. 그래서 눈을 감았다. 그러다 문득 갑자기 아무 이유도 없이 바이올린을 연주하고 싶어졌다. 평소에도 그러긴 했지만 특히나 지금 이 순간 갑자기 너무나 간절하게 느껴졌다.

다시 눈을 떴을 때, 그때는 큰 환도 이미 잠에서 깨있었고, 다른 사람들도 출근해 자리를 잡고 앉기 시작했다. 다시 하루가 시작된 것이다. 작은 환은 하루를 제대로 마친 것 같지 않은데, 다시 하루가 시작되었다는 생각에 더 피로가 몰려왔다. 큰 환도 잠에서 깼지만 개운한 표정은 아니었다. 아니, 부스스한 머리에 눌려서 벌개진 얼굴, 하얗게 말라버린 침 자국, 찌푸린 눈의 그는 정말 못 봐줄 정도였다.

그런 상태에서도 큰 환은 찬물로 세수를 하고는 다시 일을 시작했다. 하지만 그런 것도 잠시, 금세 작은 환뿐만 아니라 큰 환도 꾸벅꾸벅 졸기 시작했다. 작은 환은 잠이 깊어질수록 온몸이 무거워지는 듯한 기분이 들었다.

"기상. 기상. 이거 둘 다 다 자고 있네."

책상을 두드리는 소리에 큰 환과 작은 환 둘 다 놀라 깼다. 거기엔 준들이 서 있었다. 그들의 앞에는 또 커피가 놓여있었다.

"아. 깜빡 졸았네."

"깜빡은 무슨. 한참 전부터 아주 숙면을 취하고 있더구먼. 이거 마시고 정신이나 차려."

큰 환은 그가 내민 커피를 호록 마시며 말했다.

"빈속에 커피. 아주 속 쓰리고 좋네."

"어제 집에 안 들어간 거야?"

"못 갔지. 일 끝내느라."

"밥도 안 먹고?"

큰 환은 힘없이 고개를 끄덕였다.

"대단하다. 뭐니, 이게. 밤에 일하느라 낮에는 졸고. 그게 무슨 소용이야."

"일이 남아 있는데, 어떻게 해. 하루 정도 밤 샌다고 안 죽어."

"보기엔 다 죽어가는 거 같은데?"

"맞아. 이미 영혼까지 다 날아간 거 같아."

준들의 말은 큰 환을 걱정하는 것인지 놀리는 것인지 알쏭달쏭했다. 큰 환은 여전히 정신을 못 차리고 다 죽어가는 목소리로 말했다.

"배고파서 그래."

"잘 났다 그래. 다 먹고 살자고 하는 짓인데, 뭐 하는 짓이니?"

"일이 안 끝났는데 밥이 넘어가니?"

"하여간 오버야. 오버. 적당히 눈치껏 좀 해. 열심히 한다고 알아주는 사람 없고, 고마워 할 사람도 없어."

작은 환은 큰 준의 말에 동감했지만 그에 대해서는 잘 이해가 되지 않았다. 어제 분명 큰 환이 그렇게 짜증을 냈음에도 또 이렇게 아무렇지 않게 와서 또 커피를 내주며 농담을 걸다니 말이다. 그의 눈에 비치는 그들의 모습은 다들 이해가 안 되는 것뿐이었다.

큰 환은 준들이 가고 난 후 일어나 털래털래 화장실로 가 다시 세수를 하고 일하기 시작했다. 그를 지켜보는 작은 환은 과연 정말 이것이 회사에서 바라는 효율에 맞는 것인가라는 의문이 들었다.

환들은 이미 전날부터 밤을 센 터라 이미 지칠 만큼 지쳐있었지만 그렇다고 일찍 퇴근할 수 있는 것은 아니었다. 일을 하다 말고 다시 공장으로 가서 바느질을 하고, 또다시 사무실로 돌아와 남은 일을 하고 나니 또 밤이 늦었다. 집으로 돌아가는 버스 안, 환들은 기절한 듯 잠이 들었다가 정류장을 지나서 깨버린 탓에 환들은 지친 몸을 이끌고 집까지 먼 거리를 걸어가야만 했다. 쌀쌀한 바람이 부는 밤거리를 둘 다 말도 없이 터덜터덜 걷고 있노라니 작은 환은 서글퍼졌다.

'어쨌든 집으로 돌아가는구나. 회사, 집, 회사, 집 인생이 맨날 빙글빙글 쳇바퀴 돌 듯 돌기만 하네. 나도 결국은 그런 돌고 도는 이런 생활에서 벗어날 수 없는 걸까?'

작은 환은 쓸쓸하고 우울하다고 느꼈다.

힘든 걸음 끝에 집에 도착하니 당연하게도 귤들은 이미 와 있었다. 작은 환은 드디어 집에 도착하니 기분이 한결 가벼워졌지만 또한 뭔가 답답해짐을 느꼈다. 귤들을 보게 되어 반갑고 좋았지만, 그것과 상관없이 무언가 꽉 막힌 듯한 기분. 작은 환은 여러 가지 감정이 섞인 숨을 깊게 들이쉬었다. 한편, 저녁준비를 다 마쳐두고 있던 귤들은 환들이 문을 열고 들어오자 반기며 그들을 맞이했다.

"아, 역시 집에 오니 좋구나."

"늦었네. 오늘도 못 오는 줄 알았어."

"너희들 두고, 오늘도 안 올 수야 있나."

작은 환은 그런 그의 말이 우스웠다. 분명 그의 고집 때문에 하루를 밤을 새고도, 또 이렇게까지 늦은 것 같은데, 그 당사자가 그런 말을 하니 말이다.

"그렇게 우리 생각하면 일찍 좀 오라고. 너희들 기다리느라 밥도 못 먹고 기다리고 있었잖아."

"먼저 먹지 왜 그랬어?"

"가족인데, 저녁은 같이 먹어야지."

"그래도 이렇게 늦었는데, 이제까지 기다리면 어떻게 해?"

"너희도 아직 안 먹었는데, 뭐."

"역시 내 생각해주는 건 작은 귤 밖에 없네."

작은 귤과 큰 환이 주거니 받거니 농담을 하는 사이, 큰 귤은 작은 환에게 걱정스러운 듯 물었다.

"잠은 어디서 잤어?"

"사무실."

"괜찮아? 안 피곤해."

"피곤해."

"그래. 빨리 밥 먹고 쉬어라."

"알았어."

그들은 식탁에 자리를 잡고 앉았다. 겨우 하루만이지만 오랜만인 것 같은 기분이 들었다.

"근데 그렇게 일이 많아? 맨날 늦게 오고 밤새야 될 만큼?"

큰 환은 작은 귤의 물음에 그저 웃으며 고개를 절레절레 젓고는 먹던 밥을 계속 먹었다. 하지만 작은 귤은 그들을 계속 귀찮게 했다.

"얘는 좀 안 도와줘?"

"에휴, 도와줘야 되는 게 아니라 이제 자기가 해야 될 일인데, 하기 싫은 건지 모른 척 하는 건지 안 하려고 한다."

큰 환의 푸념에 조용히 밥을 먹고 있던 작은 환은 또 어이가 없어졌다. 자신이 보기엔 큰 환이 자처해서 일을 더 키운 것 같은데, 그것도 자신의 핑계를 대다니 말이다. 하지만 그는 큰 환과 말을 섞기 싫었기에 그냥 무시하려고 했다.

"하여간, 넌 회사 가면 그래도 말 들을 줄 알았더니 거기 가서도 그 모양이야? 네가 말 안 들어봤자 너만 손해지. 아니, 너희 둘만 같이 손해보지 뭐 나아질게 있어? 너도 이제 컸으면 정신 좀 차려."

뜬금없이 자신을 공격하는 작은 귤에 작은 환은 화가 남을 넘어 황당함을 느꼈다. 작은 환은 그냥 참고 넘어가려 했지만, 그런 인내심도 잠시, 그는 금세 폭발하여 작은 귤에게 소리쳤다.

"뭔 헛소리야? 네가 뭘 안다고 그런 말도 안 되는 소리를 해?"

"이제까지 집에서 한 거 보면 뻔하잖아. 회사에서도 어떻게 할지 눈에 훤히 보인다. 보여."

작은 귤은 흥분한 작은 환을 놀리듯 웃으며 말했다.

"너는 왜 지금까지 힘들게 일하고 온 애한테 그러니?"

큰 귤은 작은 귤을 말렸다. 하지만 이미 작은 환이 울컥 화가 올라온 상황, 작은 귤을 말린다고 될 문제가 아니었다.

"네가 뭘 알아? 너야 큰 귤이 옆에서 맘 편하게 해주는지 모르

45° 불량품   149

겠지만 난 아니야. 난 이렇게 큰 환이랑 같이 붙어있는 게 답답하고 미치겠는데, 참고 있는 거라고."

"너랑 같이 있는 큰 환이 답답하겠냐? 큰 환이랑 같이 있는 네가 답답하겠냐?"

비웃는 듯한 작은 귤의 말은 작은 환의 성질을 쿡쿡 찔러댔다.

"가족끼리 있는데 답답할 게 뭐가 있고, 미칠 것 같은 게 뭐가 있어? 다들 그만들 해."

둘을 말리려고 하는 큰 귤의 말이 왠지 모르게 작은 환을 더 답답하게 만들었다.

"또 왜 싸우고 그래. 힘들게 일하고 집에 와서 너희들 싸우는 거 봐야겠어? 너희들 싸우는 거 보기 싫어서라도 집에 제 때 못 들어오겠다."

둘을 혼내려고 하는 큰 환의 말은 슬슬 끓어오던 작은 환의 화를 폭발시켰다.

"넌 그게 무슨 말 같지도 않은 소리야. 솔직히 이렇게까지 된 게 내 탓이야? 다 네가 일을 더 키운 거잖아. 네가 한심하게 불량품들 다 살린다고 해서 바느질한다고 일이 다 늦어진 거지, 그게 내 탓이야? 어제 집에 안 들어온 것도 오늘 아침에 해도 되는 일을 네가 괜히 다 끝내고 가야 된다고 해서 이렇게 된 거지. 내가 일을 안 해서 그래? 내가 했으면 우리가 더 빨리 올 수 있어? 근데 왜 다들 나한테 그래? 응?"

"내가 언제 너 때문이래? 난 그런 말 한 적 없어."

"아까 그랬잖아. 내가 할 일인데, 내가 안 해서 힘드니 어쩌니."

"그건 맞는 말이잖아. 네가 해야 될 일을 안 해서 내가 힘든 건 맞지."

"그게 왜 내가 해야 될 일이냐고? 난 그거 싫어. 하기 싫다고. 나랑 안 맞아. 네 맘대로 내 일이라고 정해놓고, 내가 하고 싶은 건 깡그리 다 무시하고, 부숴버리고. 말로는 나를 위한다고 그러면서, 그렇다고 시키는 일이 뭐 대단하길 해? 그런 것도 아니잖아. 기껏해야 눈속임으로 바느질이나 하면서 뭐가 그렇게 대단한 일을 한다고 내가 하고 싶은 일은 무시하고 네가 시키는 대로 해야 된다는 거야?"

"바느질이라니 그건 무슨 이야기야?"

작은 환의 말을 잠자코 듣고 있던 큰 귤은 작은 환의 말에 궁금해져 되물었다.

"아니, 내가 불량률 줄이려는 것 때문에 바느질 좀 시켰거든. 그러니까 그거 하기 싫다고 이렇게 징징댄다."

"아니야. 아니라고. 그거 때문이 아니라고."

작은 환은 전혀 자신의 말을 이해하지 못하는 듯한, 아니 이해하려고 하지 않는 듯한 큰 환의 말에 화가 끝까지 뻗쳐 소리를 질렀다. 그런 그의 반응에 다들 잠시 말없이 그를 지켜보다가 일제히 웃음을 터뜨렸다.

"알았어. 알았으니까 이제 그만하고 밥이나 마저 먹자."

작은 환은 그런 그들의 반응이 당황스러워 잠시 말문이 막혔다가 다시 부아가 치밀어 오는 것을 느꼈다.

'내 말은 하나도 안 듣고 있어. 들을 생각도 없는 거야. 그냥 나를 아직도 철없는 어린애로 생각하고 있어. 그냥 내 말을 애들 투정으로 생각하는 거야. 왜 내 말은 안 들어? 왜 내 말은 안 듣는 거냐고?'

작은 환의 분노는 꼬리에 꼬리를 물고 커져만 갔다.

"지금 내가 밥이 넘어가게 생겼어?"

작은 환은 순간 커져버린 화를 참지 못하고 자신의 앞에 있는 밥그릇을 팔로 후려쳐냈다. 그 바람에 다른 접시들은 다 엎어져 식탁 위는 물론 바닥 아래 떨어진 그릇들의 깨어진 파편들과 반찬들이 나뒹굴어 엉망이 되었다. 깜짝 놀란 큰 환과 귤들의 얼굴에는 그제야 웃음기 대신 당황의 표정으로 채워졌다.

"쟤 또 뭐해? 이게 뭐야?"

"이게 뭐 하는 짓이야? 밥 먹는데?"

"왜 그래?"

"내 말이 우스워? 왜 내 말은 듣지도 않고 그렇게 다 무시해?"

여전히 작은 환의 분노는 가라앉을 줄 몰랐고, 그를 다그치는 목소리에 벌떡 일어나 다시 한 번 손바닥으로 식탁을 내리쳤다. 큰 환은 작은 환이 일으킨 몸을 다시 앉으면서 굳은 얼굴로 이야기 했다.

"이제 그만 해."

"뭘 그만 해? 매번 이런 식이야. 항상 자기 할 말만 하고, 자기 하고 싶은 대로만 하고. 내가 하고 싶은 말, 하고 싶은 거 다 무시하고."

"그만 하라니까."

"이것 봐. 또 이런 식이잖아. 넌 왜 항상 네 할 말만 하고, 내 말은 끊는 건데?"

"그만 하라 그랬다."

"뭘 그만해? 뭘 자꾸 그만해? 내가 뭘 했다고? 내가 한 게 뭐가 있다고? 내가 내 마음대로 한 게 있어? 내가 맘대로 할 수 있는 게 뭐가 있었는데? 다 네 멋대로, 내가 할 수 있는 건 아무 것도 없었잖아. 넌 너만 생각해. 넌 이기적이야."

작은 환은 악에 받쳐 소리를 질렀다.

"이게 보자보자 하니까."

"악."

큰 환은 입술을 꽉 깨물며 인상을 쓰고서는 왼손바닥을 뻗어 작은 환의 등을 퍽 하는 소리가 날 정도로 세게 내리쳤고, 작은 환은 비명을 질렀다.

"환아!"

"으이구, 계속 저러다 내 저럴 줄 알았지."

얻어맞은 작은 환은 순간 정신이 멍해져서 놀라서 하는 큰 귤의 말도, 비꼬는 작은 귤의 말도 귀에 들어오지 않았다. 순간 넋을 잃고 아무 말도 하지 못했다가, 아래에서부터 꿈틀꿈틀 올라오는 분노에 다시 한 번 큰 환에게 쏟아 붓기 시작했다.

"왜 때려? 왜? 네가 뭔데? 네가 나한테 해준 게 뭐가 있다고 때려?"

떨리는 목소리로 소리를 지르는 작은 환은 얼굴이 뻘개질 정도로 흥분을 했다. 부릅뜬 두 눈도 붉어지고 눈물이 맺힌 것이 곧 울음을 터뜨릴 것 같기도 했다. 그런데 맞은 작은 환뿐만 아니라 때린 큰 환도 이 상황이 당황스러운지 우물쭈물 말을 제대로 잇지 못했다.

"네가. 자꾸… 그러니까 그렇지."

작은 환은 그런 큰 환의 표정도 보기가 싫었다. 그의 말투도 듣기가 싫었다. 그에게 맞은 것은 아프고 억울했지만, 그의 그 답답한 표정을 보는 순간 그것보다 더한 짜증과 그에게서 느껴지는 한심함에 다시 한 번 속이 울컥하는 것이 느껴졌다.

"넌 멍청이야. 넌 이기적인 멍청이야. 진짜 싫어. 너 진짜 싫어. 너 그냥 좀 빨리 떨어져 나가버렸으면 좋겠어."

<짝>

작은 환이 분노 가득한 마구 내뱉은 말이 끝나기가 무섭게 작은 귤이 그의 뺨을 큰 환이 때린 것보다 훨씬 더 강하게 손바닥으로 올려붙였다.

"귤아!"

큰 귤과 큰 환은 놀라 동시에 외쳤고, 작은 환은 또 다시 머릿속이 까맣게 변했다. 당황스러웠다. 그 순간, 오늘 도대체 자신에게 왜 자꾸 이런 일이 생기는 건지, 왜 이렇게 오늘 하루가 힘든 건지 스스로에게 물어봤지만 답이 나오지는 않았다.

"어떻게 그런 말을 할 수가 있어? 넌. 넌. 아니, 어떻게 그런 말을 해?"

작은 환을 때린 작은 귤이 오히려 더 흥분해서 말을 했고, 이윽고 눈물까지 흘렸다. 작은 환은 자신이 맞았다는 사실도 어이없었지만 작은 귤이 이렇게 화를 내고 우는 까닭을 몰라 그것이 더 궁금하고 당황스러웠다. 어찌할 바를 몰라 그냥 멍청한 표정으로 멍하게 있었다.

"귤아, 귤아. 바람 좀 쐬자."

큰 귤은 작은 귤을 부드러운 목소리로 달래며 베란다로 나갔다. 그녀들이 사라지자 둘만 남은 주방 안은 어색한 침묵이 흘렀다. 큰 환도 이런 분위기가 어색한지 어물어물 뭔가 말하려고 하다가 그만두고 작은 환이 어질러 놓은 것들을 치우기 시작했다.

작은 환은 그제야 달아올랐던 마음이 식어가며, 자신이 조금 심했던 것은 아닐까 하는 생각이 들었다. 하지만 그렇다고 해서 그가 잘못했다는 생각은 들지 않았다. 큰 환이 먼저 자신을 때렸고, 자신은 할 말을 다 했을 뿐이라는 생각이 들었다.

'왜 다들 내 말은 안 듣는 거야? 나도 이제 환만큼이나 컸는데, 아직도 내가 어린애로 보여? 그래, 좋아. 어디 한 번 계속 그래 봐. 지금은 참아주지. 내가 더 크기만 해봐. 내가 더 커서 내가 내 마음대로 걸을 수 있기만 하면 그때부터는 내 마음대로, 누가 뭐라고 해도 내 마음대로 할 거야. 그래, 그 때부터는 이 따위 회사 당장 그만 둘 거야. 그래, 그리고 바이올린 찾아서, 어딘가에는 있겠지, 그러니까 찾아서 내 마음대로 연주하고, 내 마음대로 살 거야. 그때만 돼봐. 그때는 다들 후회해도 소용없어.'

작은 환은 아무도 모르게 오래 전부터 생각해오던 일을 마음속으로 굳게 결심을 했다.

60° 사직

어느 날 이른 아침, 아직 일어날 시간은 멀었지만 작은 환은 갑자기 눈이 떠져 침대에서 내려가 두발을 땅바닥에 대고 일어섰다. 그리고 그 때, 그는 느낄 수 있었다. 그는 이제 완전히 자신의 의지대로 다리를 움직일 수 있게 된 것이다. 전날 밤, 잠들기 직전까지도 이런 날이 온다는 것은 아직 한참 멀리 있는 것만 같았는데, 생각지도 못하게 갑자기 얻게 된 자유에 얼떨떨한 기분이 들어 어리둥절한 표정으로 두 발로 일어선 자신의 다리를 쳐다보았다.

"오호, 드디어 완전히 네가 걷는 거야? 좋겠구나. 축하한다. 하하하. 이제 다 컸네. 다 컸어. 너도 이제 고생 좀 해봐라. 그게 생각처럼 좋지는 않을 거다. 하하하."

큰 환도 처음에는 다리에 힘이 들어가지 않아 무슨 일인가 했다가 금세 상황을 파악하고는 작은 환에게 애매한 축하를 해주며 크게 웃었다. 작은 환은 그의 웃음이 축하의 웃음인지 그의 말대로 고생하게 될 자신을 놀리는 웃음인지 아리송했다. 하지만 작은 환은 그의 말에 그리 크게 개의치는 않았다. 아니 사실 작은 환에게는 그의 말이 귀에 잘 들어오지 않았다. 그보다는 자신의 의지대로, 아무런 거리낌 없이 움직일 수 있는 다리가 신기해 다리를 들어보고, 움직여보고, 걸어봤다.

"그렇게 신기해? 아주 좋아죽는 구만."

"어. 엉."

큰 환의 물음에 작은 환은 멍해져 있던 정신을 차리고 고개를 끄덕이며 대답을 했다. 입가에 번지는 웃음은 참으려고 해도 참아지지 않았다.

"응? 아침부터 왜 그래?"

"환아, 거기 서서 뭐해?"

이른 아침부터 환들이 안방에서 서성이는 바람에 잠에서 깬 귤들이 그들에게 물었다.

"이리 와서 봐봐. 얘 이제 얘가 걸어."

큰 환의 말에 큰 귤은 놀라워하며 작은 귤에게 말했다.

"귤아, 일어나봐."

"아, 뭐야. 때 되면 다 하는 걸 가지고. 뭘 그리 대단한 일이라고 이렇게들 호들갑이야. 잠 좀 자자."

작은 귤은 귀찮아하며 돌아누웠다.

"너는 안 그랬어? 가족인데 축하해줘야지. 얼른 일어나봐."

"아, 귀찮아."

작은 귤은 큰 귤의 말에 귀찮아하면서도 일어나 그에게로 터덜터덜 걸어갔다.

"와. 축하한다. 조심해서 잘 걸어 다니고. 아침부터 이런 일로 잠 깨우지 말고."

작은 귤은 그에게 진심이 없는 축하를 하며 다시 침대로 돌아가 그대로 벌렁 누웠다.

"깜짝이야. 그렇게 갑자기 누우면 나까지 넘어가잖아. 얼른 일어나. 얼른."

"거 되게 유난 떠네. 진짜 무슨 벼슬도 아니고. 남들도 다 하는 거."

작은 귤은 큰 귤의 잔소리에 투덜대며 다시 일어났다. 작은 환은 작은 귤의 말이 귀에 거슬리긴 했지만, 그것 역시 개의치 않았다. 머릿속에는 오래 전부터 계획했던 결심을 실행할 생각에 마음이 부풀어갔다.

하지만 그는 그런 그의 결심을 바로 실행에 옮기지는 못했는데, 그것이 특별히 어떤 무언가가 그를 막아서 그런 것이 아니었다. 막상 실행에 옮기려고 하면 용기가 나지 않았기 때문에, 이것저것 마음에 걸리는 것이 많아 쉽사리 발을 내디딜 수 없었던 것이다. 그간 환들은 아슬아슬하긴 했지만 큰 다툼 없이 평화를 유지하고 있었고, 작은 환 역시 그런 생활이 100% 만족스러운 것은 아니었지만 그 평화를 깨고 다시 싸움으로 가득한 이전의 삶으로 돌아가는 것은 생각만 해도 피곤하고 힘들었다. 하지만 그렇다고 해서 하고 싶지도 않고, 잘 하지도 못하는 일 앞에서 하루 종일 앉아 있는 것이 좋을 리는 없었다. 하루에도 몇 번씩 울컥울컥 짜증이 치밀어 오를 때면 마음속으로 도전을 외치며 말하고 싶었지만, 막상 큰 환에게 말을 해야지 하고 그의 얼굴을 볼 때면 또 마음이 약해져 결국엔 스스로 이런저런 핑계를 대며 입을 떼지 못하고, 하루하루 미뤄만 갔다. 그런 모습의 작은 환은 겉으로 보기엔 평소와 다름없이 잘 지내는 것만 같았지만, 그의 마음속에 있는 자존감은 무너져 가고 있었고, 그렇게 그는 아무 것도 하지 못한 채 몇 주간을 질질 끌며 회사와 집을 오가는 똑같은 생활이 계속 되었다. 그들에게는 커다란 변화가 생겼지만 실질적으로 그들의 삶이 변한 것은 아무 것도 없었다.

그날도 그저 평범하게, 평소와 다름없이 사무실로 출근해서 작은 환이 자리에 앉아 컴퓨터를 켰고, 큰 환은 그에게 말을 걸었다.

"환아, 커피부터 마시고 하자. 자, 서랍에서 컵 꺼내고, 컵은 나한테 줘. 오케이. 이제 일어나서 탕비실로 가자."

작은 환은 큰 환이 시키는 대로 순순히 그의 말을 따라 커피를 타서 들고 자리로 돌아가려는데, 다시 또 큰 환이 그에게 말을 걸었다.

"환아, 준이한테 가보자. 요새 애가 골골대던데, 가서 좀 골려 줘야지."

작은 환은 요즘 따라 부쩍 자기 뜻대로 걸을 수 있게 된 자신보다 오히려 큰 환이 더 신이 난 듯 이리저리 자신을 조종하는 것이 왠지 자신이 걷지 못할 때보다 더 그의 뜻대로 움직이는 것 같았고, 누려야 할 것을 못 누리는 듯한 찜찜해진 기분이 들었다.

"어, 없네. 석아, 준이는 안 왔어?"

큰 환은 벌써 출근했어야 할 준이 보이지 않자 그의 옆자리인 석에게 물었다.

"글쎄다. 잘 모르겠는데. 병가 낸 거 아니야?"

"넌 옆자리에 앉았으면서 그런 것도 몰라? 야~ 너무하네. 환아, 일단 돌아가자."

큰 환은 석에게 핀잔을 주며, 작은 환이 걷는 대로 자리로 돌아갔지만, 뭔가 마음에 걸리는 기분이 드는지 계속 준의 자리를 돌아봤다.

며칠 후.

평소와 다름없이 환들은 출근해 자리에 앉아 있는데, 그들의 앞에 작은 준이 나타났다. 그를 보고 평소처럼 인사를 하려던 환들의 눈은 놀람으로 커졌다.

"준아. 큰 준이는? 설마? 벌써?"

큰 환의 말에 자신의 짝을 잃은 작은 준은 말없이 고개를 끄덕였다. 그렇게 고개를 끄덕이는 작은 준의 눈은 벌겋게 부어있었고, 다시 또 눈물이 고일 듯 말듯했다. 환들은 그런 준의 상태에 놀라지 않을 수 없었는데, 가장 친한 친구를 잃었다는 사실뿐만

아니라 태어나고 죽는 것이 원래 정해져 있는 것은 아니지만, 그
래도 큰 환과 비슷한 시기에 태어났던 큰 준이 벌써 죽었다는 사
실을 믿기 힘들었기 때문이다. 작은 준도 작은 환보다 약간 빠르
긴 했지만 그 스스로 걷기 시작한 것도 얼마 되지 않았는데, 혼
자가 되었다는 사실 또한 그를 안쓰럽게 만들었다.

"왜 벌써? 준이 그렇게. 오래 됐었어? 하긴 요새 좀 많이 애가
상해가긴 했다만. 그래도 너무 빠른데. 어떻게. 넌 좀 괜찮아?
그래서 며칠 안 나온 거였구나. 힘들었겠다."

큰 환은 충격을 받은 듯 두서없이 횡설수설 하며 준을 위로했
다. 작은 환도 걱정이 되는지 일어나 그의 곁으로 갔다. 큰 환은
준의 어깨를 두드려줬다. 준은 결국 눈물을 참지 못하고 흐느꼈
다.

"괜찮아. 괜찮아."

큰 환의 위로에 준은 고개를 끄덕이며 눈물을 닦아냈다. 작은
환도 어느새 눈물이 맺히는 것이 느껴졌다..

"괜찮아. 고마워. 나 딴 애들한테도 이야기 좀 하러 갈게. 너희
한테 제일 먼저 말하러 온 거라."

"그래. 아유."

큰 환은 안타까운지 힘없이 걸어가는 준의 뒷모습을 보며 계
속 한숨만 쉬어댔다.

"참, 사람 일이라는 게 알 수가 없다. 며칠 전까지만 해도 그렇
게 잘 지내던 녀석이. 이렇게나 빨리…. 못해도 1년은 더 있을
줄 알았는데. 너무 빨라. 너무."

넋두리를 하는 큰 환의 표정은 씁쓸했고, 작은 환의 표정 역시 밝을 수 없었다.

'너무 짧아. 살아 있을 수 있는 시간이. 이렇게 예고 없이 사라진다는 건. 큰 준이는 행복하게 살았을까? 하고 싶은 건 다 해봤을까? 준이 너무 불쌍해. 다들 그렇게 되는 거지만. 나도 언젠가 저렇게 되겠지? 난 아무것도 한 게 없는데. 그냥 이대로 살다가 이대로 끝나기는 싫은데. 이럴 수는 없어. 이대로는….'

작은 환은 생각이 점점 많아지면서 이제껏 살아왔던 삶과 앞으로 살아가야 할 삶들에까지 미치다 보니 갑자기 마음이 급해지고, 그냥 흘려보낸 시간들이 아깝게 느껴졌다. 그는 마치 지금 이 순간이 자신이 떨어져 나갔다가 다시 삶을 부여 받은 시간인 것만 같았다. 그는 큰 준처럼 어느 순간 갑자기 사라질지도 모른다는 생각이 들었고, 그냥 그렇게 하고 싶은 것은 아무 것도 못하고 그대로 사라질 수는 없다는 생각이 들었다.

더 이상 미룰 수는 없다. 그는 이제껏 실천 하지 못했던, 머릿속에만 머물러 있던 물렀던 마음이 단단해져 감을 느꼈다. 그의 도전은 그렇게 자신에게서 약간은 멀었던 부분에서 급작스럽게 시작되었다. 그는 더 이상 주저하거나 지체하지 않고, 그가 하려던 일을 해야겠다고 결심했고, 결심이 서자 바로 실행에 옮기기 시작했다. 그가 드디어 확실한 마음이 서자 우선 아무도 눈치 못 채게 회사 일을 정리하기 시작했다. 행여라도 해결하지 못한 일 때문에 그만 두는 것에 차질이 생겨서는 안 된다는 생각 때문이었다. 그와 동시에 그만두고 난 후의 일들을 계획하기 시작했다.

그렇게 결심하고 실행한지 일주일. 작은 환은 더 기다릴 수 없었다. 사실 그의 준비는 완벽하지는 않았다. 아니 완벽할 수 없었다. 끝없이 쏟아지는 회사 일은 아무리 해도 다 정리 될 수가 없는 것 같았고, 처음으로 회사와 집 밖의 세상으로 나가야 하는 작은 환에게 계획이라는 것은 막연할 수밖에 없었다. 그렇기에 더 이상 그런 일들에 매달리는 것은 시간 낭비일 뿐이라는 생각밖에 들지 않았다. 그런 생각이 들자마자 그는 더 고민하지 않았다. 하지만 그 결심을 실행할 생각에 다시 잠들 수 없었다. 아침부터 벌건 눈으로 회사를 갈 준비를 하는 작은 환의 심장은 아무리 진정하려고 해도 쿵쾅대는 것을 참을 수 없었다. 그는 사무실에 가자마자 그만둔다고 말하고 나올 생각이었다. 그것이 어떤 결과를 가져올지 대강은 그려지기에 마음을 강하게 먹었지만 흔들리는 것 또한 사실이었다. 그는 버스를 타고 가는 중에도 창밖의 풍경을 계속 응시하기는 했지만 하나도 눈에 들어오지 않았다. 그의 머릿속에는 자신의 계획을 실행시킬 생각 밖에 없었다. 그는 회사에 도착하자마자 자신의 자리에는 가지도 않고 바로 총무과로 향했다.

　"어, 어디가? 여기는 왜?"

　작은 환의 예상치 못한 발걸음에 어리둥절해 하는 큰 환의 물음에 그는 대답을 할 수 없었다. 하지만 입을 굳게 다문 그의 단호한 표정에 큰 환은 뭔가 심상치 않은 일이 일어날 것 같다는 기분이 들었다.

　"저기."

"응. 무슨 일이야?"

작은 환은 출퇴근시간을 관리하는 총무과의 동의 자리로 가 조심스레 말을 걸었다. 회사를 그만 둔다고 누군가에게는 이야 기해야 할 것 같은데, 퇴직을 담당하는 직원은 따로 존재하지 않 았기에 대강 비슷한 일을 하고 있다고 생각되는 그에게 말을 건 것이다. 그리고 떨리는 마음으로 다음 말을 했다.

"저기. 나 내일부터 회사 안 나올 거야."

"응?"

"뭐?"

떨리는 작은 목소리로 말한 작은 환의 충격적인 선포에 큰 환 과 동은 둘 다 놀라 그의 얼굴을 보며 되물었다. 다들 자신이 잘 못 들었나 싶었을 것이다. 작은 환은 크게 숨을 들이마시고 입술 에 침을 바른 다음 자신감을 가지고 목소리를 높여 다시 말했다.

"나, 그만 둔다고."

"그게 무슨 소리야. 아니야. 아니야. 동아. 얘 그냥 장난친 거 야. 너 갑자기 왜 이래? 사람들 놀라게. 아무 일도 없었잖아. 그 동안 잘 하고 있었잖아. 갑자기 왜 이래."

큰 환은 이 예상치 못한 상황에 놀라서 두 눈을 크게 뜨고 동 과 작은 환에게 번갈아 가며 말을 했다. 그는 어떻게든 이 상황 을 수습해보려고 했지만 갑자기 뒤통수를 맞은 그에게는 아무런 방법이 없었다. 그에 반해 힘겨웠던 말을 꺼내 놓은 작은 환의 마음은 오히려 더 차분해지고 명확해졌다. 그는 어리둥절해 하 는 동을 뒤로 하고 총무과에서 나왔다.

"아니야. 아니야. 퇴직이 아니고 휴직. 아니 휴가로 처리해. 동아, 알겠지? 알잖아. 금방 다시 돌아올 거야. 알았지?"

무심하게 걸어가는 작은 환에 끌려가면서도 큰 환은 뒤로 돌아 큰 소리로 동에게 계속 외쳤다. 자신의 목소리가 동에게 들리지 않을 만큼 멀리 떨어지자 큰 환은 흥분을 참지 못하고 얼굴과 목소리를 바꿔 작은 환을 노려보며 사무실 안임에도 다른 사람들을 아랑곳하지 않고 큰 소리로 말했다.

"이게 무슨 짓이야. 너 지금 이게 뭐 하는 거야? 이게 무슨…. 너 제정신이야. 이게 무슨 말도 안 되는 짓거리야? 그만 둔다니. 누구 마음대로 그만둬? 이게 어떤 일인데. 이런 걸 쉽게 구할 수 있는 줄 알아? 넌 이 세상이 얼마나 어려운지 몰라. 그냥. 그냥 돌아가자. 그래. 그래 힘들 수도 있어. 그럼 며칠 휴가를 갖자. 그냥 돌아가서 휴가를 갈 거라고 해. 지금 가서 말하면 안 늦었어."

그는 말을 더듬을 정도로 화를 내었다가 이내 타이르듯 작은 환을 설득하려 노력했다. 하지만 그 짧은 시간의 협박과 회유들이 아무리 열정적이었더라도 이미 오랜 동안 힘겹게 결심을 세운 작은 환의 마음을 돌리기에는 역부족이었다. 작은 환은 미안한 기색을 띠긴 했지만 차분하고 냉정한 목소리로 말했다.

"미리 말 못해서 미안해. 하지만 꼭 해야 될 일이었어. 나를 위해서. 그리고 나도 이제 내 스스로 걸을 수 있고, 내가 하고 싶은 걸 스스로 정할 수 있어. 어디로 가든 무엇을 하든 선택할 수 있는 권리가 있다고 생각해."

"이제 겨우 걷기 시작한 녀석이 뭘 안 다고 그런 소리를 해? 그리고 그럼 너 다음의 환은 어쩌고? 어떻게, 뭐하고 살라고? 이 자기 밖에 모르는 이기적인 놈아."

"그 녀석도 그 녀석이 하고 싶은 일을 하고 살면 되지. 만약에 내 다음 환이 다시 회사를 들어오고 싶어 한다면 난 말리지 않을 거야. 나처럼 바이올린을 하고 싶어 해도 나는 믿어주고, 밀어줄 거야. 뭘 하고 싶어 하든 난 하고 싶은 대로 하게 하고, 할 수 있게 해 줄 거야."

"그런 말도 안 되는 이야기는 꺼내지도 마. 회사를 다시 들어와? 여기가 무슨 놀이터인줄 알아? 오고 싶으면 오고, 가고 싶으면 가게? 그래. 그래도 지금은 돼. 지금은 그럴 수 있어. 내가 잠시 쉬었다가 온다고 했으니까 그러니까 딴 쓸데없는 생각은 접어두고 며칠 쉬었다가 다시 출근하자. 그러면 돼. 그렇지?"

큰 환은 계속 화를 냈다가 그를 달랬다가 반복하며 작은 환의 생각을 어떻게든 바꿔보려 했다. 하지만 역시나 그는 큰 환의 말을 깊게 생각하지 않았다.

"그러지 마. 자꾸. 나도 쉽게 결정한 거 아니야."

"네가 아직 얼마 안 살아서 이 세상이 얼마나 힘든지 몰라서 그래. 넌 네 다음 환도 자기가 하고 싶은 대로 마음대로 하게 한다고 했지? 그게 될 거 같아? 당장 너도 이대로 여기서 나가면 그때부터 바로 네 생각대로 안 될 텐데. 그러면 넌 낙오자가 되는 거고, 그리고 나면 그 다음 환은 기회도 없어. 환은 그대로 몰락하는 거라고. 너 때문에."

"나한테는 두 번째 삶을 시작하는 첫날이야. 내가 스스로 결정해서 내가 살아가는 첫날이라고. 그러니까 처음부터 그렇게 초치는 소리 하지 마."

작은 환은 자꾸만 옆에서 잔소리를 늘어놓는 큰 환에 슬슬 짜증날 법도 했지만, 그래도 그에겐 지금 새로운 변화를 시작하기에 되도록 차분함과 냉정함을 유지하도록 노력하여 말을 했다.

"네가 지금 환의 인생을 모조리 다 초치고 있는 거야."

"환아. 이제 시작이야. 어떻게 될지는 몰라. 네 말대로 잘 안 될지도 모르지. 하지만 반대로 더 잘 될 수도 있어. 어쩌면 환의 인생에 더 좋은 기회가 될지도 몰라."

"그렇지 않아. 그렇게 세상이 만만하지 않다니까."

"너도 모든 세상을 다 살아본 건 아니잖아. 그리고 나는 이제 지금까지의 환들이 안 살아본 세상으로 가는 거야. 어떻게 될지는 나도 모르고, 너도 몰라."

"지금 너는 안전하고 효율적으로 살 수 있게 닦아놓은 길 밖으로 뛰쳐나가는 거야. 그 밖은 안 봐도 뻔해. 살 수 없어."

"길이 없으면 내가 새로 내면 되지. 뭐가 문제야?"

작은 환의 말에 큰 환은 어이없다는 듯 한참을 그의 얼굴을 보더니 다시 입을 열었다.

"그래. 나는 모르겠다. 알아서 잘 해봐라. 나중에 나한테 왜 안 말렸는지 따지지나 말고. 이제부터 앞으로 있을 남은 모든 환의 인생은 다 너의 책임이야."

큰 환은 계속 화를 내며 설득해봤지만 아무리 말해도 결정을 바꿀 생각이 없는 작은 환에 지치는 듯 그냥 입을 다물었다. 대화가 끝나자 작은 환은 다시 자리로 돌아와서 짐을 챙겼다. 이제까지는 책상 서랍 안에 잡다한 것들이 복잡하게 쌓여있다고 생각했는데, 막상 꺼내서 상자 안에 집어넣으니 별건 없었다. 그렇게 상자를 들고 사람들과 작별인사를 할 때, 다들 이런 상황은 본 적이 없던 것이라 그런지 어리둥절해하며 이해하지 못했다. 그도 그럴 것이 회사를 그만둔다는 것 자체로도 이제껏 겪어보지 못한 일인데, 거기에 옆에 있는 한 명은 아니라고 곧 돌아오겠다는 말을 하고 있으니 지금 이 광경이 어떻게 진행되어온 이야기인지 유추해내기는 머리 아플 것이다.

그렇게 환들은 갑작스런 작별통보에 어안이 벙벙해진 그들을 뒤로 하고 사무실 밖을 나섰다. 그 동안 오가는 게 힘겹게만 느껴졌던 회사의 낡은 계단을 내려가는 기분이 상쾌했고, 듣기 불편했던 삐걱대는 계단 소리도 마지막이라는 기분에 콧노래처럼 흥겨웠다. 마냥 즐거운 일만 생길 것만 같은 기분이 들었다. 하지만 회사 정문을 넘어 햇살이 눈을 찌르는 거리에 첫 발을 내디뎠을 때, 왠지 모르게 그 걸음이 무거워진 것만 같았다.

그가 상상해왔던 지금 이 순간은 한없이 자유롭고, 마음 편한 시간이었다. 그도 그럴 것이 모든 것이 새로워진 것이다. 이제껏 알던 세상과는 다른 삶을 살아가게 될 것이었기에 모든 것이 다르게 보였다. 하지만 그런 감상도 잠시일 뿐, 거리로 나가 한 번 둘러보자 생각했던 것과는 달리 막막함이 밀려들어왔다. 우선

이 상자를 들고 집으로 가야 하는데, 아직 이른 시간이라 당연히 통근버스가 있을 리가 없었다. 딱히 차를 구할 수 있는 방법도 없었으니 걸어가야겠다고 생각은 했으나 어느 방향, 어느 길로 가야 할 지 알기 힘들었다. 처음에는 버스가 다니던 길을 따라 가면 되리라 생각을 했으나 조금 더 생각해보니 그 길은 도시의 외곽을 크게 돌아가는 길. 그대로 가다간 한참 후에야 출발할 통근버스보다 늦게 도착할 지도 모른다는 생각이 들었다.

"어디로 가야 되지?"

"그걸 왜 나한테 물어? 네 마음대로 나와 놓고. 어차피 네 마음대로 나왔으니 가는 것도 어디 네 마음대로 가봐."

큰 환은 작은 환의 한마디, 한마디에 날카롭게 반응했다. 작은 환은 딴청을 부리며 애써 그런 그의 반응을 무시했다.

"집 방향이 이쪽인가?"

"에휴."

작은 환은 큰 환의 한숨 역시 무시하고 처음 본 골목으로 향해 걸어 들어가기 시작했다. 그는 새로운 곳들을 지나며 골목골목을 두리번두리번 둘러봤다. 낯선 곳을 걷는 것이 여행한다는 기분이 들어서만은 아니었다. 그가 지난 일주일 동안 세웠던 첫 번째이자 유일한 계획, 그것은 바로 도시 곳곳을 돌아다니며 바이올린을 찾는 것이었다. 어딘가에 분명 적어도 하나는 더 있을 것이라 믿고 있었기에 그는 회사를 그만두고 집으로 돌아가는 길에서부터 그것을 살만한 곳 혹은 어디 있는지 알만 한 사람을 찾아 여기저기 기웃거렸다. 하지만 돌아가는 길, 골목들을 샅샅이 뒤져봐도 팔기는커녕 그게 무엇인지 아는 사람을 찾는 것도 힘들었다.

"아. 참. 왜 이리 찾기 힘들지? 어떻게 바이올린이 뭔지 아는 사람도 없나?"

"그게 쓸 데 없고, 필요 없는 거니까 알 필요도 없는 거지. 그거 한다고 뭐가 만들어지기를 해? 아니면 그거 가지고 돈이 벌려? 밥이 나와? 비효율적인 일이지. 그러니 이런 세상에 그런 건 쓸 데 없으니 알 필요도 없는 거지."

"그럼 그런 걸 왜 가르쳐줬어? 애초에 넌 어떻게 알았고."

이때다 싶어 또 마구 쏘아대는 큰 환에 작은 환은 웃으며 대꾸했다.

"난 너처럼 쓸데없는 생각을 안 했으니까. 너도 나처럼 쓸데없는 생각을 안 할 줄 알았지."

"그거야 말로 쓸 데 없는 소리고. 우리 원래 있던 바이올린은 어디서 난 거야?"

"원래 옛날부터 있던 거야."

"그래? 다시 구할 곳은 없나?"

"그런 불필요하고 비효율적인 물건을 갖고 있는 사람이 누가 있겠냐? 있어도 예전에 다 버렸겠지."

"아유. 그만 좀 긁어대. 내가 뭐 하러 너한테 물어본 건지. 참."

작은 환은 바이올린을 구할 수 없다는 말에 살짝 짜증이 나긴 했지만 그렇다고 포기할 리는 없었다. 계속 골목마다 가게들을 뒤지고 혹시 몰라 누가 버렸을까 쓰레기통도 뒤져봤다. 하지만 그런다고 그 물건이 쉽게 나올 리는 없었다. 걷고 또 걸으니 발바닥이 아파왔다.

"아, 힘들다."

"그렇지? 원래 우리가 살던 게 딱 우리가 덜 힘들고 효율적으로 잘 살 수 잇게 그렇게 딱 맞춰놓은 건데, 그걸 벗어나니까 힘든 거야. 괜한 고생 길게 할 생각하지 말고 때 되면 돌아가자."

틈만 나면 화를 내고, 설득을 하려는 큰 환 때문에 작은 환은 더 이상 그에게 말을 하지 않고, 힘들어도 아픈 티를 내지 않고 그냥 걸었다. 그렇게 묵묵히 바이올린을 찾아 다녔지만 성과는 없이 집까지 도착해버렸다. 이리저리 헤집고, 헤맸지만 워낙 일찍 회사에서 나온 지라 아직 늦은 오후의 해가 베란다 창문을 통해 집으로 들어와 거실을 붉게 물들였다. 작은 환은 그것을 보고 있자니 묘한 기분이 들었다.

"이 시간에 이렇게 집에 있는 거 회사 나간 이후로 처음인 거 같네."

"일요일에도 집에 있는데 무슨 소리야."

큰 환은 어떻게든 작은 환의 들뜬 기분을 깨드리려는 심산인지 그의 별 의미 없는 한마디 한마디에도 다 핀잔을 줬다.

"아, 그렇네. 근데 느낌이 달라. 안 그래?"

"그래. 나도 진짜 이런 기분 느낄 줄은 몰랐다. 회사를 그만 두다니. 내 생애 이런 말도 안 되는 일을 겪게 되다니."

밝은 목소리의 작은 환과는 달리 큰 환은 넋을 잃은 표정으로 쌀쌀맞게 말하며 비꼬았다. 계속 되는 큰 환의 툴툴거림에 작은 환의 마음은 불편해졌고, 그와 말을 섞기가 싫어졌다. 작은 환은 다시 또 그를 무시하고 창문 밖으로 고개를 내밀어 오늘 돌아왔던 골목들을 되짚어 봤고, 내일 가볼 길을 살펴봤다. 내일도 자유롭게 자신의 뜻대로 움직일 수 있다는 생각은 그를 다시 즐겁게 했지만, 정말 바이올린을 찾지 못하게 되면 어떻게 하지라는 두려움도 함께 스멀스멀 올라와 마음 한 구석을 어둡게 만들었다.

시간은 흘러 어느새 저녁이 되고 귤들이 돌아왔다.

"왔어? 고생 많았지?"

저녁을 준비하던 작은 환은 평소와 다른 밝은 목소리로 그녀들을 맞이했다.

"응. 다녀왔어. 환이는 오늘 되게 빨리 왔나 봐. 벌써 집에 다 와있어."

"아니, 글쎄 얘가."

내내 어두운 표정으로 있던 큰 환은 그녀들이 오자마자 하소연을 하듯, 그녀들에게 일러바치듯 그가 회사를 그만 두었다는 이야기를 했다. 그의 말에 귤들은 놀라지 않을 수가 없었다.

"뭐? 정말? 갑자기 왜?"

"얘, 또 사고 쳤네. 또 사고 쳤어. 갑자기 회사는 왜 그만 둬?"

작은 환은 굳은 결심으로 시작하여 어떤 어려움이나 시련도 각오하고 이겨낼 것이라 다짐했지만 그 시작부터 봇물이 터지듯 쉴 새 없이 폭로하고, 자신의 흉을 보는 큰 환과 그녀들의 반응에 민망함이 느껴졌다.

"그냥. 뭐 그렇게 됐어."

"너 또 무슨 바이올린인지 뭔지 하려고 하는 거 아니야? 한동안 조용히 있었다 싶었지 내가."

"다행히 그래도 바이올린이 없어서 다행이지. 애가 지금 찾고 있는데 아마 더 없을 거야. 내가 또 회사에 말해놔서 그냥 휴가로 처리해달라고 했어."

"그래? 잘 됐다, 환아. 그냥 좀 쉬었다가 다시 회사 가. 열심히 배워왔으니까 좀 쉬어도 괜찮아."

이제껏 자신이 하는 일에 지지를 해주던 큰 귤마저도 다시 회사로 돌아가라고 하니 작은 환은 실망감이 생겼지만 또 한편으로 오기가 더 생겼다.

"내가 다 알아서 할 테니까 신경 쓰지 말고, 걱정하지 말고 귤이는 그냥 하던 대로 회사 다녀."

"그게 그렇게 되니? 당장 생활비가 반으로 주는데."

큰 환은 다시 작은 환을 타박했다.

"그럼 조금만 참아. 내가 바이올린 열심히 해서 그걸로 돈 벌어볼게."

"있지도 않은 바이올린으로 어떻게 열심히 하고, 그게 또 어떻게 돈이 벌리냐? 설령 번다고 해도 회사 다닐 때만큼 벌 수 있을 거 같아?"

큰 환의 잔소리와 비꼬기는 다시 시작되어 멈출 생각을 하지 않았다. 작은 환은 그의 말을 흘려듣다가 방금 자신이 한 말이 다시 떠올라 생각에 잠겼다.

'바이올린으로 돈을 번다고. 그냥 갑자기 생각나서 한 말이긴 한데, 괜찮은 거 같은데? 연습도 할 수 있고, 사람들한테 들려주고, 돈도 벌 수 있고. 이거 완전 좋은 계획이네. 왜 이제까지 그냥 바이올린을 해야지 하는 생각만 하고 그걸로 돈 번다는 생각을 못 했지?' 작은 환은 새로 생긴 계획에 마음이 부풀어 즐거워졌다..

다음날 아침.

작은 환은 평소와 다름없이 일어나 출근하듯 같은 시간에 세수를 하고, 밥을 먹고, 옷을 갈아입고, 거리로 나섰다. 하지만 딱 거기까지. 당연하게도 통근 버스는 타지 않고 어제와 마찬가지로 어제 창밖으로 봐둔 골목들을 돌아다니며 바이올린을 찾아다녔다. 그렇지만 아무리 뒤지고 뒤져봐도 전날과 마찬가지로 어디를 가도 그것을 찾을 수 있는 방법은 없어 보였다. 대신 그가 얻을 수 있는 것은 낮 시간에 돌아다니는 그를 이상하게, 혹은 한심하게 처다보는 눈빛들뿐이었다. 딱히 다시 만날 사람들이 아님에도 그들의 눈빛은 그를 찝찝하고 불쾌한 기분이 들게 했다. 그리고 그렇게 느끼는 것은 작은 환만은 아니었다.

"야, 이 시간에 돌아다니니까 사람들이 이상하게 보잖아."

"그렇지? 난 나만 그렇게 느껴지나 했어. 근데 왜 그러지?"

"지금 이 시간에, 회사에 안 있고, 밖에 돌아다니면서, 듣도 보도 못한 물건을 찾고 있는 사람을 멀쩡하게 보는 게 이상한 거지."

"그게 뭐가 이상하다는 거야? 참 별게 다 이상하네. 근데 나 좀 안 도와줄 거야? 진짜?"

작은 환은 벤치가 보이자 그곳에 앉아 다리를 주무르며 말했다.

"그러게 왜 이런 쓸 데 없는 일을 해? 그냥 돌아가자."

"또 힘 빠지게 하는 소리. 그런 소리 할 거면 말하지 마."

작은 환은 큰 환의 말을 단칼에 잘랐다. 사실 작은 환은 그의 뜻대로 되지 않는 것에 이미 살짝 날카로워진 상태였고, 큰 환은 그런 그를 더욱 다그쳤다.

"이봐. 이 다리 좀 봐. 하도 걸어서 퉁퉁 부었잖아. 다리를 아껴야지."

"그러니까 좀 도와달라고."

"내가 무슨 수로. 나도 몰라. 네가 일을 저질로 놓고 왜 나한테 그걸 찾아 달래?"

"네가 부쉈잖아. 너만 아니었으면 일이 이렇게까지 되지는 않았다고."

"내 핑계 대지마. 네가 하도 말을 안 들으니 그런 거 아니야."

"됐어. 나한테 말 걸지 마."

둘의 대화는 언성이 높아지다 결국 또 말싸움까지 가고 나서야 끝이 났다. 둘은 더 이상의 대화 없이 그냥 정처 없이 헤매다가 다시 집으로 돌아왔다. 다음 날도, 또 그 다음 날도 무의미하게 걷는 날들만 계속 되었다. 집 근처 골목들을 다 둘러보고, 더 멀리까지 둘러 봤지만 그는 아무런 성과를 낼 수가 없었다.

　그러길 몇 주, 작은 환은 짜증을 내기에도 지쳐갔다. 바이올린이 뭔지 아는 사람이라도 있었다면 그나마 희망을 가져볼 만 했을 텐데, 아무런 단서도 없이 걷기만 하는 날들뿐이니 꾸준하던 처음과는 달리 이내 포기라는 단어가 머릿속에 떠오르기 시작했다. 그래도 그냥 이대로 멈출 생각은 없어 무기력하긴 했지만 계속 찾고 또 찾았다. 그러던 어느 날 집에서 멀리 있는 외곽도로 근처에서 한 사람을 만났다.

　"저기, 뭐 찾는다고?"

　"바이올린. 혹시 알아?"

　"아니."

　"그래? 알았어."

　작은 환은 기대도 없었던 그와의 짧은 문답을 마치고 다시 다른 곳으로 찾아가려고 돌아서는데, 그가 다시 붙잡았다.

　"잠깐만. 그거 어떻게 생겼는데."

　"음. 잠깐만."

　작은 환은 돌을 주워 바닥에 그림을 그려보았다. 사실 그는 이런 상황이 귀찮았다. 전에도 이렇게 그림을 그려가며 설명을 해준 적이 몇 번이나 있었지만 그래 봤자 성과는 없었다. 그러니 이렇게 앉아서 그림을 그리는 것보다 빨리 다른 곳을 가는 게 더 낫다는 생각이 드는 것이 사실이었다.

　"이렇게. 알아?"

"음. 몰라."

'그럼 그렇지. 괜히 또 시간만 허비했네.'

작은 환은 괜히 아쉽다는 듯 입맛만 다시며 일어서서 가려는데 그가 또 다시 잡았다.

"그래도 잘하면 찾을 수 있을 거야."

"진짜? 어떻게?"

작은 환은 그의 의외의 말에 반신반의하며 되물었다.

"없는 게 없는 곳이 있거든."

"진짜? 그런 곳이 있어?"

"따라와 봐. 아마도 있을 거야."

말을 마치자마자 자신이 더 신이 난 듯 가게는 내버려두고 서둘러 움직이는 그를 보며 작은 환은 긴가민가한 표정으로 그의 뒤를 따랐다. 이런 경우는 처음이라 정말 있는 것인지 헛걸음이나 하는 것은 아닌지 알 수가 없었다.

"야, 어디 가는지 알고 가는 거야?"

"너도 같이 들었잖아. 바이올린 찾으러 가는 거지."

"그래서 어디?"

"몰라. 그냥 따라가 보는 거지."

"뭘 믿고 가는 거야?"

"바이올린 찾을 수도 있다잖아. 그럼 가봐야지."

"하아. 참."

큰 환은 의심스러운 눈빛으로 앞서가는 그에게 안 들리게 작은 환을 다그쳐봤지만 바이올린을 찾을 수 있다는 생각에, 아니

확실하지는 않지만 찾을지도 모른다는 말 한마디에 잔뜩 들떠있는 작은 환을 말릴 수는 없었다. 그도 그럴 것이 작은 환에게는 몇 주 만에 찾은 유일한 단서였다. 작은 환은 행여 그의 마음이 바뀌기라도 할까 봐 앞서가는 그에게 다가가 친근하게 말을 걸었다.

"근데 너 이름은 뭐야?"

"덕이야. 너는?"

"나는 환. 근데 지금 어디로 가?"

"바얼리니?"

"바이올린."

"그래. 그거. 그거 찾으러 가잖아."

"그게 어딘데?"

"가서 찾아봐야지."

덕은 확답은 주지 않은 채 계속 걸어갔고, 그의 말을 들은 큰 환의 얼굴에는 근심이 더 서렸다. 그는 처음 보는 낯선 이를 어디인지도 모를 곳으로 따라가며 신이 나서 이야기를 계속 주거니 받거니 하는 작은 환을 이해할 수 없는 듯 했다.

그렇게 덕을 따라 한참을 걷다 보니 그들은 도시의 외곽도로에 다다랐다. 작은 환은 거기까지 다다르자 의아해졌다. 넓은 외곽도로 밖으로는 철조망으로 막혀있었고, 안 쪽으로도 건물과 도로 사이의 공터는 황량하기만 하고 특별히 뭔가 있을만한 것은 보이지 않았기 때문이다. 작은 환은 어리둥절해져 두리번거리며 공터나 지나온 건물들을 살펴봤으나, 역시나 특별히 눈에 띄는 것은 없었다. 작은 환은 뭔가 이상하다는 생각에 덕에게 말을 걸려고 했으나 그는 지체하지 않고 도로 옆 사잇길을 따라 아래로 내려가기에 일단은 말없이 그를 따라갔다. 그를 따라 내려가니 굴다리가 나왔고, 그는 주저 없이 그 안으로 들어갔다. 이제껏 그를 잘 따라가던 작은 환도 시커멓고 잡초들이 듬성듬성 자란 굴다리를 보니 슬슬 겁이 나 주저하기 시작했다. 옆의 큰 환을 보니 그의 표정도 역시 당황스러워 하는 기색이 역력했다. 큰 환은 흔들리는 듯 보이는 작은 환을 다시 설득하기 시작했다.

"꼭 가야 되겠어? 없을 지도 모르잖아. 그리고 저 녀석 믿을 수 있긴 한 거야?"

"어."

"뭐해? 안 와?"

작은 환이 주저하는 사이 덕은 뒤돌아보며 그를 불렀다. 작은 환의 마음속에도 의심은 있었으나 이게 유일한 기회일지도 모르기에 두려움은 미뤄두고 다시 걷기 시작했다. 하지만 그 발걸음은 금세 다시 멈춰질 수밖에 없었다. 그 이유는 그의 앞을 막고 있는 철조망 때문이었다.

"이거 잠깐 잡고 있어봐."

덕은 철조망의 끊어진 부분을 들어 올리고는 환들을 향해 흔들었다. 주저하던 작은 환이 그것을 잡자 기어서 반대편으로 넘어갔다.

"자, 넘어 와."

이번에는 덕이 철조망을 들어 올리고는 환들을 불렀다. 하지만 작은 환은 주춤주춤 주저할 수밖에 없었다.

"뭐해? 안 갈 거야? 찾는 것도 시간이 걸려."

덕은 다시 재촉했다. 작은 환은 당황하며 큰 환을 쳐다봤다. 큰 환은 그 눈빛을 보고는 고개를 몇 번이나 내저었다. 그리고 앞을 봤을 때 덕은 뭐하냐는 눈빛으로 손짓으로 계속 그를 불렀다.

'어떡하지? 저 밖으로 나가야 되는 지는 몰랐는데. 위험할 텐데. 괜찮을까? 덕이도 밖에 있는 걸 보면 괜찮을 지도 모르겠는데. 근데, 오늘 처음 만난 사람인데, 그냥 막 따라가도 되나? 그래, 어쩌면 저 밖에는 바이올린이 있을지도 몰라. 이 안에는 웬만한 곳은 다 뒤져봤잖아. 근데, 밖에도 있다는 보장은 없잖아.'

작은 환은 짧은 시간 동안 어쩌면 회사를 그만두고 나올 때보다 더 많은 갈등이 마음속에서 생겨난 듯 했다. 아무런 결정을 못하고 있는데, 덕이 다시 그를 불렀다.

"안가? 그냥 돌아갈까?"

자신의 물음에도 여전히 작은 환이 대답도 없이 머뭇거리자 덕은 다시 엎드려 철조망을 넘어가려고 했다. 그것을 보자 작은 환은 급해져서 더 생각할 겨를 없이 말했다.

"아, 아니야. 지금 갈게."

덕은 작은 환의 대답을 듣자 다시 몸을 일으켰다.

"야, 진짜 갈 거야?"

이번에는 큰 환이 숨을 크게 들이키고 철조망으로 다가가는 작은 환을 보자 그를 다급하게 막았다. 하지만 이미 말을 내뱉은 작은 환은 마음이 정해진 듯 했다.

"가야지. 여기 아니면 없을 지도 몰라. 하는 데까지는 해봐야지."

"그러지 말고 그냥 돌아가자. 너무 위험해. 내가 예전부터 이 밖으로 나가면 안 된다고 했잖아. 저 밖에는 호랑이나 늑대 같은 맹수들도 있어. 갔다가 물리기라도 하면 어쩌려고 그래? 안돼. 안 된다고."

"덕이도 저 밖에 있잖아. 생각보다 안 위험할 지도 몰라."

작은 환도 사실 겁이 나고, 망설여졌지만 아무렇지 않은 척 굳게 마음을 먹고 말했다.

"할 만큼 해봤잖아. 바이올린 그냥 포기하자. 저 밖에까지 갈 만큼 중요한 것도 아니잖아."

"아니야. 중요해. 훨씬 더."

작은 환은 그렇게 말하며 자세를 낮춰 철조망을 넘으려 했다. 큰 환의 얼굴은 사색이 되어 그의 어깨를 잡았다. 작은 환은 그런 그의 표정을 보며 비장하게 한 마디를 하고 철조망을 넘었다.

"만약에 여기에도 없으면 그때는 그냥 다 포기하고, 내일부터는 회사에 출근할게."

작은 환은 지금 한 말이 큰 환을 안심시키기 위해 한 말인지 아니면 스스로 다짐을 하기 위해 하는 말인지 자기 스스로도 알 수 없었다. 그렇지만 그 말을 들은 큰 환의 표정은 그리 달라지지 않았고, 떨리고 있는 자신의 마음도 진정이 되지는 않았다.

힘겹게 넘어간 철조망 밖. 작은 환은 물론 큰 환도 크게 숨을 들이마시며 긴장감을 풀어보려 노력했다. 밖과는 겨우 몇 미터도 차이가 나지 않는 곳인데도 그에게는 다른 세상처럼 느껴졌다. 눅눅한 흙 위에는 잡초들이 무성했고, 넝쿨과 나무들이 그의 키보다 높게 솟아올라 있었다. 햇살이 나뭇잎들 사이로 스며들기는 했으나 어두웠다. 하지만 그런 것보다도 그를 더 겁나게 하는 것은 도시 안에 있을 때와는 달리 무질서 속에 있다는 느낌. 무슨 일이 일어날지 전혀 예상되지 않았고, 아무도 자신을 지켜주지 못할 것 같았다.

"너희들 여기 처음 넘어와 보지?"

"으. 응."

덕은 느긋하게 걸으며 환들에게 말을 걸었다.

"여기 엄청 좋아. 공기도 맑고, 나무도 많고, 동물도 많고. 좀 마구잡이라고 해야 하나? 약간 뭐 그런 게 있긴 한데, 안에 있으면 건물들만 똑같이 빽빽하게 서있는 게 답답하잖아. 갇혀있는 것 같아."

덕은 별거 아니라는 듯 쉽게 바깥세상을 설명했다. 하지만 작은 환과 큰 환은 경계의 눈빛으로 계속 여기저기 주위를 둘러봤다.

"여기 혹시 늑대나 호랑이 같은 건 없어?"

작은 환은 걱정스레 덕에게 물어봤다. 덕은 잠시 생각을 하더니 말을 했다.

"동물들이 많이 돌아다니니까 있기야 있겠지? 왜? 그것도 필요해?"

"아니. 아니."

작은 환과 큰 환은 질색을 하며 손사래를 쳤다.

"어딘가에 있긴 있을 거야. 근데 그거까지는 내가 못 구해줘. 난 못 잡아."

두리번거리며 하는 덕의 말에 환들은 더욱 긴장이 됐다. 그들도 그를 따라 쉴 새 없이 두리번거리는데, 갑자기 앞쪽 수풀에서 부스럭 하는 소리가 들렸다. 순간 환들은 얼어붙었다. 그 짧은 몇 초간, 뭘까? 맹수면 어쩌지? 도망가야 되나? 죽은 척해야 되나? 덕을 불러야 되나? 이대로 죽는 걸까? 하는 생각들이 매우 빠르게 스치고 지나갔다. 하지만 덕은 그 소리를 못 들은 것인지 아니면 알고 가는 것인지 오히려 그 방향으로 다가갔고, 그가 다가가자 그 수풀 뒤에서 검은 그림자 하나가 툭 하고 튀어나왔다. 환들은 순간 소스라치게 놀라 둘 다 비명도 지르지 못하고 얼어붙었다.

"어, 찾았다."

"아, 덕이구나."

다행히 사람이었다. 환들은 안도의 한 숨을 내쉬었지만 굳었던 다리는 여전히 후들거렸다. 그와 덕은 원래부터 알고 있었던 듯했고, 둘 다 철조망 밖에서 만났다는 사실에 놀라지 않았다.

"웬일이야, 이 시간에? 가게는 어쩌고? 뒤에는 누구야?"

"아, 한 가지씩만 물어. 얘네는 환이라고 발리오리인가 머시긴가 찾는다고 하기에 데리고 왔어."

"아이고, 또 이놈의 오지랖. 가게는 보기 싫고 남의 일은 다 건들이고 싶은 거야?"

"아 거 참. 잔소리는. 네가 내 마누라야?"

"네 마누라가 내 욕을 하니까 그렇지."

"어, 그건 어떻게 알았어?"

"저녁 먹을 때마다 귀가 간지러운데 그걸 모르겠냐?"

환들은 그들의 대화를 그냥 듣고만 있었다. 그런데 작은 환의
눈에는 덕과 이야기하는 사람이 어딘지 모르게 낯이 익었다. 누
굴까? 어디서 봤을까? 생각하고 있는데, 그가 다가왔다.

"안녕. 난 반이야. 뭘 찾는다고?"

"아, 난 환. 안녕. 바이올린이 어디 있는지 알아?"

"바이올린? 그게 뭐지?"

반의 반응에 작은 환은 실망스러운 마음이 들었다. 하지만 또
그냥 뒤돌아 가기에는 너무 많은 투자를 한 셈이라 어떻게든 찾
아야겠다는 생각을 했다. 제발 있어라 하는 기대를 가지고 바닥
에 그림을 그리며 설명을 시작했다.

"그건 이렇게 생긴 거고, 여기 이쪽 턱 밑에 이렇게 넣어가지
고 연주하는 악기야."

"아, 악기야? 진작 말하지. 그럼 악기 가게에 가면 있겠네?"

"악기 가게가 있어?"

반의 물음에 환들은 놀라 오히려 되물었다. 그 동안 살아오면
서 악기를 파는 곳을 보기는커녕 있으리라고는 생각지도 못했는
데, 그런 것이 있다니, 게다가 도시 안도 아닌 철조망 밖에 있다
니 놀라지 않을 수 없었다.

"응. 일단 따라와 봐. 덕아, 너는 그만 가게로 돌아가고. 오늘 저녁은 좀 편하게 먹어보자."

"아유, 알았어. 알았어. 바린롤리가 뭔지 좀 보고 싶었는데, 그걸 못 하게 하네."

"야, 너."

"아, 알았어. 알았어."

덕은 그렇게 말하며 돌아섰다.

"잘 찾아봐. 발린날리. 찾으면 내 덕분이라고 생각하고."

덕이 떠나고, 작은 환은 또다시 다른 낯선 이의 뒤를 따르게 되자 기분이 또 께름칙해졌다.

"그래. 근데, 그 바이욜린? 바이얼린?"

"바이올린."

"그래, 그건 왜 찾으려는 거야?"

"당연히 연주하려고 찾는 거지. 악기잖아."

"뭐? 악기 연주할 줄 알아?"

"조금."

놀라며 묻는 반에 작은 환은 겸손하게 이야기 했지만 살짝 으쓱해짐을 느꼈다. 속으로 뿌듯해 하고 있는데, 그를 보는 반의 표정은 이상했다.

"혹시 너 정부에서 일해?"

반의 목소리는 따지듯이 귀에 날카롭게 파고들어왔다. 작은 환은 이게 무슨 뜬금없는 말인가 싶어 눈만 깜빡깜빡 하며 그를 쳐다보다가 퉁명스러운 목소리로 말했다.

"아니, 양말공장 다니다가 그만 뒀어."

"그래?"

하지만 반의 눈초리는 여전히 의심을 품고 있는 듯 날카로웠다.

"연주를 하는 사람들은 원래 정부나 방송국에만 있거든. 그게 그거지만. 근데 둘 다 아니야? 그럼 넌 어떻게 연주를 할 줄 아는 거야?"

반의 질문에 작은 환은 난생 처음 듣는 말이라 큰 환을 쳐다봤다.

"나도 전에 환한테 배운 건데. 걔도 정부에서 일했다는 말은…. 근데 우리가 왜 그걸 말해야 돼?"

큰 환이 의심의 눈초리에 당황해서 반과 작은 환을 번갈아 보며 해명을 하려다가 정신을 차리고는 신경질적으로 말했다.

"뭐. 그냥 물어본 거야. 하긴 정부 애들이 굳이 여기까지 와서 악기를 찾을 리는 없지."

반은 큰 환의 반응을 보더니 안심이 되는 듯 세웠던 날을 죽이고 다시 말을 했다.

"근데 특이하긴 하네. 웬만하면 악기 연주 같은 건 돈도 안 되고 비효율적이라고 사람들이 배우지도 않고, 알려고도 안 하던데. 정부 애들이나 자기들 하고 싶은 대로 하지. 자기들은 일을 안 하거든. 하기야 그 놈들은 자기들끼리 말할 때는 높임말이라는 걸 한다잖아. 그런 건 비효율적이고 안 맞아서 옛날에 없어진 줄 알았는데. 웃겨, 아주. 자기들은 특별한 줄 알아. 운 좋게 그렇게 태어난 거지 자기들이 뭐가 대단하다고. 참 넌 뭐 한다고? 아, 회사 그만 뒀다 그랬지? 왜? 설마 바이올린 하려고?"

반은 걸어가면서도 계속 환들을 보며 끊임없이 이야기 했다. 그의 이야기를 듣다 보니 작은 환은 희미했던 기억 속에서 그의 모습이 떠오르기 시작했다. 자주 보긴 했지만 그냥 무심코 지나 갔던 그 얼굴.

"팻말."

작은 환은 놀라서 혼잣말을 했다가 다시 입을 닫았다. 반은 바로 출근시간마다 철조망 밖에서 팻말을 들고 있는 사람이었다. 차 창문을 통해서 봤을 때는 말없이 팻말만 들고 있는 사람이었는데, 가까이 있으니 엄청 수다스러운 사람이구나 하는 생각이 들었다.

'환이가 알까? 알면 엄청 싫어할 텐데.'

작은 환은 통근버스를 타고 다닐 때 큰 환이 반에 대해 나쁜 인식을 갖고 있었다는 것을 기억하고 있기에 그의 눈치를 살폈다. 하지만 그는 처음부터 그렇듯이 여전히 뭔가 불만스러운 표정이라 아는지 모르는지 알 길이 없었다. 이미 알고 있다면 어쩔 수는 없지만 그렇지 않다면 굳이 이야기 하지는 않아야겠다 라고 생각했다. 만약에 큰 환이 몰랐다가 알게 된다면 그의 분노가 어떤 상황을 만들어 낼지 알 수 없어 불안했기 때문이다.

또한 걸으면 걸을수록 또 다른 불안감이 엄습해 왔다. 반은 점점 더 깊은 곳으로 그들을 데려갔다. 그들이 철조망에서 멀어지면 멀어질수록 넝쿨과 잡초가 더 빼곡하게 자라있었고, 길옆의 건물들은 이미 다 무너져 가는 것이 바이올린은커녕 아무 것도 있을 것 같지 않았다. 이 길이 정말 맞는 건가 의심이 커져갈 때쯤 반은 멈춰 섰다.

"여기쯤인 것 같은데?"

반은 어딘가에서 멈춰 서서 옆의 폐허로 가더니 그 건물을 타고 올라가는 넝쿨을 떼어내고, 잎이 많은 나뭇가지 하나를 꺾어 깨지다 만 유리문의 두껍게 쌓인 먼지를 털어냈다. 작은 환은 반의 행동이 이해가 안 돼 빤히 쳐다보다가 물었다.

"이런데 가게가 있어?"

"있었지."

반은 다른 건물로 가 똑같은 행동을 반복하며 말했다.

"여기도 아니고. 환아, 너도 찾아 봐."

"뭘?"

"악기 가게."

작은 환은 반이 시키니까 뭘 찾아야 하는지도 모르는 채 일단 그의 옆에서 그를 따라 했다. 그의 알 수 없는 행동을 따라 하는 것이 께름칙해질 무렵 반이 큰 목소리로 외쳤다.

"여기 있다."

반이 말한 곳에는 유리문에 악기라고 쓰여져 있었다. 그리고 그 시커먼 안쪽에는 희미하게 여러 개의 악기들이 보였다. 작은 환은 그제야 이해가 되며 다른 생각들은 사라진 채 기대감에 부풀어 두근대기 시작했다. 조심스레 문을 여니 끼익 하는 소리와 함께 먼지 가득한 공기가 쏟아져 나왔다. 반과 환은 급히 문 옆으로 피해 손바닥을 휘저어 그 먼지들을 날려 보냈지만 기침은 계속 나왔다. 한참 손 부채질로 먼지들이 웬만큼 다 쏟아져 나왔다 싶자 그들은 안으로 들어갔다. 작은 환은 들어서자마자 눈을 이리저리 굴리며 바이올린을 찾아봤다.

"이거 아니야?"

가게 안으로 들어와 찾기 시작한지 몇 초도 채 지나지 않아 물어보는 반의 말에 작은 환은 놀라 그가 있는 쪽으로 돌아봤다. 반은 손에 들고 있는 것을 보여주며 말했다.

"아까 그려준 거랑 똑같이 생긴 거 같은데. 이거 맞지? 여기 많이 있는데?"

잔뜩 기대했던 작은 환은 득의 양양해하는 반의 손에 들린 것을 보자 실망할 수밖에 없었다. 그가 찾았다고 말했던 것은 기타였다. 작은 환은 한숨을 내쉬며 말했다.

"아니. 그거는 너무 커."

"그럼 이거는? 다 똑같이 생겼는데, 크기만 다 달라."

반은 그의 뒤 벽에 걸려있는 악기들을 가리키며 말했다. 작은 환은 그에게 바이올린이 어떤 것인지 정확하게 설명하는 것은 불가능할 것 같았다. 그래서 그에게는 그냥 기다리라고 하고 대신 큰 환에게 말했다.

"너도 여기서 밤새고 싶지 않으면 어서 찾아봐."

큰 환은 내키지 않는다는 듯한 표정을 지었지만, 어쩔 수는 없었기에 작은 환이 바이올린을 찾는 것을 도왔다. 먼지 가득한 가게 내부를 돌아다니며 뒤지고 또 뒤지다 보니 가게 안쪽에 상자들이 보였고, 그것을 열어보니 그 안에 바이올린이 있는 것을 발견했다.

"찾았다."

작은 환이 드디어 찾았구나 하며 기뻐했지만 그것은 잠시뿐, 자세히 보니 현은 끊어지고, 몸체는 뒤틀려있어 쓸 수 없는 것이었다. 하지만 그간 많은 실망과 좌절을 했던 작은 환이 그 정도로 낙담하지는 않았다. 그것은 그것대로 밖에 내놓고 다시 다른 상자들을 열어보니 다행히 그 상자들 안에도 역시 다 바이올린이 있었다. 작은 환은 그 바이올린들을 모두 꺼내 가장 덜 뒤틀린 것을 골라 안 끊어진 다른 바이올린의 현들을 찾아 갈아 끼웠다. 끙끙대며 한참을 작업하여 그런대로 멀쩡한 바이올린이 완성되자 작은 환은 큰 환과 반을 번갈아 보며 미소를 보냈다. 그는 바이올린을 챙겨 반과 함께 밖으로 걸어나갔다. 그리고 그는 맑은 공기를 크게 들이마시고는 바이올린을 턱 밑에 괴었다. 그리고 활로 현을 그었다. 그 사이에서 세어 나오는 선명하고 맑은 소리는 그 동안 이것을 찾기 위해 고생했던 시간들의 힘겨움과 갖고 있던 바이올린이 부서진 후 느꼈던 절망, 그리고 회사를 그만두고 바이올린을 연주하기로 결심하면서 느낀 두려움도 날려버릴 만큼 좋아 귀를 거쳐 마음속까지 가는 길을 시원하게 만들었고, 그 울림에 몸이 떨려왔다. 그는 너무나 기뻐 조율도 안 된 바이올린으로 손에 잡히는 대로 음악을 연주했다. 음은 맞지 않았지만 그것만으로도 만족스러웠다.

"오호, 소리가 그렇게 나오는 거야?"

반은 신기한 듯 작은 환과 바이올린을 번갈아 쳐다봤다. 작은 환은 뿌듯해하며 고개를 끄덕였다. 큰 환을 보니 역시나 마음에 들지 않는 표정이지만 왠지 모르게 안도하고 있다는 느낌이 들었다.

"이렇게 찾았으니 됐네. 조율은 집에 가서 해야겠다."

작은 환은 싱글벙글 웃음을 가득 머금고 바이올린과 활을 챙겨 돌아가려고 했다. 그런데 반이 그런 그를 막아 세웠다.

"너 설마 그거 들고 가게?"

"응. 그러려고 이렇게 힘들게 찾았는데. 왜? 안 돼?"

작은 환은 바이올린을 가지고 나가지 못할 것이라는 생각 같은 것은 전혀 해보지 못했는데, 반이 그렇게 말하니 불안해졌다. 설마 안 되기야 하겠어 하는 기대로 되물으니, 그는 고개를 저었다.

"그건 별로 좋은 생각 같지 않은데. 철조망 넘어 다니는 것도 원래라면 안 되는 일인데, 그걸 다 막을 만큼 경비하는 사람이 있지는 않아서 괜찮은 거야. 그런데 물건을 들이는 거는, 게다가 그 정도 크기의 물건이라면 이야기가 달라. 아마 늦게라도 찾아내서 집안 곳곳을 조사당할 거야. 그게 뭐던지 간에. 탈탈 털릴 걸?"

"왜? 그냥 악기인데?"

"그건 네 생각이고. 봐도 그게 다 뭔지도 모를 텐데, 네가 그걸 들고 가는 걸 보면 악기를 연상할 만한 사람보다 위험한 물건일지도 모른다고 생각하는 사람들이 더 많을 거야."

"그럼 어떻게 해? 이거 찾느라고 며칠을 헤매서 여기까지 온 건데."

작은 환은 반의 말에 맥이 확 빠졌다. 겨우 손에 넣은 바이올린을 이대로 버리고 돌아갈 수는 없었다. 반은 곰곰이 생각을 하더니 말했다.

"그러면 그건. 그래. 그거 큰 집 찬장 속에 넣어놓자. 거기 두면 건드리는 사람은 없을 테니까 하고 싶을 때마다 와서 해."

반은 그렇게 이야기하고 작은 환을 데리고 숲을 헤치며 다시 어디론가 향해갔다. 하지만 그를 따르는 작은 환의 머릿속은 복잡해져 갔다. 매일 연습을 하고 싶은데, 그럼 매일 철조망을 넘어와야 한다는 것이다. 그건 작은 환에게 너무 부담스러운 일이었다. 하지만 그렇다고 바이올린을 가지고 나가자니 이 커다란 물건을 아무도 안 보이게 숨기고 가지고 나갈 수 있는 방법은 없었고, 또 집으로 가는 사이 아무도 안 마주친다는 가능성도 없었다. 그로 인해 집을 조사받는 것 역시 원하지 않았다. 아무리 생각해봐도 그의 말대로 하는 것 외에는 별다른 방법이 없었다.

작은 환은 반을 따라 마당이 넓은 어떤 커다란 집에 도착했다. 그곳에는 놀랍게도 몇몇의 사람들이 더 있었다. 반은 마당의 평상에 앉아있는 그들과 인사를 나눴고, 환들에게 소개를 했다. 집 안에도 몇몇의 사람들이 있었는데, 다들 거기서 무엇을 하는지, 왜 거기 있는지는 여전히 머릿속이 복잡한 작은 환에게 그다지 관심거리가 되지 못했다.

반은 복도를 따라 방으로 들어가더니 거기에 있는 낡고 커다란 찬장의 문을 열었다. 그리고는 환을 돌아보며 말했다.

"여기에 넣으면 돼."

"누가 가져가거나 부수거나 하진 않겠지?"

"굳이 건들일 사람은 없어. 뭔지도 모르는데."

"그렇겠지?"

작은 환은 그렇게 말하면서도 불안한 마음이 가셔지지는 않아 찬장 안으로 바이올린을 집어넣는 손이 굼뜨기만 했다. 며칠 동안 찾아 헤매고, 철조망까지 넘어서 찾은 바이올린인데, 그렇게 힘들게 찾은 물건을 이 낯선 곳에 다시 그대로 두고 돌아서려니 발걸음이 쉽게 떨어지지 않았다.

"바리올은 찾았어?"

"깜짝이야."

환들이 굴다리에서 빠져 나오자마자 기다리고 있던 덕이 튀어나와 물었다. 환은 갑자기 튀어나온 그 때문에 깜짝 놀랐으나 이내 웃음이 나왔다.

"계속 우리 기다린 거야?"

"아니. 근데, 궁금해서 참을 수가 있어야지. 찾은 거야? 어떤 거야?"

"찾긴 찾았는데, 못 가지고 나왔어."

"그래? 그게 커? 하긴 그럼 그냥 들고 나왔다가 무슨 봉변을 당할지 모르긴 하지. 근데 좀 아쉽긴 하네."

"근데 네가 그걸 왜 그렇게 궁금해 해?"

"당연히 궁금하지. 한 번도 못 본 물건을 찾는다는데. 아, 나도 그런 게 있었으면 좋겠다. 남들은 모르고 나한테는 소중한 뭐 그런 거."

작은 환은 덕의 말에 왠지 모르게 뿌듯해져 웃으며 말했다.

"보고 싶으면 내일 큰 집으로 와. 거기에 보관해놨으니까."

"아, 거기 넣어놨어? 잘했네."

덕은 마치 오래된 친구인 듯 작은 환과 이야기를 계속 나누며 집으로 향했다.

"근데, 너 설마 내일도 갈 거야?"

덕과 헤어지자마자 이제껏 입을 꾹 닫고 있었던 큰 환이 날카로운 눈초리로 노려보며 물었다. 작은 환은 짐짓 아무 것도 모르는 척, 별일 아닌 듯 천진난만하고, 태연하게 말했다.

"응, 가야지."

"왜, 또? 거기가 얼마나 위험한데. 내가 옛날부터 거기는 넘어갈 생각을 하면 안 된다고 했잖아. 근데 거기를 또 넘어가겠다고?"

그의 대답에 큰 환은 짜증을 내며 큰 소리로 말했다. 작은 환은 그의 반응이 이해가 되긴 했지만, 그의 말의 끝은 결국 바이올린을 연습하러 가서는 안 된다는 것으로 결론이 날 것이기에 그에게 동의하지 않고, 오히려 자신이 더 짜증을 내며 당연하다는 듯 말했다.

"바이올린을 거기 두고 왔잖아. 내가 설마 바이올린을 찾기만 하려고 거기를 간 줄 알아?"

"그 반인가 하는 녀석도 말했잖아. 원래 넘어가면 안 된다고. 내가 얼마나 불안한지 알아?"

"어차피 잡아낼 사람도 없다 그랬잖아."

"없는 게 아니고, 모자라다 그랬지. 혹시라도, 만약에라도 잡히면 어쩔 거야."

"별게 다 걱정이야. 거기 있는 사람들 못 봤어? 한두 명도 아니던데, 다들 잘만 다니더구면."

"혹시라도 말이야. 만약이라는 것도 있잖아."

"아유, 만약에 잡힌다고 해도 뭐 문제 될 거 있어? 그냥 바이올린 연주하러 가는 건데. 우리가 잘못하는 것도 아니잖아."

"하. 참."

큰 환은 작은 환의 고집을 이미 꺾을 수 없다는 것을 알기에 말을 멈췄다. 하지만 작은 환도 큰 환이 말하는 것들을 생각하지 못한 것이 아니고 겁이 나는 것도 마찬가지였다. 오랜 시간 참아왔던 꿈을 위해 용기를 내는 것뿐이었다.

"귤이한테는 말하지 말자. 걱정한다."

큰 환은 힘이 빠진 목소리로 그렇게 말하고는 돌아가는 동안 더 이상 말을 하지 않았다.

집으로 돌아오니 날은 이미 저물어 어둑어둑해져 있었고, 귤들은 벌써 도착해서 저녁을 준비하고 있었다. 그 모습을 보자 환들은 너무 지체했다는 생각에 아차 싶었다. 작은 환은 몰래 들어가서 있었던 척할까 했지만 이미 늦었다.

"왔어?"

"뭐하다 이제 와?"

"아, 뭐 그냥."

"산책도 하고, 그냥 좀 돌아다니다 보니까 늦었네."

작은 귤의 질문에 두 환은 간만에 한 마음으로 대충 얼버무렸다. 서로가 보기에도 서로의 표정이 너무 어색한 것이 금방 들킬 것만 같았다. 더 자세히 물어보면 대답할 말이 없기에 작은 환은 재빨리 말을 돌렸다.

"오늘 반찬은 뭐야?"

"뭐 그냥, 소시지, 달걀.

이제부터 아껴 먹어야지. 당장 다음 달부터 생활비가 반 토막날 텐데. 아유, 이제 앞으로 어떻게 살아야 되나 몰라."

작은 귤의 가시 돋친 말에 작은 환은 움츠려 들어 별다른 대꾸를 하지 못했다. 말을 돌리려 그냥 떠오르는 대로 한 말이었는데, 이야기가 그런 식으로 진행 될 줄은 몰랐다. 그때부터 시작되는 그녀의 잔소리에 괜히 말을 꺼냈다 싶었지만, 그럼에도 내일 아침부터 바이올린을 하러 갈 수 있으리란 기대 덕분에 그런 그녀의 구박에도 크게 마음 상하지 않았다.

다음 날 아침, 작은 환은 어제와 같은 시간, 같은 모양으로 어제와 똑같이 출근하듯 집을 나섰지만, 어제와는 전혀 다른 기분이었다. 가야 할 곳이 정해지고, 할 수 있는 일이 생겼기에 발걸음이 가벼워졌다. 철조망을 다시 넘어야 한다는 부담감이 없는 것은 아니었지만, 사실 아직까지는 그것이 그렇게 크게 와 닿지는 않았다. 그냥 모든 것이 잘 될 것만 같은 기분이었다. 그는 이제까지 걸었던 걸음 중에 제일 빠른 속도로 철조망을 향해가다가 방향을 돌려 우선 덕의 가게로 먼저 갔다. 하지만 덕은 아직 도착하지 않았는지 문이 닫혀 있었다. 작은 환은 거기서 그를 기다릴까 하다가 굳이 그럴 필요가 있겠냐 하는 생각이 들어 다시 철조망으로 향했다. 다시 가벼운 발걸음으로 외곽도로 밑 굴다리를 지나 철조망 앞에 도착하자 처음의 용기와는 달리 잠시 또 망설여졌다. 어제와는 달리 환들뿐이라 그런 것인지 쉽사리 발걸음이 떨어지지 않았다. 그런 그의 망설임을 알았는지 큰 환아 다시 설득하기 시작했다.

"그냥 돌아가자. 바이올린은 어제 해봤으니 됐잖아. 이제 그만 하고, 회사로 돌아가자. 이제 충분하잖아."

하지만 큰 환의 말과는 달리 작은 환은 어제 단 하루만의 그리 연주 같지도 않은 연주로는 그의 욕심을 채우기엔 턱없이 부족했고, 바이올린으로 하고 싶은 것이 아직 많이 남아있었다. 그렇기에 이대로 여기서 돌아갈 수는 없었다. 그는 큰 환의 말에 대꾸를 하지 않고, 다시 한 번 용기를 내어 철조망을 넘었다.

"그래. 네 맘대로 해라."

큰 환은 자포자기한 심정으로 작은 환에게 내뱉었다. 작은 환은 그의 반응에는 여전히 대꾸하지 않고, 어제 바이올린을 보관

해둔 큰 집을 찾아 가는 것에만 신경을 썼다. 길들이 전부 나무와 잡초로 가득하여 찾는 것이 그리 쉽지 않았지만, 어제의 기억을 따라 사람이 많이 다녀 길이 넓어진 곳을 따라 가다 보니 큰 집이 나왔다. 여전히 집 안팎에는 사람들이 있었다. 그는 어제 본 사람들인지 아닌지 기억은 못했지만 대강 인사를 나눈 뒤 바이올린이 무사히 잘 있는지 궁금해 하며 방으로 들어갔다. 바이올린에 가까워질수록 마음은 더 조마조마해졌다. 별일 없을 것이라고 생각하면서도 혹시나 누가 가져가진 않았을까, 누가 건드려서 망가지진 않았을까 하는 생각이 머릿속에 빙빙 돌며 가셔지질 않았다. 두근두근 하는 심장을 애써 진정시키고, 마른 침을 꼴깍 삼키고 찬장의 문을 열었을 때, 당연하게도 바이올린은 아주 무사하게, 조금의 변동도 없이 그 자리에 있었다. 안도의 한숨을 내쉬고, 환하게 밝아진 얼굴로 손을 내밀어 바이올린을 꺼냈다. 그리고 어제 못한 조율을 하기 시작했다. 하나하나 세심하게 현을 맞추고, 그것을 마치자마자 음악을 연주하기 시작했다. 어제와는 다른 진지하고도 제대로 된 연주를. 그는 기억을 더듬어 연습했던 곡들을 하나씩 하나씩 다시 꺼내봤다. 오랜만에 해보는 것인지라 기억이 잘 나지 않는 부분도 많았고, 틀리거나, 음이 이탈하는 부분도 많았지만 간만에 하는 연주치고는 그럭저럭 만족스러웠다. 한번 더 연주하려고 했을 때, 그는 그 방안에 사람들 몇몇이 모여 있는 것을 보았다. 연주에 집중하느라 그냥 사람들이 왔다 갔다 하는 줄만 알았는데, 끝나고 나서 보니 다들 자신의 앞에 아예 자리를 잡고 앉아 신기하다는 듯한 눈빛으로 쳐다보고 있었다. 그들과 눈을 마주치자 그들의 질문세례가 이어졌다.

"그게 뭐야? 신기하네."

"거기서 소리가 나는 거야? 희한하네."

"다시 해봐. 듣기 좋은데?"

"그러게. 이런 거 직접 듣는 거는 처음이야."

작은 환은 아직 제대로 되지도 않은 자신의 연주를 들으며 감탄하는 그들을 보며 살짝 창피하기도 했지만 그를 신기한 듯 대단하게 보는 그들의 눈빛과 목소리를 들으니 뿌듯함이 점점 더 커져 마음속을 채워갔다. 자기도 모르게 입가에 기분 좋은 미소가 지어졌다.

'이런 기분이구나. 사람들 앞에서 연주하는 게.'

작은 환은 흐뭇한 미소를 그대로 머금은 채 다시 연주를 시작했다. 가족 외의 사람들 앞에서 연주하는 것이 처음인지라 의식하지 않으려 해도 시선들이 자꾸만 의식이 되고, 신경이 쓰여 두 번째 연주 임에도 약간 나아지긴 했지만 생각만큼 잘 되지는 않았다. 그렇지만 연주가 끝나자 여전히 박수소리가 터져 나왔다.

"오, 그게 그 바레올?"

"바이올린."

"아, 왔어?"

어느새 그의 앞에는 아까보다 더 많은 사람들이 모여 있었고, 그 중엔 덕과 반도 있었다.

"듣기 좋은데? 왜 그렇게 찾아 다녔는지 알겠어."

"그래. 어제보다 더 소리가 좋아. 듣기 좋네."

다른 사람들의 박수소리는 물론 반과 덕의 칭찬에 작은 환은 쑥스러워졌다.

"아, 뭘. 그냥 연습인데."

"그러게. 뭐 대단한 거 한다고 이렇게 몰려들어서 구경들인지. 그냥 낑낑깡깡 대는 소리 밖에 안 되는 구만."

작은 환의 붕 떠있던 기분에 큰 환이 불만 가득한 목소리로 찬물을 끼얹었다.

"왜? 듣기 좋은데."

"박자도 계속 놓치고, 손가락도 계속 제 위치를 못 잡아서 버벅대고 있는데, 뭐."

"그런가?"

"그렇게 들으니 그런 거 같기도 하고."

"연습이야. 연습이라고. 오랜만에 두 번째로 하는 거야. 하다 보면 더 나아져."

작은 환은 틱틱거리는 큰 환에게 신경질적으로 말했다. 그리고는 다시 연습. 연주 후 보니 또 사람이 늘었고, 연주 실력도 늘었지만 여전히 그의 생각만큼은 아니었다. 그리고 그의 생각대로 큰 환은 그의 연주를 비꼬았다.

"똑같잖아. 뭐가 나아진다는 거야?"

"그래도 좀 괜찮아진 거거든?"

"그래, 참 눈에 띄게 많이도 좋아졌다."

큰 환의 계속 되는 무시에 작은 환은 기분이 팍 상해 그에게 아무 대꾸도 하지 않았다.

"큰 환 목소리는 처음 들어본 거 같네. 너도 바이올린 할 줄 알아?"

"그러고 보니 그렇네."

큰 환은 그들의 말에는 대꾸하지 않았다. 작은 환은 그들의 말을 듣자 요사이 큰 환이 부쩍 눈에 띄게 말 수가 줄어들었다는 것이 느껴졌다. 왠지 모르게 그가 안 돼 보여 씁쓸한 기분이 들었지만, 그렇다고 그의 불만을 해결해 줄 수는 없었다. 미안하긴 했지만 작은 환은 그에게 신경을 끄고 다시 연습을 반복했다. 몇 번을 계속 한 후 다시 고개를 들자 구경하는 사람들은 이미 거의 사라졌다. 바이올린에 집중하느라 시간이 이렇게 많이 흐른 줄은 몰랐었다. 작은 환은 아쉬움에 몇 번의 연습을 더 하고 바이올린을 조심스레 집어놓은 후 다시 집으로 향했다.

"넌 겁이 없는 거냐? 생각이 없는 거냐?"

굴다리를 벗어나자마자 큰 환은 작은 환에게 그 동안 모아놨던 짜증을 폭발시키기 시작했다.

"뭐가? 왜?"

"도대체 그 사람들을 뭘 믿고, 그렇게 넋 놓고, 그렇게 있는 거야? 위험하다는 생각은 안 해봤어?"

작은 환은 큰 환이 또 무슨 트집을 잡으려 하는지 이해할 수 없었다.

"뭐가? 왜 또? 다 좋은 사람이더구먼."

"뭘 보고?"

"너야 말로 뭘 보고? 뭘 보고 위험하다는 거야?"

"딱 봐도 다 이상하잖아. 철조망을 넘어 다니는 녀석들도 그렇고, 그 밖에서 계속 있는 녀석들도 그렇고. 그 시간에 거기서 그러고 있는 녀석들이면 일도 안 하는 녀석들일 거 아니야? 보니까 잘 씻지도 않는 것 같고, 옷도 다 허름하고. 뭔가 문제가 있는 녀석들이 분명하잖아."

"에이, 뭐 그런 걸로 사람들을 판단해? 이상한 녀석들이었음 우리한테 벌써 해코지를 했던가 아님 적어도 바이올린이라도 가져갔던가 했겠지."

"그거야 어제 그게 뭔지 아무도 못 봐서 몰라서 그런 거고, 내일 돼봐. 아마 없어졌을 걸."

"에이, 사람 그렇게 의심하는 거 안 좋아."

작은 환은 큰 환의 말을 무시하는 척 했지만, 그의 말로 인해 머릿속에 심어진 의심은 또 가슴 속에서 스멀스멀 불안감으로 피어오르는 것이 느껴졌다. 생각하지 않으려 해도 그런 것은 계속 머릿속을 맴돌기 마련이다.

'사람들한테 건들이지 말라고 했어야 되나? 그래도 훔쳐가려는 사람이 있으면 훔쳐가겠지? 그래도 어차피 갖고 들어올 수는 없잖아. 훔쳐갈 수도 없을 거야. 근데 그냥 궁금해서 빼볼 수도 있잖아. 그러다가 부서질 수도 있긴 하겠지? 그냥 조율 다시 해야 되는 정도라면 괜찮을 텐데.. 머 없어지지 않고. 자물쇠라도 구해서 달아놓을 걸 그랬나?'

그는 큰 환의 말이 밤새 계속 신경 쓰여 잠도 제대로 자지 못했다. 계속 뒤척이며 설 잠이 들었다가 평소보다 조금 일찍 일어나 빨리 준비를 하고 다시 큰 집으로 향해 갔다. 걸음은 어제보다 더 빨랐지만, 무겁게 움직여졌다. 다급하게 숨을 헐떡이며 큰 집의 방으로 뛰어 들어가 찬장의 문을 열어젖혔을 때, 어제보다 몇 배는 더 긴장이 되고, 몇 배는 더 심장이 빨리 뛰었다. 그리고 안을 들여다봤을 때, 바이올린은 꼼짝하지 않고, 그 자리에 있었다. 꺼내보니 부서진 곳도 없고, 건들인 흔적도 없었다.

"봐. 의심하지 말라니까."

작은 환은 안도의 미소를 띄우고, 가쁜 숨을 내쉬며 말했다.

"좋겠다. 다행이네."

큰 환은 못마땅한 표정으로 툭 내뱉었다.

작은 환은 의기양양하게 승자의 기분으로 다시 바이올린을 켜기 시작했다. 연주를 하는 사이 또 다시 사람들이 들어와 그의 연주를 구경했다. 그는 뿌듯한 기분으로 연주를 했지만 어제와 다르게 금세 지쳐버렸다. 몇 번 연습을 하고는 옆에 의자에 앉아 바이올린을 잠시 내려놓고 쉬다가 깜빡 졸아버렸다.

잠시 후, 누군가 그를 흔들어 깨웠다.

"음악가 양반, 밥 안 먹어?"

작은 환은 자신을 부르는 소리에 깜짝 놀라 깼지만 눈은 잘 떠지지 않았다. 힘겹게 들어 올린 눈꺼풀 사이로 보니 덕이었다. 작은 환은 고개를 털어내며 스스로를 깨우고는 덕에게 물었다.

"응, 밥?"

"그래, 밥. 점심시간이잖아."

작은 환은 다시 철조망을 넘어가는 시간이 아까워 어제도 점심을 먹지 않았었다. 오늘도 점심은 건너뛸까 했지만 배가 고팠고, 마침 덕이 이야기를 꺼낸 터라 같이 가자는 생각으로 기지개를 펴며 몸을 일으켰다.

"밥, 먹어야지."

"그럼 따라와."

덕은 환들을 데리고 밖으로 나갔다.

"어디로 가는 거야? 철조망 넘어가려면 저쪽으로 가야 되는데?"

큰 환은 덕이 평소에 오던 길이 아닌 다른 길로 가자 이상하게 생각하여 물었다.

"철조망은 왜?"

"시내로 들어가서 먹는 거 아니야? 거기 말고 식당이 또 있어?"

"거기까지 뭐 하러 가? 여기서 먹으면 되지."

"여기도 식당이 있어?"

"여기도 사람이 있는데, 밥을 먹어야지. 게다가 공짜야."

큰 환은 덕의 말에 신기해했고, 작은 환도 그제야 신기하다는 생각을 했다. 이틀 전 아침만 하더라도 철조망 밖으로는 아무 것도 없다고 생각했었는데, 그곳에도 있을 것은 다, 아니 도시 안보다 더 많은 것들이 있었다. 자신이 모르던 세상이 너무나 많다는 생각이 들었다.

길을 걷다 보니 뒤에서 그들을 부르는 소리가 익숙한 목소리가 들렸다. 돌아보니 반이었다. 그는 그들을 보자마자 뛰어들어와 여지없이 말을 시작했다.

"너희도 밥 먹으러 가? 갈 거면 같이 가야지.

환이들은 여기 식당 처음이지? 여기 있는 게 저 도시 안에 있는 식당만큼 좋은 건 아니지만 그래도 여기는 공짜라서 좋아. 아무나 가서 먹어도 되고. 아, 그렇다고 해서 맛없는 건 아니야. 괜찮게 먹을만 해. 반찬 가지 수가 좀 적어서 그렇지. 하긴 공짜 밥인데 그런 거까지 다 따지면 양심도 없는 거지."

반은 식당까지 가는 동안 쉴 새 없이 이야기 했고, 환들은 대강 듣고 넘겼다.

"자, 이리로 와서 이거 들고 따라와."

식당에 들어서자 반과 덕은 입구에서 환들에게 식판을 넘겨주고 자신들의 뒤를 따르게 했다. 환들이 그들의 뒤에서 이 식당이라는 것의 안을 둘러보니 커다란 방의 벽은 이끼와 때로 얼룩진 타일로 덮여 있었고, 습기를 머금고, 오래되어 썩어있는 듯한 등받이가 없는 긴 나무 의자 위엔 큰 집에서 봤던 사람들은 물론 그보다 더 초라한 행색의 사람들도 꽤 많이 앉아 있었다. 과연 이런 지저분한 곳에서 어떻게 밥을 먹을 수 있을까 싶지만, 먹고 있는 이들은 그런 것에 익숙한지 다들 아무렇지 않게 맛있게 먹고 있었다.

긴 줄을 따라 가다 드디어 배식 받는 곳에 서니 몇 가지 되지 않는 반찬이 다 찌그러진 양철통으로부터 나뉘어져 있었다. 배식을 하던 남자는 환을 보자 갸우뚱하며 물어봤다.

"누구…지? 못 보던 얼굴인데."

"응, 음악가. 발리옹느 연주 한데…."

"바이올린."

계속 해서 틀리게 말하는 덕을 반은 한심하게 쳐다보며 다시 고쳐줬다.

"나는 인이라고 하는데, 그쪽 이름은 뭔가?"

"환."

"어, 그래? 좀 있다 보지."

인은 그에게 짧게 이야기하고, 뒷사람에게 반찬을 떠줬다. 그는 다른 사람과는 달리 옷이나 행색이 깨끗하고 단정했지만, 앞치마와 토시가 꽤나 낡고 지저분해져 있었고, 어깨 부분도 더러웠다. 또 옆구리의 작은 인은 아직 태어난 지 얼마 안 돼 매우 작았으나, 큰 인은 나이가 많아 보였다. 작은 인이 늦게 태어난 것인지, 그냥 큰 인이 늙어 보이는 것인지 알 수 없었다.

"먹자."

그들은 의자만큼 낡고 더러워 보이는 긴 나무 탁자에 식판을 내려놨다. 환들은 이것이 먹어도 되는 것인지 수저는 과연 깨끗한 것인지 의심이 들었지만, 아무 걱정 없이 먹으며 계속 음식을 권하는 반과 덕 때문에 억지로 숟가락으로 밥을 떠서 입에 넣었다. 의심스러운 표정으로 입 속의 밥을 이리저리 굴리며 씹고 있는데, 배식을 마친 인이 역시 식판을 들고 그들의 앞에 앉았다.

"어, 왔어? 먹어."

"잘 먹을게."

덕과 반은 인을 보자 한마디씩 하고 먹었다. 환도 뭔가 감사의 인사를 하려 하는데, 인이 먼저 말을 걸었다.

"환, 바이올린 음악가라고?"

"응. 뭔지 알아?"

"연주 하는 걸 들어본 적은 없지만 뭔지는 알지."

"그래?"

작은 환은 그가 바이올린을 안다고 하니까 왠지 모르게 기분이 좋아지며 그에 대한 경계심이 풀렸다.

"어떻게 여기에 오게 된 건가?"

"덕이가 데려왔어. 바이올린이 여기 있거든. 저기 큰 집에."

"아, 그래? 음. 뭐, 그럼 거기서 사는 건가?"

"아니, 집은 도시 안에 있지. 아, 그럼 그 집에 있던 그 사람들은 거기서 사는 거야?"

"다 그렇진 않아. 그냥 심심하니까 거기에 모이는 거지."

"심심하다기 보다는 뭐 같이 모여 있어야 서로 의지도 되고, 정보 공유도 되고 그러니까, 다 같이 모이는 거지. 근데 움직이기 힘든 사람들이 더 많은데, 그 사람들이 진짜 모여야 되는데, 그게 안 돼서 걱정이네."

덕과 반이 그들 사이의 이야기에 끼어들었다. 그 사이 인은 늦게 들어온 다른 사람들을 보고 다시 배식대로 뛰어갔다. 작은 환은 이야기를 멈추고, 계속 밥을 먹다가 제법 시간이 흘렀음에도 인이 돌아오지 않기에 뭐하나 싶어 돌아봤는데, 그는 다른 사람들을 부축해주고 있었다. 그가 거기 있음을 확인하고 다시 밥을 먹으려 돌아보다가 스치듯 본 것에 깜짝 놀라 다시 뒤를 돌아봤다. 인이 부축하고 있는 사람은 한쪽 다리가 없었던 것이다. 놀란 마음에 다른 사람들을 둘러보니 그 뒤에 있는 사람도, 그리고 다른 사람도. 그리고 앉아 있는 다른 이들 역시 한쪽 다리가 없거나, 혹은 두 다리가 없는 사람, 그리고 있더라도 다리를 저는 사람들이 여기 저기 많이 있었다.

"어, 저 사람. 저 사람도. 여기 사람들."

작은 환은 놀라서 눈을 동그랗게 뜨고 말을 더듬었다. 그는 그런 참담한 모습을 한 사람들은 처음 본 것이라 충격을 받지 않을 수 없었다.

"왜? 뭐?"

덕은 놀란 작은 환을 보며 같이 놀라 물었다.

"다리가."

"다리가 왜? 아, 다친 사람들이잖아. 처음 봐? 큰 집에도 몇 명 있었을 텐데? 못 봤어?"

작은 환은 멍하게 고개를 끄덕였다.

"그래? 그럼 너 여기가 어떤 곳인지 모르고 온 거야?"

"바이올린 찾으러. 바이올린 있다 길래."

"진짜? 그럼 뭐 좀 놀랄 수도 있겠네. 넌 애 데려오면서 어떤 곳인지 설명도 안 해준 거야?"

반은 덕에게 핀잔을 줬다.

"아니, 뭐. 놀랄게 뭐가 있어. 그냥 다 사람 사는 데지. 그럼 너 인이도 누군지 모르겠네?"

"응. 몰라. 알아야 되는 사람이야?"

"유명하지. 뉴스에도 나오는데."

뉴스에 나온다는 말에 작은 환은 큰 환을 쳐다봤다. 큰 환은 이미 굳어져있는 얼굴로 짧게 대답했다.

"앉은뱅이의 왕."

큰 환의 그 말에 덕과 반은 동시에 그의 얼굴을 쳐다봤다. 작은 환은 큰 환의 말에도 인이 누구인지, 왜 그의 표정이 그런 것인지 몰라 어리둥절해 하는데, 반이 조심스럽게 말을 시작했다.

"그 말 인이가 별로 안 좋아하는데. 자기는 왕도 아니고, 사람들한테 앉은뱅이라고 하는 것도 좋은 게 아니라고. 뉴스에서 그랬지? 하여간 뉴스는 쓸데없이 안 좋은 말만 한다니까. 왕은 무슨 왕이야? 그냥 오갈 데 없는 사람들, 다치고 못 움직이는 사람들 밥 먹여주고, 보살펴주는 것뿐인데. 왕은 무슨. 그렇게 말하는 지들이 왕이지. 다 그냥 한통속으로. 자기들이 못 하는 거 대신 해주면 고마워하고, 지원해주지는 못할망정, 아주 그냥 어떻게든 이상하게 보이게 하려고. 과대망상 정신병자들이야. 그렇게 믿는 놈들도 다 정신병자야."

반은 처음 시작과는 달리 누구에게 내는지도 모를 화를 냈다가 황당해하는 표정을 한 다른 사람들의 얼굴을 보더니 민망한지 피식하고 웃었다. 작은 환은 아직까지 상황판단이 안 되는데, 반까지 갑자기 버럭 하고 화를 내니 도대체 뭐가 어떻게 돌아가는 것인지 더 복잡하게만 느껴졌다.

그러는 와중에 인은 또 다른 사람과 함께 같이 왔다. 작은 환은 무의식적으로 그를 위아래로 훑어봤다. 그의 다리는 멀쩡했고, 하얀 깃의 검은 옷은 깨끗했지만, 인처럼 소매와 어깨는 더러워져 있었다. 그를 보자 덕과 반은 그를 반겼다.

"어, 종아. 왔어?"

"아이고, 큰 종이는 어쩌냐?"

"하나님의 부르심을 받게 된 거지. 너무 슬퍼하지는 마. 근데 다들 기도는 하고 먹는 거야?"

"저 사이비. 제대로 할 줄도 모르면서 따지기는 되게 따지네."

반은 종이라는 사람의 말에 웃으며 대꾸했다.

"마음이 중요하다니까. 마음이."

"네, 아멘."

그들은 작은 환이 알아듣지 못할 말들을 웃으며 주고받더니, 종이라는 사람은 두 손을 모으고, 고개를 숙이고 눈을 감았다. 작은 환이 그를 이상하게 쳐다보는데, 반은 인을 보며 계속 이야기했다.

"참, 너 작은 인이 이제 막 태어났는데, 이렇게 돌아다녀도 괜찮겠어?"

"어쩔 수 있나. 가뜩이나 이 일을 할 사람도 부족한데, 나까지 빠지면 이 사람들은 다 어떡하나. 태어나서 고마운 건 고마운 거고, 할 일은 해야지."

인은 별 일 아니라는 듯 가볍게 말했다.

"태어나고 또 사라지는 것도 다 하나님의 뜻이지. 종이가 갔지만, 인이가 또 새로 나왔으니 얼마나 다행인 일이냐? 근데 저기 새로운 사람이 왔네? 난 종이라고 하는데."

"어. 난, 환."

"어쩐 일로 여기까지 오게 된 거야?"

"바이올린 찾으러. 바이올린이 여기 있다 그래서."

"바이올린?"

"악기야. 악기."

종과 작은 환의 대화 사이에 덕이 끼어들었다.

"그럼 연주를 해?"

"응. 신기해."

"그럼 나중에 찬송가 좀 부탁해도 되나? 노래를 부른다는데, 어떻게 불러야 될지를 몰라. 아 참, 근데 그럼 음악가? 그럼 혹시 방송국이나 정부에서 일하고 있는 거야?"

"아니. 원래는 양말공장에서 일하다가 그만두고, 바이올린 연주하려고, 얼마 전에 나왔어."

"그래? 그럼 안 좋은 일로 온 건 아니군. 다리도 멀쩡하고. 혹시 아내는 있나?"

"당연히 있지. 지금 일하고 있을 걸. 넌 없어?"

인의 물음에 작은 환은 당연한 것을 묻는다는 듯 되물었다.

"아니, 나도 있지. 뭐, 큰 문제는 없구먼. 다행이네."

"다행이야."

작은 환은 종과 인이 말하는 다행이라는 것이 뭐가 다행이라는 것인지는 알 수 없었으나, 지금 그 자리에 앉아 있는 그들의 그저 평범하고 깨끗하기만 한 옷이 이 안에서 가장 화려하다는 것은 느낄 수 있었다.

"환아, 진짜 이제 그만 하자."
집으로 돌아가는 길, 철조망을 벗어나자마자 큰 환은 심각한 얼굴로 목소리를 깔고 진지하게 작은 환에게 말했다. 매번 나올 때마다 그만하자는 큰 환의 말에 바이올린을 맘껏 연주하고 좋았던 기분이 나빠지려고 했다.

"뭘? 왜 또 그래?"
"몰라서 물어? 넌 나랑 같이 뉴스도 봤잖아. 쟤들 누군지 몰라?"
"난 재미없어서 뉴스 안 봤는데? 그리고 쟤들이 왜? 다 괜찮아 보이는데. 몸이 불편한 사람들한테 밥도 주고."
"반이나 덕이는 모르겠는데, 인이는 그 앉은뱅이의 왕."
"그 말 인이가 싫어한 대잖아."
"그 녀석이 듣기 싫어하면 나도 <아, 네, 알겠습니다.> 하면서 하지 말아야 되는 거야? 그 녀석이 왜 그렇게 불리는지 알아? 막 불쌍하고 다친 사람들한테 선심 쓰듯이 그렇게 밥이나 주면서, 그거 얼마 하지도 않는 거, 그러면서 다 자기편 만들어가지고, 자기가 왕이 되려고 해서 그렇게 하는 말이야. 앉은뱅이의 왕. 절름발이의 왕. 그 녀석이 결국 이 도시의 왕이 되려는 속셈

이야. 그리고 종. 쟤도 이상하잖아. 이상한 말만 하고. 그 이상한 말. 그게 뉴스에서 보니까 종교라는 건데, 막 사람을 홀리게 만들고, 이상하게 만든 데. 막 정신없는 이상한 말이나 하면서 사람 정신 이상하게 만드는. 거기 봐봐. 다들 사람들도 지저분하고, 다리가 한 쪽씩, 두 쪽 다 없는 사람도 있고. 그런 애들이랑 어울리다가는 우리도 그렇게 될 지 몰라."

작은 환을 설득하려는 큰 환의 목소리는 떨리고 있는 것이 화를 낸다기 보다는 겁이 나 있는 듯 했다.

"에이, 뭐 바이올린만 하는데 별일 있겠어?"

작은 환은 그렇게 말하긴 했지만 생각이 많아졌다. 오늘 하루, 처음 본 사람들의 이제껏 생각하지도 못한 세상이 너무 많이 나타나 버렸다. 아니 철조망을 넘어서면서부터 자신이 모르던 세상이 매일매일 나타났다. 이 낯선 세상들은 그의 머릿속에 다 들어오지 못할 만큼 크고 달랐다. 그리고 그 사이사이 궁금증은 생겨났다.

'그 사람들은 왜 거기에 사는 거지? 다들 다리는 왜 그렇게 됐고? 인이랑 종은 왜 거기서 그러고 있는 거지? 반이랑 덕은 어떻게 걔네 들 어떻게 알고 거기서 그렇게 같이 어울리는 거지? 아, 반이 아침마다 팻말 들고 다니는 거랑 상관이 있는 건가? 환이는 알려나? 인이만 해도 싫어하는데, 반이가 아침마다 팻말 들고 다닌다고 하면, 더 싫어하겠지?'

머릿속에 질문들이 계속 이어졌지만, 대답해 줄만한 사람은 없었다.

'에이, 바이올린만 하면 되지, 딴 건 알아서 뭐하게.'

작은 환은 새롭게 보게 된 세상들에 너무나도 생각이 많아졌지만 결국 이런저런 생각들은 그냥 자신과는 상관없는 일이었다. 그는 머릿속을 떠도는 생각들은 많지만 그런 것들은 미뤄놓고 단순히 자신의 일에 대해서만 집중하기로 마음을 정했다.

큰 환은 계속 불안해하고 불만을 내비쳤지만 작은 환은 다음 날도, 그 다음 날도 쉬지 않고 계속 철조망을 넘어 바이올린을 연주했다. 큰 집에서 연습을 하고, 종이 있는 교회로 가서 찬송가를 연주해주기도 했다. 그렇게 연주하다 보니, 인도 그의 연주를 듣게 되었고, 그 후로는 가끔씩 인이 환들을 움직이기 불편한 사람들에게 데리고 가 거기서 연주를 하기도 했다. 처음에는 작은 환은 자신의 연주를 듣고 좋아하는 사람들에 기뻤다. 하지만 계속 그렇게 마냥 좋아만 할 수는 없었다.

"다녀왔어."

"왔어? 얼른 손 씻고, 와서 앉아. 밥 먹자."

"뭐하고 다니기에, 매번 이렇게 늦어?"

환들이 집에 도착하니 이미 귤들은 또 저녁준비까지 마쳐 놓고 그들을 기다리고 있었다. 환들은 항상 그녀들보다 먼저 오려고 생각하지만 먼 거리를 왔다 갔다 해야 하니, 그게 그렇게 마음처럼 쉽게 되지는 않았다.

"미안."

환들은 아무 일도 없는 사람들처럼 웃으며 밝은 목소리로 말했다. 그들은 화장실로 가서 재빨리 씻고 난 후, 식탁에 자리 잡았다.

"우와, 맛있겠다."

"너희들 점심은? 먹었어? 굶고 다니는 거 아니니? 점심값은 가지고 다녀? 내가 좀 줄까?"

작은 환의 예의상 한 감탄에 부쩍 야위어진 큰 귤은 걱정스레 물으며 자신의 주머니를 뒤졌다. 그는 그녀의 걱정에 미안한 마음이 들어 그녀를 막으며 되물었다.

"우리야 잘 먹고 다니지. 너는? 잘 먹고 다녀? 요새 왜 그렇게 말랐어?"

"회사 다니는데, 당연히 점심시간에 밥 잘 나오고, 밥 잘 먹지."

"얘가 왜 이렇게 말라가는지 모르겠어? 너 때문이잖아. 요새 점심시간에 밥도 잘 못 넘겨. 너 정말 어쩔 거야?"

작은 환은 작은 귤의 말에 대꾸를 하지 못했다.

"아니야. 그래서 그러는 거 아니야."

"넌 자꾸 쟤 편만 들지 말고. 환아, 너도 어떻게 좀 해봐. 너 쟤 자꾸 저렇게 그냥 살게 놔둘 거야?"

답답하다는 듯 이리저리 둘러보며 보채는 작은 귤의 말에 다들 입을 열지 못했다.

"무슨 말을 좀 해봐. 그리고 점심값은 무슨 점심값이야. 우리 이제 모여 있는 돈도 얼마 안 남았어. 우리만 버는 걸로는 이렇게 저녁 먹기도 힘들지도 몰라. 다들 어떻게 이래? 지금 이런 거 걱정하는 게 나 하나뿐인 거야?"

　작은 귤의 속이 상했다는 것은 그녀의 목소리와 표정에 고스란히 잘 나타나있었다. 예전 같으면 작은 환은 그런 그녀의 마음 따위는 알아채기도 전에 발끈하며 싸웠겠지만, 이제는 그는 그녀에게 동감하진 않더라도, 다투지는 않았다. 그저 씁쓸한 표정으로 그녀의 말을 듣고 있을 뿐. 그렇게 그에게는 조급해졌고, 더 이상 연주만 하는 것이 마냥 즐겁기만 한 상황이 아니게 되었다.

　그는 마치 자신이 아무 것도 모르고 들판에 나와 이리저리 허송세월을 보내며 놀다가 사냥개에 바로 뒤를 바짝 쫓기는 한 마리의 작은 토끼 같다고 느껴졌다. 시간이라는 사냥개에.

　하지만 다음날도 작은 환은 전날과 같이 철조망을 넘었다. 그리고 다음 날도 또 다음 날도 전과 다름없이 철조망을 넘어 바이올린을 들고 연주를 했다. 큰 집에서, 종을 따라 교회에서, 인을 따라 여기저기 돌아다니면서. 그는 전과 다름없이 그렇게 연주를 하는 듯 했지만, 어느새 그는 매일 조금씩 그 흥을 잃어 갔다. 사실 그는 그 전부터도 계속 똑같은 몇 개의 곡만을 연주하는 것에 지겨움을 느끼고 있었다. 또한 알려주는 사람도 없고, 다른 사람의 연주와 비교해 볼 수 있는 방법도 없으니 같은 곡을 계속 연주하면서도 이게 맞는지 틀리는지 알 수 없어 그저 헤맬 뿐이었다. 연습은 계속 하지만 더 나아지는 것 같은 기분도 들지 않고, 그러는 와중에 연주를 하는 기쁨에 밀려 마음 한 구석으로 치워두었던 앞날에 대한 두려움까지 살아나버렸으니 그가 지금 연주를 하면서 느끼는 행복이 언제까지 계속 될까 하는 의심이 점점 머릿속을 가득 채워갔다. 이런 불안, 두려움, 의심들은 연주에 대한 자신감을 잃게 만들었다. 그에게 슬럼프가 시작된 것이다.

처음 바이올린을 다시 시작해야겠다고 마음먹었을 때는 이런 일이 있으리라고는 생각지도 못했다. 그는 며칠이고 다른 것은 하지 않고 먹지도 자지도 못하더라도, 바이올린만 켤 수 있으면 즐겁고 다른 생각은 나지 않을 것이라 생각했다. 그렇게 되겠다는 강한 의지가 있었다. 하지만 얼마 지나지 않아 단단한 줄 알았던 그의 결심과 흥미에 균열이 생기고, 그 사이로 근심이 자라나 그것을 무너뜨리고 있었다. 그래서 자신에 대한 실망마저 생기기 시작했다.

하지만 그렇다고 그의 일과가 달라질 것은 별로 없었다. 이미 오래 전에 결심은 했고, 철조망까지 넘었다. 여기서 아무 것도 못하고 이대로 돌아갈 곳도, 돌아갈 수도 없었다. 그는 복잡한 머릿속은 복잡한 대로 내버려두고, 연습하고, 연주하기를 반복했다.

"또 그 노래야?"

"좋긴 좋은데, 계속 똑같은 것만 하니까 이제 슬슬 지겨워지려고 해."

연습 중에 나타난 덕과 반이 작은 환에게 말했다. 그는 그들을 보자 연습을 멈추고, 바이올린을 내려놨다.

"하하. 너희들은 언제 또 여기에 왔어? 다들 일은 안 해?"

"잘 되지도 않는 장사 몇 시간 비운다고 달라지지는 않아."

"그러다가 적자 나는 거 아니야?"

"열심히 하나 대충 하나 어차피 남는 건 별로 없는데, 그럴 거면 그냥 대충하는 게, 남는 거지."

"열심히 해야 남지."

"요즘이 그런 시기냐? 열심히 해봤는데, 안 되더라고.
일 하는 거랑 돈 버는 거는 다른 거더라."

"에이, 내가 널 안 게 몇 년인데, 너 열심히 하는 건 본 적이 없어. 맨날 남의 일에 오지랖이나 떨고 다니는 거지."

작은 환과 덕의 농담에 반도 끼어들었다.

"그게, 영업이지. 그러는 너는 나보다 하는 일은 없으면서도 돈은 더 잘 벌잖아."

"내가? 나는 엄연히 따지면 번다고 하기는 그렇지. 나는 봉사활동으로 하는 건데, 활동비 정도 살짝 얻어 쓰는 거지. 그거 얼마 안 돼."

"월급 받는 거나, 손님한테 돈 받는 거나, 활동비로 받는 거나. 다 돈 버는 거지 뭐가 달라?"

"어허, 난 엄연히 봉사활동의 범주에 들어간다니까. 그리고 활동비 그거 얼마 되지도 않아. 지금이야 요령이 생겨서 돈이 조금씩 남지만 처음에는 잘못 만들어서 내 돈도 엄청 날렸어."

반의 말에 작은 환은 궁금해졌다. 반이 무슨 일을 하는지는 아는데, 그것으로 돈을 번다는 것은 처음 듣는 이야기였다.

"어? 너 돈 누구한테 버는 거야?"

"버는 게 아니라 활동비 얻어서 쓰는 거라고."

"그러니까 하여간에. 버는 건지 얻는 건지. 그거 누가 해주는 거야?"

"혁이한테. 아, 넌 뉴스를 안 보니 혁이도 누군지 모르겠구나. 혁이라고 있어. 큰 환아, 넌 알지?"

반의 물음에 큰 환은 놀라 눈이 커지며 또 얼어붙었다.

"그. 그. 반정부 테러리스트 혁명 부부의 혁?"

"하여간 넌 뉴스를 보니까 알긴 아는데 이상하게 알아. 테러리스트는 무슨 테러리스트야? 진짜 테러가 아니라 테러에 테자라도 들렸으면 벌써 잡아갔지. 그 정부 놈들이 그냥 내버려뒀겠어? 반정부? 반정부라는 것도 웃겨. 지네가 잘해봐 반정부라는 말이 왜 나와? 맨날 지들끼리만 다 해먹으면서. 지네 잘못한 거 따지고 뭐라 하면 그런 걸 테러라고 하니 참나."

정부 욕에 또 입이 풀린 듯 실컷 투덜대던 반과는 달리 큰 환은 반의 얼굴을 빤히 보더니 뭔가 떠오르는 듯 한참 말을 잇지 못했다.

"너. 너. 아…. 너는 그 푯말? 그 아침마다 도로 밖에서 그 푯말 들고 다니는?"

"어? 어. 어. 하여간 웃겨 아주. 수호는 무슨 수호야? 지들이 언제부터 우리를 지켜줬다고. 하긴 지키긴 지키지 딱 지들 세상만."

놀란 큰 환의 말을 반은 대수롭지 않은 듯 넘기며 투덜대기를 멈추지 않았다. 또 시작이구나 라는 생각으로 그냥 넘기려는데,

옆에서 이상한 기운이 느껴졌다. 뭔가 싶어 그쪽을 보니 큰 환의 표정이 이상하다. 잔뜩 화가 난 듯싶기도 하고, 겁이 난 듯 하기도 한 것이 부들부들 떨고 있었다. 뭔지는 모르겠지만 이대로 있으면 안 되겠다는 생각에 이야기 하는 그들을 내버려두고, 밖으로 나왔다.

"너. 너. 알고 있었어?"

밖으로 나와 아무도 안 보이는 골목에 들어서자 큰 환이 입을 열었다.

"뭘?"

"반. 푯말. 인이나 종이랑 관련된 것도 황당한데, 혁, 명이라고? 그 녀석들이 무슨 짓을 하고 다니는지 알아? 막. 그 막. 사람들 선동해서 수호 연설 하는데, 야유하고, 따지고, 정부 정책에 반대하고, 막 그런 놈들이야. 너 그거 다 알고 있었어?"

"아니야. 혁, 명은 나도 처음 들어봐. 반이… 푯말 들고 다니는 건 알긴 알았지만."

작은 환은 말끝을 얼버무렸다.

"그럼. 그런 거면 진작 말했어야지. 그런 놈이면 당연한 거 아니야?"

큰 환은 작은 환이 한심하다는 듯 바라보며 큰 소리로 그를 야단쳤다. 그런 그에 작은 환도 울컥하여 되받아쳤다.

"흥분하지 말고 말해. 뭐가 어떻다고. 걔들이 우리 잡아먹냐? 오히려 공짜 밥도 먹여주는데."

"그게 문제가 아니잖아."

"아유, 별게 다 걱정이다."

작은 환은 안 그래도 요사이 기분이 좋지 않았는데, 큰 환이 화를 내니 더 짜증이 나기 시작했다. 한창 언쟁이 진행되고 있는데, 옆의 수풀에서 부스럭거리는 소리가 났다. 환들은 깜짝 놀라 뭔가 싶어 그쪽을 보니 사람이 하나 그 쪽에서 걸어 나왔다.

지저분하고 허름한 차림의 여자. 작은 환은 무의식적으로 다리 쪽을 먼저 봤는데, 그냥 보기에는 다리가 멀쩡해 보였는데, 어정쩡한 자세로 걷는 것이 다친 것 같기도 했다. 그녀가 왜 그런지는 위를 보니 알 것 같았는데, 오히려 더 이해가 되지는 않았다. 그녀는 아직 작은 어린 아이였는데, 꼿꼿이 서있는 것이 '큰'이라고 불릴만한 사람이 없이 혼자였다. 그러니 그 작은 상체에 비해 큰 다리를 움직여야 하는 터라 제대로 할 수 있을 리가 없었다. 환들은 이런 상태인 사람은 처음 봤다. 이제껏 그들이 본 바로는 큰 준이 가장 일찍 떨어져 나갔는데, 그래도 작은 준은 그녀보다 훨씬 커서 다리를 움직이는 데에는 문제가 없을 정도였다. 그런데 그녀는 그보다 훨씬 작은 것이 태어난 지 얼마 안 된 듯 했다. 그러니 그녀를 확인한 그들은 오히려 더 놀란 표정을 지을 수밖에 없었다. 그들이 멍한 표정으로 그녀를 말없이 보고만 있는데, 그녀는 꼬질꼬질한 얼굴에 밝은 미소를 띠고는 그들을 보며 수줍게 말했다.

"아, 바이올린. 나 그거 지난번에 하는 거 봤는데."

그녀는 작은 환의 손에 들려있는 바이올린을 수줍게 가리키며 흥미를 보였다.

"아. 그래?

넌 이름이 뭐니?

나는 환인데."

작은 환은 특이한 그녀의 모습에 그녀를 경계하듯 조심스럽게 말했다.

"나? 난 별. 나 그거 한 번만 해보면 안 돼?"

"어. 그래."

작은 환은 별의 말에 딱히 거절하지 못하고 그의 소중한 바이올린을 넘겨줬다.

"히히힛."

그녀는 신이 난 듯 작은 환이 했던 것처럼 턱 밑에 바이올린을 괴고 활로 아무렇게나 그었다. 당연히 그것이 제대로 된 소리가 날 리는 없었다. 그 소리에 작은 환은 깜짝 놀라 그녀의 손을 잡았다.

"그렇게 하면 안 되고, 이렇게 살살. 조심스럽게."

"너 혼자야? 큰 별은 없어? 아니, 언제 너 혼자 된 거야?"

"나? 난 원래부터 이랬는데?"

그녀는 작은 환이 이끄는 대로 바이올린을 연주하느라 정신이 팔려 걱정스러운 듯 묻는 큰 환의 질문에 건성으로 대답했다.

"원래부터? 그럴 리가?"

"몰라. 나도. 날 때부터 혼자였어."

"그럼 여기서 태어난 거야? 이름은 어떻게 받은 거야? 남편은? 가족은 없어?"

"뭐 그렇게 많이 물어봐? 음. 여기서 태어난 건 아니고. 가족은 없고, 이름은 그냥 지어줬어."

별은 꼬치꼬치 캐묻는 큰 환의 질문을 귀찮은 듯 건성건성 대답했다.

"누가?"

"명이. 명이가 이리로 데려다 줬어. 여기 오면 밥도 주고, 재워주고 한데서. 됐지? 질문 끝?"

"으. 응. 아, 할 때 그렇게 세게 하면 안 되고. 응. 그렇게."

"어? 너도 바이올린 할 줄 알아?"

"응, 얘가 나한테 가르쳐 준 거야."

작은 환은 그녀의 질문에 자랑스러워하며 대답했다.

"그래? 몰랐네. 근데 넌 왜 안 해?"

"응. 그건. 이제 나 하라고 넘겨줘서 그런 거야. 가족이니까."

작은 환은 큰 환 대신 대충 얼버무리며 둘러댔다.

"가족은 좋은 거구나? 이런 것도 가르쳐주고. 나도 가족 있었으면 좋았을 텐데…."

별은 금세 시무룩해졌다. 환들은 그런 그녀의 반응에 어찌할 바를 몰라 서로의 얼굴만 쳐다보고 있는데, 뒤에서 종이 나타났다.

"별아, 여기 있었구나? 멀리도 왔네."

"응. 얘네가 바이올린 가르쳐줬어."

"그래? 좋았겠네?"

"응. 근데, 큰 환이가 바이올린 더 잘한데, 가족이라 작은 환이 하는 거래."

"그래? 언제 한 번 큰 환이 하는 연주도 들어보고 싶네."

"응. 나도 나도."

"그래. 그건 다음에 듣고 지금은 교회로 돌아갈까? 많이 걸어서 힘들지 않아?"

"응. 그래."

"환아. 애 데려다 주고 올 테니까 점심시간에 보자."

"잠깐만."

큰 환이 떠나는 종을 불렀다. 그는 종의 어깨를 끌어당겨 귓속말로 물었다.

"왜?"

"쟤는 뭐야? 어떻게 저렇게. 저럴 수도 있는 거야?"

"별이? 뭐 다 이해가 되는 건 아니지만, 하나님의 뜻이니. 이해하려고 해봐야지."

"그래도 어떻게 저렇게? 집이나 가족은 없는 거야?"

"여기 있는 사람 중에 그런 거 있는 사람 거의 없는 거 알잖아."

종의 말에 큰 환은 머쓱해져 입맛을 다셨다.

"얼마 전에 어쩌다 보니까 밤에 길에서 명이가 쓰러져 있던 별이를 봤는데, 며칠 먹지도 못한 거 같고, 움직이지도 못하는데, 아무도 신경을 안 쓰고 있었다는 거야. 그래서 여기로 데려와서 인이랑 내가 돌보고 있지."

"그렇구나."

큰 환은 종의 말에 그저 고개만 끄덕일 뿐 더 말이 없었다.

"환아, 담에도 나 바이올린 하게 해줘."

별이가 가다 말고, 돌아보며 그들에게 말했다.

"응. 알았어. 잘 가."

작은 환은 그녀를 보며 손을 흔들었다. 큰 환도 말없이 손을 흔들어 그녀의 뒤에서 한참을 손을 흔들었다. 작은 환은 그런 그의 표정을 보니 멍한 것이 뭔가 많은 생각을 하고 있다는 것이 느껴졌다.

그 다음부터 작은 환이 연주를 할 때마다 별은 항상 나타나서 그의 바이올린 연주를 들었다. 그리고 그가 쉴 때마다 그를 졸라 바이올린을 받아 따라 해 보았다. 물론 제대로 된 음악으로 연주가 되지는 않았지만 큰 환이 기본적인 것은 가르쳐 주어 가끔씩 제대로 소리가 나오기도 했는데, 그때마다 그녀는 꾀죄죄한 얼굴이 환하게 보일 정도로 활짝 웃었다. 그런 그녀를 보며 큰 환도 기분이 좋아지는 듯 밝게 웃었다.

그렇게 또 며칠이 흘렀다. 작은 환이 큰 집에서 연주를 하고 쉬는 시간이 되었는데, 별이 나타나지 않았다. 환들은 요 며칠 항상 있던 별이 있다가 없으니 왠지 허전하고, 신경이 쓰였다. 무슨 일이 있나 궁금했지만, 거기에 있는 사람 중에 그녀에 대해 알만 한 사람은 없는 듯 했다. 쉬는 시간이 끝나가도 그녀가 나타나지 않자 다시 연주를 시작하려는데, 덕이 방으로 들어왔다. 그는 환들을 보더니 손을 흔들며 인사를 했다.

"왔어?"

"응. 쉬는 시간이야?"

"응."

"에고, 나도 좀 쉬어야겠다."

덕은 지친 표정으로 옆에 있는 의자에 털썩 주저앉았다. 그 모습을 본 작은 환은 농담을 했다.

"뭐야? 전에는 내 연주가 지겹다더니 이제는 오자마자 보니까 지쳐?"

"아니야. 나 아침에 일찍 왔어."

"어? 진짜 내 연주 지겨워서 딴 데 있다가 이제 온 거야?"

"아니. 그런 거 아니고. 오랜만에 혁이랑 명이가 와서 사람들 모아놓고 이야기하기에 잠깐 보고 왔어. 너도 한 번 가서 볼래?"

"아니야. 괜찮아. 연습이나 할래."

작은 환은 큰 환의 눈치를 보며 거부했다. 큰 환도 그리 좋은 표정은 아닌 듯 했다. 덕의 입에서 혁과 명의 이름이 나오자 불안해져 이야기를 딴 곳으로 돌렸다.

"아, 그래. 반이는 요새 뭐해? 바쁜가? 요 며칠 안 보이던데."

"아, 걔? 걔는 지금 집에서 쉬고 있어. 작은 반이가 나왔거든."

"아, 그래? 잘 됐네."

"그렇지. 아, 난 내가 먼저 나올 줄 알았는데, 반이가 먼저 나오네."

"너도 곧 나오겠지."

그렇게 작은 환과 덕이 이런 저런 이야기 나누는 사이 또 다시 문이 열렸다.

"여기, 여기. 어, 저기 있다. 쟤가 내가 말한 개야."

작은 환은 낯익은 목소리에 문을 보니 별이 밝은 미소로 한 쌍의 남녀와 함께 왔다. 별은 그녀들과 친한지 그녀의 팔짱을 끼고 왔고, 그들의 차림새는 여기 사람들과는 다르게 깔끔했다. 보아하니 별과 함께 온 그들이 혁 명 부부인 듯 했다. 그들을 보는 큰 환의 표정이 딱딱해지는 것을 보니 더욱 확신이 들었다. 작은 환도 호기심과 궁금함, 그리고 두려움이 섞인 감정으로 그들을 살펴봤다. 거의 비슷한 각도로 서있는 큰 혁은 마르고 뾰족한 인상이었고, 작은 혁은 살짝 살집이 있었는데, 둘 다 눈매는 날카로웠다. 그 옆에 선 큰 명은 어느 정도 나이가 들어 많이 넘어가 있었고, 눈매나 얼굴이 처져있었다. 작은 명은 작은 환보다 조금 더 컸는데 혁들보다는 덜하긴 하나 어딘지 모르게 차갑다라는 인상을 많이 주었다. 작은 환은 물론 큰 환도 그들을 보니 이유 없이 위축되는 기분이 들었다. 그는 낯설고 위험해 보이는 그들을 멍하게 보고만 있는데, 별이 환들에게 쪼르르 달려왔다.

"환아. 내가 쟤들한테 너 바이올린 엄청 잘하고, 나한테도 가르쳐준다고 막 자랑했거든. 내가 너 보여주려고 쟤들 데려왔어. 잘했지?"

"아, 그래?"

환들은 그녀의 말에 그들을 반기지도 못하고 그렇다고 싫어할 수도 없어 어정쩡하게 좋아하는 척을 했다.

"빨리 해봐. 쟤들 보여주게."

별은 대뜸 탁자 위에 올려 진 바이올린을 작은 환의 손에 쥐어 주며 그를 보챘다. 큰 환은 뭔가 못마땅한 얼굴을 했고, 작은 환은 그런 그의 모습을 보자 난처해졌다. 이제껏 그의 말은 죽어라 듣지 않았지만, 지난 번 그가 혁, 명의 이름을 듣는 순간 지었던 표정, 그리고 지금 옆에서 슬쩍 보이는 얼굴을 떠올리니 마음이 편치 않았다. 아마도 큰 환은 저들과 연관되는 것을 죽기보다 싫어할 것이라는 생각이 들었다.

"왜? 싫어?"

별은 작은 환이 망설이며 그녀에게 아무런 답도 없자 금세 풀이 죽어 울상이 되었다.

"나 쟤들한테 엄청 자랑 많이 했는데. 쟤들. 나한테 막 잘 해주는 애들이란 말이야. 나 여기다 데려다 준 것도 쟤들이고. 엄청 오랜만에 만났는데…."

별은 금세라도 울 것 같았다. 작은 환은 곤란해 하며 계속 큰 환의 눈치만 살폈다. 물론 그의 눈치 때문에, 그가 무섭거나, 그와 다툴까 걱정이 돼서 연주를 못하는 작은 환이 아니었다. 지금도 그냥 쉬는 시간이 끝났기 때문이라고 둘러대며 연주를 할 수도 있다. 하지만 지금 눈앞에 불편한 손님들에게 자신의 연주를 반드시 들려줘야겠다는 의지가 없는 이상, 마음속의 불편함 감수하면서까지 연주하고 싶지는 않았다. 이렇게 하든 저렇게 하든 난감해질 것만 같은 상황. 그는 큰 환을 쳐다보며 은근슬쩍 결정을 그에게 미뤘다. 그러자 그의 눈빛을 읽은 것인지 큰 환이 입을 열었다.

"아니야, 할 거야. 환아, 그냥 해 줘. 해줄 거지?"

"으. 응. 그래."

"아싸. 혁아, 명아. 이리 와서 앞에 앉아."

큰 환은 의외로 부드러운 목소리로 허락을 했고, 별은 또 금세 신이 나서 혁과 명에게 뛰어가 그들을 데리고 환의 앞으로 왔다. 작은 환은 숨을 크게 들이마시고 그리 개운하지는 않지만 한결 가볍게 바이올린을 들어올렸다.

연주가 시작되자, 별은 신이 난 듯 고개를 좌우로 까딱거렸고, 혁과 명은 처음에는 가만히 그의 연주를 듣다가 시간이 지나자 옆에 있는 덕과 낮은 목소리로 이야기를 나누었다 다시 음악을 듣다가 하는 것을 반복했다.

"와."

별은 그의 연주가 끝나자 신이 나서 박수를 쳤다. 작은 환이 탁자 위에 바이올린을 내려놓자 혁과 명이 별과 함께 그에게 다가왔다. 별은 재빨리 뛰어들어 손을 내밀어 탁자 위의 바이올린을 낚아챘다. 별이 낑깡대며 바이올린을 연주하는 사이 혁과 명도 손을 내밀어 악수를 청했다.

"반가워. 우리는 혁."

"우리는 명."

"우리는 환이야."

"그래. 네 얘기는 아까 많이 들었어."

작은 환이 먼저 그들과 차례로 인사를 나눴고, 그들의 손은 큰 환에게 향했다. 작은 환은 그 손들을 보자 순간 움찔했다.

'아, 환이가 쟤들이랑 악수할까? 분위기 험악해지는 거 아니야? 내가 먼저 어떻게 해야 되나? 지금 이렇게 앞에 있는데, 갑자기 나갈 수도 없잖아.'

작은 환은 뭔가 자연스럽게 그들과 떨어질 방법을 생각했지만 금세 떠오르는 수는 없었다. 그가 난처한 표정으로 어찌할 바를 몰라 안절부절못하는 사이, 큰 환은 무표정한 얼굴로 네 개의 손에 일일이 악수를 나누었다. 작은 환은 그런 예상치 못한 반응을 보이는 그를 보자 놀라움과 함께 안도의 한숨을 내쉬었다. 당장 그가 걱정하는 일이 일어나지는 않을 것 같았다.

"그래. 바이올린을 하려고 회사도 그만 두고 여기로 왔다고?"

"응. 너희들이 생각해도 이상해?"

작은 환은 대화의 초점이 큰 환이 아닌 자신에게 오자 다행이라고 생각이 들었지만 막상 자신의 이야기를 아직 낯선, 그리고 경계가 되는 그들 앞에 하자니 불편하다고 느꼈다.

"아니, 그런 건 아니고. 요즘 세상에 그런 결정은 안 하니까 좀 신기하지. 게다가 여기는 사람들이 잘 모르기도 하고. 여기를 아는 사람들은 가난하거나 장애가 있는 사람들만 오니까 꺼려하기도 하지."

"난 몰랐었는데. 여기 이런 데가 있는지 오기 전에는 아무 것도 몰랐어. 덕이가 데려와서 알게 됐어. 근데, 덕이도 그렇고 다들, 너희들도 여기를 꺼려하지는 않잖아."

"그건 그렇지."

그들은 작은 환의 말에 웃었고, 작은 환도 따라 웃었는데, 사실 그는 그들이 왜 웃는지는 이해가 잘 되지 않았다.

"사실 다들 그렇겠지만 우리도 여기 철조망 밖보다 도시 안에 있는 걸 더 좋아해. 그게 뭐 여기 있는 사람들이 싫거나 여기가 불편하긴 해도 이곳 자체가 싫거나 그래서 그런 건 아니야. 그것 보다도 여기 있는 사람들, 여기에 다치고 가난한 사람들은 계속 이렇게 있을 수는 없어. 여기를 봐. 여기 있는 사람들. 아무런 보호도 받지 못하고, 제대로 먹지도, 편안히 자지도 못해. 오히려 더 많은 도움과 보호가 필요한데 말이야. 그런데 그렇다고 해도 여기 있는 사람들은 저기 도시 안에 들어가고 싶어도 들어갈 수 없어. 도시 안의 집을 사고 싶어도 살 수 없고, 시장에서 무언가를 사고 싶어도 살 수 없어. 일을 해서 돈을 벌고 싶지만, 받아주는 곳도 없어. 이대로는 안 돼. 그런데 그건 여기 있는 사람들이 바뀐다고 바뀔 수 있는 게 아니야. 여기 사람들은 아무리 노력해도 할 수가 없어. 도시 안의 사람들이 바뀌어야 바뀌는 거지. 조금이라도 더 건강하고 더 많이 가진 사람들이 더 양보하고 함께 살 수 있게. 지금은 다들 자기 살기만 바빠. 그것뿐만 아니라 다 이기적이야. 세상이 그렇게 만들어. 조금이라도 더 약한 사람들, 가난한 사람들에게서 빼앗지 않으면 더 센 사람들한테 빼앗기기만 하니까. 그렇게 하도록 이 사회가 내버려두고, 그렇게 하도록 이 사회가 유도해. 그래서 우리가 안에 있는 거야. 그 이기

적인 사람, 이기적인 세상을 바꿔보려고. 수, 호가 도시를 지킨
답시고, 이름을 수, 호로 바꿨다지? 우리도 그래. 이 불공평하고
이상한 세상을 바꿔보려고, 그래서 혁, 명으로 바꿨어."

큰 혁은 흥분한 듯 목소리를 높여 길게 늘여놓다가 다시 목소
리를 낮춰 마무리 했다. 작은 환은 그의 느닷없이 열정적인 일장
연설에 뭔가 싶었지만 듣는 척 그냥 고개만 끄덕였다. 작은 명은
그의 그런 그의 별 감흥 없어하는 표정을 보더니 피식하고 웃었
다.

"쓸데없는 이야기가 너무 길었네. 그냥 그렇다고. 우린 이만
가볼게. 별아, 우린 간다."

"벌써 가? 좀 더 놀다 가지."

옆에서 연주에 열중하던 별은 간다는 말에 바이올린을 옆에
내려놓고 그들의 뒤를 종종걸음으로 따랐다.

"그러고 싶은데, 또 일이 있어서, 다음에 보자."

"그래도.. 오랜만에 왔는데….."

"담에. 담에 오면 더 놀다 갈게."

"힝."

토라진 별이 그들을 보내는 사이 작은 환은 큰 일이 없었던 것
에 안도의 한숨을 내쉬었다. 사실 전에 큰 환이 그들에 대해 말
했을 때까지만 해도 설마 만날 일이 있겠어 라는 생각에 대수롭
지 않게 넘겼으나 막상 그들을 마주하게 되니 신경이 많이 쓰이
고 긴장도 많이 되었었다. 하지만 그들이 돌아가고 나니 괜한 걱
정을 했다는 생각이 들었다.

'그냥 뭐 사람들인데.'

작은 환은 닫힌 문을 보며 괜히 멋쩍은 웃음을 지었다. 그는 의자에 앉아서 쉬려고 몸을 기댔는데, 다시 문이 열렸다.

"잠깐."

뭔가 싶어 보니 명들이 다시 돌아왔다. 그녀들은 환들을 손짓으로 불렀다. 작은 환은 뭐 때문에 그러나 하면서 그녀들을 따라 나섰다. 그녀들을 따라 나가니 문 밖에는 혁들도 있었다.

"왜?"

"우리가 좀 생각해봤는데. 너 도시 안에서 연주해보는 건 어때? 사람들 모인 곳에서 진짜 프로 바이올리니스트처럼. 장소는 우리가 잡아줄게. 사람도 모아주고."

"뭐?"

작은 혁의 뜻밖의 말에 뒤통수를 맞은 듯 멍해져 말문이 막혔다. 무슨 뜻으로 그들이 그런 말을 한 것인지 상황파악이 잘 되지 않았다.

"오, 그거 괜찮겠는데? 해봐, 환아."

그 사이를 못 참고 뒤따라 나온 덕이 끼어들었다. 그의 목소리에 혁의 말이 머릿속에 이해가 되기 시작됐다. 하지만 어떻게 해야 할 지 당장 판단이 서지는 않았다. 일단 의심의 눈초리로 그들을 보면서 물었다.

"잠깐만. 잠깐만. 안에서 바이올린 구할 수 있어? 여기 있는 건 밖으로 못 가지고 나가지 않아?"

"그거 옮기는 거 정도는 우리가 알아서 해줄 수 있어. 안에서도 구해보면 찾을 수도 있을 거 같고. 그런 건 걱정하지 마."

작은 환은 자신이 한참을 고민하고 고생했던 것을 너무도 쉽게 말하는 그들이 여전히 의심스러웠다. 또한 여전히 그들과 엮이는 일은 꺼려져 머릿속을 뒤져 갖은 변명거리들을 만들었다.

"별이는? 별이 내 연주 듣는 거 좋아하는데."

"별이? 우리가 데리고 가면 되지. 그리고 안에 가면 별이만큼 네 바이올린을 좋아하는 사람들 많을 거야."

"그래 가봐. 여기 있는 애들은 네 노래 거의 다 들었잖아. 더 많은 사람들한테 들려줄 수도 있고."

명은 역시나 별일 아니라는 듯 쉽게 말했고, 덕마저도 망설이는 작은 환을 다시 보챘다.

"지금 당장 안 정해도 돼. 생각해보고 다음에 우리 올 때 말해 줘."

"에이, 생각할 게 뭐 있어. 그냥 하면 되지. 해, 환아."

그들의 이야기를 듣고 있는 작은 환의 머릿속은 복잡해졌다. 분명 안에서 연주 할 수 있다면 집에서 연습을 할 수도 있을 것이고, 시간도 절약할 수 있을 것이기에 이미 예전부터 바래왔던 것이지만 할 수 없어 포기한 것이었다. 그런데 그런 기회가 이렇게 갑자기 의외의 곳에서 나타나니 오히려 그는 멈칫하게 됐다. 게다가 큰 환이 그들을 마음 내켜 하지 않는다는 것을 아는데, 그렇게까지 해야 하나 하는 고민이 들기도 했다. 어느 것이 더 나을까 이래저래 저울질을 해보다 또 문득 떠오르는 게 있어 그들에게 말을 했다.

"근데 그럼 나 혹시 돈 받을 수 있어?"

"응?"

"그 뭐지? 그래. 활동비. 활동비로 조금. 아니, 사실 좀 많이 필요한데. 그래도 그렇게 많이는 아니고. 많이 주면 좋긴 좋겠지만."

작은 환은 반이 활동비를 받았다는 것을 기억하여 돈을 받을 수 없다면 거절의 명분이 생기고, 혹시라도 돈을 받을 수 있다면 굳이 거절할 필요가 없다는 생각에, 아니 더 좋은 기회이니 어떤 선택을 하든 자신에게는 좋은 것이라 생각했다.

"그래? 얼마나?"

"음. 그냥. 반이 받는 정도?"

"일단 알았어. 한 번 확인해보고 알려줄게."

"응."

작은 환은 말하다 보니 왠지 자신이 부탁하는 것 같은 느낌이 들었다. 그래도 말하고 나니 속이 후련해지는 기분이 들었다. 혹시라도 그게 된다면 꿈꿔오던 일을 한번에 모두다 이루게 되는 것이다. 처음에는 혁, 명과 하는 일이라 꺼려졌었는데, 갑자기 그 일이 자신이 원하던 희망으로 변한 기분이 들었다.

"너 정말 그거 할 거야?"

돌아가는 길, 큰 환은 걱정스러운 낮은 목소리로 물었다.

"괜찮지 않아? 사람들 앞에서 연주하고, 돈도 버는 건데. 사람들도 더 많이 들을 수 있을 거고, 연주하는 곳도 더 좋을 거야.

그리고 집에도 빨리 들어갈 수 있을 거야."

작은 환은 말을 하면서 머릿속에서 막연하게 좋을 것이라 생각했던 것들이 정리되며 구체적인 희망으로 바뀌어 마음속이 기대감으로 부풀어 오르는 것을 느꼈다.

"그래, 네 마음대로 해라. 어차피 내가 뭐라 한다고 해도 네 맘대로 할 테니."

큰 환은 이미 자포자기한 듯 고개를 가로저었다. 작은 환은 그런 그의 말에 또 마음이 약해졌지만 이번 기회 역시 놓치고 싶지 않은 그였다.

집에 도착하니 역시나 귤들은 먼저 도착해 저녁준비를 거의 다 마쳐놨다.

"아, 벌써 다 했어? 좀만 기다리지. 같이 하게."

작은 환은 후다닥 주방으로 뛰어 들어가 그녀들에게 접시를 받아 들고는 식탁 위에 올렸다

"됐어. 뭐 차릴 것도 별로 없는데."

환들의 귀에 작은 귤의 무미건조한 목소리의 그 말은 전혀 '괜찮다'라는 뜻으로는 들리지 않았다. 그리고 보니 언제부터인가 식탁 위를 채우던 접시의 수는 조금씩 줄어 넓은 식탁 위에 올려져 있는 것은 고작 작은 접시 세 개가 다였다. 그걸 보고 있자니 뱃속보다 마음속이 더 허해졌다. 대강 입으로 집어넣어 치우고는, 그 얼마 안 되는 접시들을 정리를 하고 거실로 나왔다. 그리고 TV를 켰다. 당연한 듯 나오는 뉴스에는 눈이 가지 않았지만 그냥 소파에 앉아 있고 싶었다. 별 생각 없이 소파에 털썩

주저앉았는데, 아 하는 비명소리와 함께 오른쪽 옆구리에 무언가 부딪는 것이 느껴졌다. 그쪽을 보니 큰 환이 소파 팔걸이에 부딪힌 것이었다.

"아, 미안."

"난 괜찮은데. 근데 앞으로 너도 다음 환이 나올 테니까 조심해야 돼. 그렇게 생각 없이 무턱대고 움직이다가는 그 불쌍한 녀석이 다칠 거야."

"알았어. 참, 너 뉴스 볼 거지?"

작은 환은 왼쪽으로 몸을 눕혀 큰 환이 똑바로 앉을 수 있게 했다.

"아니야. 괜찮아."

큰 환은 그렇게 말했지만 작은 환은 이미 왼편으로 몸을 눕혔다.

'벌써 시간이 이렇게 흘렀네. 예전에는 환이가 이렇게 해줬었는데, 이젠 내가 이렇게. 시간이 너무 빨리 지나간다. 나도 내 삶에서 거의 반 가까이 살았고, 환이도 살아갈 날보다 살아온 날이 더 길지. 그럼 나한테서 또 작은 환이도 나올 테고. 이대로 이렇게 아무 것도 아닌 채로 있을 수는 없어.'

작은 환은 비어있는 찬장의 시커먼 공간을 멍하니 응시하며 생각에 잠겼다.

'내가 할 일이. 걸려있는 게 너무 많아. 환이한테 바이올린으로도 성공할 수 있다는 걸 증명해야 되고, 그걸로 돈도 벌고, 앞으로도 계속 살아야 돼. 그래, 망설이지 말자. 결심을 해야 해.

고민할 일이 아니야.'

　그는 다시 한 번 마음속에 용기를 불러일으키며, 새로운 변화를 시작해보기로 결심했다.

　다음 날, 환은 다시 철조망을 넘었다. 어제와는, 또 그전과는 다른, 새로운 기분이 작은 환을 벅차오르게 했다. 그는 우선 큰집으로 가서 연습을 하며 혁과 명이 오기를 기다렸다. 하지만 혁과 명은 점심시간이 다 되도록 보이지 않았고, 그들이 자꾸만 신경이 쓰이는 작은 환은 연습이 제대로 될 리가 없었다. 머릿속으로는 그들이 오건 안 오건 아랑곳하지 말고 그냥 연습하다가 보이면 말하면 된다 라고 생각하면서도 막상 연습하려 앉아 있으니 활을 잡고 있어도 초조한 마음에 집중이 되지 않았다. 대강 그어대다가 덕이 들어오는 것이 보이자 바이올린을 내려놓고, 그에게 물었다.

　"덕아, 혁이랑 명이 어디 있는지 알아?"

　"오늘은 아마 시내에 있을 걸? 왜? 아, 연주 하는 거 때문에?"

　"그럼 오늘 안 와?"

　"오늘 온다고 안 했지? 그렇게 이야기 안 한 거 같은데. 아마 며칠 뒤에 올걸?"

　"그래? 언제쯤 올 지는 몰라?"

　"글쎄. 그래도 이번에는 아마 오래 있다 오지는 않을 거야."

　"그렇구나."

작은 환은 그들이 당분간 오지 않는다고 하자 심경이 복잡해졌다. 당장 기다리느라 마음 졸일 필요는 없었지만 앞으로 며칠을 기다려야 될지 그 사이 어떻게 상황이 변할지 모를 일이었다. 생각이 많아지자 마음이 조금씩 찝찝해지는 것을 느꼈다. 하지만 당장 자신의 힘으로는 어떻게 할 수 있는 것은 없었다. 하루하루 시간이 가는 것에 조급해만 갔지만 그냥 마음을 편안히 하고 연습에 집중하는 수밖에 없었다. 그렇게 하루 이틀, 며칠을 그냥 보내다 보니 다시 예전과 달라질 것이 없었다. 꾸준하고 또 지루한 연습의 날들이었다.

몇 달은 지나야 다시 올 것만 같았던 혁과 명은 다행히도 십여일 정도 지나자 다시 나타났다. 물론 작은 환에게는 그 며칠이 몇 달 같기는 했다.

"환아, 넌 내일부터 안에서 하면 돼. 바이올린은 구해서 거기 가져다 놨고, 주소는 여기 적어놨어. 시간은 오후 4시. 여기서 연습하다 가도 되고, 거기서 연습해도 돼."

"뭐?"

작은 혁은 작은 환을 보자마자 다짜고짜 그렇게 말했다. 물론 하기로 마음먹기는 했지만, 그들에게 귀띔으로도 알려준 적이 없는데, 당연히 그렇게 하는 것으로 생각하고 있는 듯했다. 그에게는 꽤나 힘들고 긴 고민 끝에 내린 결론인데, 그들은 가볍게 생각하는 듯하여 그냥 안 해버린다고 말해버릴까 했지만 그래봤자 자신만 손해라는 것을 알기에 그냥 참았다.

"아 참, 그리고 미안한데. 돈은 그만큼은 줄 수 없어. 아니, 정확히는 얼마 줄 수 있을지는 모르겠어."

돈 이야기에 작은 환은 갑자기 정신이 번쩍 들어 귀가 쫑긋해졌다. 기분이 살짝 상해가려던 찰나에 그것을 잊고 그의 말에 집중하게 되었다.

"그럼 어떻게…."

"지금 너한테 해달라는 게 정확히 뭐냐 하면, 우리나 명이가 사람들을 모아서 이야기를 할 거야. 근데, 그냥 이야기만 하면 집중도 안 되고, 흥미도 없고, 사실 그냥 하면 사람들도 잘 안 모이거든. 우리가 아무리 재미있게 이야기를 해도 지루하고, 알아듣기 어렵기도 하고. 그래서 네가 우리 이야기하기 전에 연주를 해서 사람들을 모으고, 집중도 더 잘 하게 하고, 그렇게 하려는 거거든."

"응."

"그래서 사람들이 많이 모이고, 그러면 그 사람들이 후원금도 내고 할 거야. 만약에 그 후원금이 많이 모이면 너한테 줄 수 있는 돈도 그만큼 많이 줄 수 있어."

"그럼 돈을 많이 받으려면 사람이 많이 모이고, 그 사람들이 후원금도 많이 내야 되고 그런 거야?"

"응, 그래."

"뭐, 좀 복잡하네. 근데, 그러면 혹시 월급보다 많이 받을 수도 있나?"

"뭐, 가능은 하지."

"알았어."

작은 환은 나름대로 승낙한다는 뜻을 담아 짧게 마지막 말을 했다. 그는 월급보다 많이 받을 수 있다는 말이 머릿속에 빙빙 돌아 갈수록 희망에 더 부풀어 갔다. 잘만하면 예전보다 더 많은 돈을 벌 수도 있다. 그것은 그에게 이제껏 속에 가둬두고 있던 가족에 대한 미안함이라던가 앞날에 대한 불안함 들을 이제 놓아도 된다는 뜻이었다.

다음 날, 환은 철조망을 넘어 연습을 하다가 점심을 먹고서는 일찌감치 약속 장소로 향했다. 가볍고 흥겨운 발걸음이었지만 큰 환이 신경 쓰여 마냥 좋은 티를 내기는 힘들었다. 말없이 터덜터덜 혁이 건네준 쪽지의 주소를 향해 가고 있는데, 큰 환이 먼저 입을 열었다.

"우리는 연주만 하고 바로 집으로 가는 거다."

"알았어."

큰 환은 그리 내켜 하는 표정은 아니었으나, 그의 말은 허락의 의미로도 받아들일 수 있어, 작은 환은 한결 마음을 놓고 갈 수 있었다.

쪽지 속 주소를 따라 간 길의 최종 목적지는 번화가에서 살짝 벗어난 뒷골목, 한적한 주택가 어느 크지 않은 건물의 꼭대기 층이었다. 얼마나 걸릴지 몰라 미리 출발한 덕에 약속 시간보다 2시간은 먼저 도착했다.

"너무 일찍 왔나 보네."

"그러게. 불도 안 켜났고."

작은 환은 그렇게 말하면서 벽을 더듬어 전원을 찾아 형광등을 켰다. 깜빡 거리는 불빛 사이로 사각 탁자와 의자가 보였다. 불이 켜진 후 수를 세어보니 여덟 개의 탁자에 각각 네 개씩의 의자가 있었다. 백여 명 정도의 관객 앞에서 연주하는 것을 내심 기대했던 작은 환은 적잖이 실망감이 들었다. 찬찬히 주변을 둘러보니 예전에 식당이었던 듯 보이는데, 여기저기 낡은 것이 철조망 밖에서 연주했던 여러 곳들보다 낫긴 했지만 그렇다고 확연히 낫다고 할 만한 것도 아니었다. 안으로 들어가 이리저리 둘러보다 아무 의자나 하나 꺼내 기대앉았다. 낡은 형광등의 약간 어두운 푸른빛이 낯설었고, 눈이 피곤해졌다. 낯선 곳, 이제 곧 새로운 일을 앞두고 있다는 상황의 긴장감까지 더해지니 몸이 처지는 듯했다.

"시간 아직 많이 남았나?"

"아직. 뭐. 우리가 좀 일찍 왔으니까."

환들은 짧고 건조한 대화를 나눈 후, 다시 어색한 침묵에 빠졌다. 그러는 사이 다시 문이 열렸다.

"어? 일찍 왔네?"

명들이었다. 그리고 그 뒤로 혁들이 따라 들어왔다. 작은 환은 그들을 보니 잘못 오거나 날짜를 잘 못 안 것은 아니구나 하는 생각에 마음이 놓여 자연스레 웃음이 나왔다.

"아냐. 우리도 좀 전에 왔어."

"바이올린은? 못 찾았어?"

"어? 여기 있어?"

작은 환은 그제야 바이올린을 찾아 두리번거려봤지만 있을만 한 곳은 없어 보였다. 결국 찾지 못하고 시선을 명들로 옮기자 그녀들은 웃으며 말했다.

"안 찾아봤구나."

그녀는 식당 안쪽 구석으로 가더니 찬장 안에서 바이올린을 꺼내 그에게 흔들어 보였다.

"여기 있어."

"아, 거기 있었구나."

작은 환은 멋쩍은 웃음을 지으며 바이올린을 받아 들고는 하나씩 켜보며 조율하기 시작했다.

"아 참, 그리고 이거."

작은 명은 종이 몇 장을 같이 작은 환에게 넘겨줬다. 그가 얼핏 보니 악보인데, 꽤 복잡해 보였다.

"이게 뭐야?"

"오늘 이거 연주하면 돼."

"응?"

작은 환은 작은 명의 말에 놀라 다시 그 악보를 살펴봤다. 잘은 모르겠지만 음표가 꽤 많은 것이 이제까지 했던 것보다 확실히 어려운 것 같았다. 작은 환은 난감해졌다. 그들에게 악보 같은 것이 없을 거란 생각에 자신의 마음대로 선곡해도 되리라 생각한 것이 실수였다.

"이걸. 조금 있다가? 이거 조율도 안 됐는데?"

"어려워?"

"해봐야 알겠는데, 이건 좀. 어제라도 미리 좀 줬으면 모르겠는데….."

"해봐. 일단. 난 오늘 이거 했으면 좋겠는데…."

난색을 표하는 작은 환의 말을 듣고 있던 큰 혁이 답답한지 끼어들었다. 작은 환은 공연 첫 날이고, 그 둘이 그렇게까지 말하는데 더 못하겠다고는 말을 할 수 없었다. 그리고 아예 불가능할 정도는 아닌지라 스스로도 할 수 있을까 하는 의문이 들어 스스로를 시험해보고 싶기도 했다.

"알았어. 연습해볼게."

작은 환은 대답을 마치자 서둘러 조율을 계속하여 대강 어느 정도 음이 맞아지자 악보의 음표를 따라 하나씩 차분히 현을 켰다. 그렇게 한번 따라 하기가 끝나자 작은 환은 본격적인 연습을 시작했다. 어렵사리 절반 정도 이어가는데 작은 명이 다시 그를 불렀다.

"잠깐만."

"응? 왜?"

"연주할 때 이거 입고 해. 이게 턱시도라고 고급스러운 일을 할 때 입는 옷이야."

작은 명은 종이가방에서 상자들을 꺼냈다. 그녀가 상자들을 풀어 늘어놓는 것을 보니 까만 옷과 하얀 와이셔츠, 붉은 나비넥타이였다.

"봐봐. 괜찮지."

"응. 그렇네."

사실 작은 환은 지금 명 때문에 연주하던 흐름이 끊겨 귀찮아지려던 참이었다. 대충 훑어보고 대충 대답하고는 계속 연습을 하려는데, 작은 명이 다시 그를 불렀다.

"이거 먼저 입어봐."

"연습 중인데.."

"이거부터 먼저 입고 연습해. 이거 치수 맞는지 보고, 안 맞으면 빨리 바꿔야 돼. 대충 눈짐작으로 가져온 거라 아마 잘 안 맞을 지도 몰라."

'연습할 시간도 모자란데. 굳이 뭐 하러 이런 걸 입어야 되는 거야? 연주를 하는데, 연주만 잘하면 되지. 악보도 이제 줘서 시간도 진짜 모자란데….'

작은 환은 그녀의 말대로 따랐지만 자꾸만 바라는 것이 많아지는 작은 명에 짜증이 나려고 했다. 급하게 옷을 갈아입고 보니, 큰 환은 어느 정도 맞는데, 작은 환에게는 조금 작았다.

"이거 좀 안 맞는데."

"그래? 어디 보자."

명들은 작은 환이 이미 맞지 않다고 결론을 낸 옷들을 찬찬히 살펴보고, 그의 몸에 대보았다.

"음, 색깔은 잘 맞는데."

"작은 환이 꺼는 두 치수 정도 크게 하고, 큰 환이는 잘 맞긴 한데…."

"그래도 한 치수 더 커야 되지 않나?"

"그런가?"

작은 환은 안 그래도 모자라는 시간에 계속 이렇게 방해가 되는 그녀들이 답답해져 갔다. 그녀들은 작은 환이 연습할 시간이 더 많이 필요하다는 것을 모르는 것처럼 행동했다.

"아직 멀었어? 연습해야 되는데."

"아, 미안. 잠깐만."

그녀들은 그렇게 말하고는 또 다시 한참을 살펴보고, 다시 대보았다.

"됐어. 벗어도 돼."

작은 환은 다시 급하게 옷을 갈아입고는 명에게 넘겨줬다.

"옷은 그냥 이거 입고 하는 것도 괜찮을 거 같은데."

"아니야. 괜찮아. 금방 바꿔가지고 올게."

작은 명은 옷을 다시 상자에 담아서 밖으로 가지고 나갔고, 작은 환은 다시 연습을 시작했다. 몇 번 하다 보니 조금씩 손에 붙기는 했는데, 어렵기도 했고, 오랜만에 새로운 곡을 연습하는 것이라 그런지 많이 어색했다. 뭔가 잘 되지 않고, 마음에 들지 않았다.

"좋겠네?"

"뭐가?"

이번에는 또 바쁜 와중에 말을 걸어오는 큰 환에 작은 환은 시비를 거는 것인가 싶어 심기가 불편해져 힐끔 쳐다보며 대꾸하고는 다시 바이올린에 집중했다.

"하고 싶은 대로 하고 있잖아.

서 연주하고 돈도 받을 거잖아."

"응, 그러네."

작은 환은 건조하게 대답하다 또 생각에 잠겼다.

'그렇지. 내가 하고 싶어서 하는 건데, 난 왜 짜증이 나있던 거지?'

작은 환은 헛웃음이 나왔다.

"왜?"

"아니야. 근데 넌 왜?"

"뭐가?"

"왜 나보고 좋겠냐고 물었냐고?"

"아, 그냥. 너 덕분에 그런 좋은 옷도 입어본다 싶어서."

큰 환의 말에 작은 환은 그냥 웃었다. 그의 말 덕에 체한 듯 답답하게 꽉 막혀있던 마음이 살짝 풀리는 것을 느꼈다.

잠시 후, 작은 명은 다시 옷을 들고 나타났다. 또 연습을 멈추고, 옷을 갈아입는 것이 여전히 귀찮기는 했지만, 아까만큼 여유 없지는 않았다. 이번에는 딱 맞는 옷을 제대로 갖춰 입고, 다시 연습을 하기 시작했다. 여전히 손에 안 붙기는 마찬가지인 것 같았지만 할 수 있는 데까지만 해보자는 생각으로 하니 오히려 더 잘되는 것 같았다.

공연시간이 가까워 오자, 혁은 환들을 밖으로 데리고 나갔다. 작은 환은 또 방해를 받은 것이 귀찮긴 했지만 아까만큼은 아니었다.

"왜? 아직 연습 다 못했는데."

"괜찮아. 그 정도면. 공연 시작하기도 전에 다른 사람들이 미리 다 들어버리면 김새잖아."

작은 혁의 말은 일리가 있는 듯싶다가도 아직 부족하다고 밖에 느껴지지 않는 자신의 연주를 다른 사람들에게 보여야 한다는 사실을 깨닫게 되자 초조해지기 시작했다. 사람들이 하나씩 들어오는 것이 보이자 더욱 긴장되기 시작했다.

'여기서 첫 공연인데 망치면 어떡하지? 그래서 앞으로 더 사람이 안 모이면 어떡하지? 그럼 다시 이런 기회를 잡지 못할지도 모르는데….'

아마 연습이 더 잘 되어 있더라도 그의 긴장감에는 큰 차이가 없었겠지만, 틀리던 부분이 머릿속에 자꾸만 맴돌아 신경 쓰였다. 그러는 사이 사람들은 다들 자리를 채우고 앉았고, 시간은 공연 시작을 알렸다.

"자, 다들 오랫동안 기다렸는데, 오늘 이렇게 모인 건 무엇 때문인지 다들 알지? 혹시 모르는 사람? 내가 오늘 무슨 말 할지. 그럼 옆에 사람들한테 물어보고. 아, 아, 어차피 나중에 이야기 시작하면 지겹도록 들을 테니까 그렇게 서두를 것까지는 없어. 일단은 오늘 좋은 거 하나를 먼저 보여줄게. 아니 정확히 말하면 들려주는 거지. 혹시 바이올린이라고 들어봤나?"

작은 혁은 식당의 한쪽 구석에 서서 유창한 말솜씨로 시작을 알리며 장황하게 작은 환의 소개를 시작했다. 그의 거창한 소개를 듣고 있자니 기분이 들뜨기도 했다가 부끄러워지기도 했다. 그의 소개가 끝나자 작은 명이 환을 보며 손짓으로 불렀다. 작은 환은 걸음을 뜰 때마다 심장이 쿵쾅거리는 것을 느꼈다. 철조망을 넘어 바이올린을 찾으러 갔을 때 이만큼 떨렸나 하는 생각이 들었다. 그리고 그가 혁과 명 사이에 서자 박수소리가 작은 식당 안을 울렸다. 그가 바이올린을 턱 밑에 괴자 순간 박수소리는 멈췄다.

"크흠."

그는 가볍게 헛기침을 하고 활을 현에 댔다. 그리고는 연주 시작.

생각보다 연주는 잘 진행되었다. 처음 부분에 음이 이어가는 것이 연습 때보다 조금 딱딱하게 시작돼 살짝 놀라기는 했지만 오히려 계속 틀리던 부분은 잘 넘어갔다. 마지막에 다가서 많이 흔들리기는 했지만 그 정도까지는 예상했던 수준이었다. 연주가 끝난 후, 턱에서 바이올린을 빼내 손에 활과 함께 쥐고 내리는 그 짧은 시간 동안 그는 자신의 음악을 사람들이 어떻게 들었을까 하는 생각에 긴장이 됐다. 사람들 앞에서 연주하는 것이 처음은 아닌데도, 처음 보는 사람들 앞이라서 그런 것인지 아니면 처음 해보는 곡이라서 그런 것인지 그것도 아니면 돈을 받아야 하는 것이라서 그런 것인지 철조망 밖에서 마음 편히 연주했던 그때와는 느낌이 달랐다. 이윽고 팔을 완전히 떨구었을 때, 간간히 들리던 박수소리가 다시 식당 안을 울렸다. 조금 마음이 놓인 채로 사람들의 표정을 보니 철조망 밖의 사람들이 처음 연주를 들었을 때의 그 신기하다는 듯한 눈으로 바라보던 얼굴들이 떠올랐다.

'별로 다를 것은 없네.'

작은 환은 웃으며 가볍게 꾸벅 하고 관중들에게 인사를 하고 밖으로 나왔다. 밖으로 나가는 중에도 가슴이 뛰는 것이 멈춰지지 않았다. 그는 바이올린을 상자 안으로 집어넣어놓고 계단 난간에 기대서서 가슴이 진정되는 것을 기다렸다. 해냈다는 기분에 벅차올라 한동안 말이 없이 서있었다. 그 침묵을 깬 것은 큰 환.

"어때? 잘 한 거 같아?"

"뭐 그냥. 다들 처음 듣는 거라 신기해 하기는 하는 것 같은데, 좋아하는 건지는 잘 모르겠어."

"뭐, 그렇기도 하겠지?"

"그러고 보면 신기해. 난 다른 사람들이 이름도 잘 들어보지도 못한 바이올린을 가지고, 그걸 연주한다고 이렇게 긴 여행을 하고 있으니."

"여행?"

"여행이라면 여행이지. 전에는 네 길로만 따라다녔는데, 그 밖으로 나와서 철조망도 넘어보고, 이렇게 누가 불러주는 곳에 와서 이런 옷을 입고 연주도 하고."

"그럼 이제 앞으로 여기 정착하는 거야? 이게 네 길이라는 확신이 드는 거야?"

"그래야지."

작은 환은 사실 아직 확신이라고까지 할 수는 없었다. 다만 짙은 안개 속을 더듬거리며 걷던 것만 같은 전과는 달리 한줄기 빛이 길을 찾을 수 있게 해주는 것 같았다. 이제부터는 정말 모든 것이 쉽게 잘 풀릴 것만 같은, 드디어 방황하듯 헤매던 생활에 마침표를 찍는 듯한 기분이 들었다.

"근데, 쟤들 끝날 때까지 기다려야 돼? 쟤들 끝나면 뭐 첫 공연 기념 축하 파티라도 해주는 거야?"

그러고 보니 마치고 어떻게 하겠다는 계획이 없었다. 설마 이대로 끝날 때까지 기다려야 하나 하는 생각이 들었다.

"글쎄, 그런 말은 없었던 거 같았는데. 그냥 가기엔 좀 그런데."

"언제 끝날까?"

작은 환은 문으로가 귀를 대고 그들이 이야기 하는 것을 들었다. 뭐라고 하는 지 정확히 들리지는 않았지만 혁과 명의 목소리가 들리고, 간간히 웃음소리도 들렸다.

"그냥 들어가서 기다릴까?"

"그건 싫어."

큰 환은 작은 환의 제안에 인상을 찌푸렸다. 작은 환은 그럴 줄 알았다는 듯 고개를 끄덕인 후 다시 문에 귀를 댔다.

"그냥 가면 안 돼?"

"그럴까?"

금세 기다리기 지루해진 큰 환이 칭얼대자 작은 환도 맞장구를 쳤다. 그리고 계단을 내려가다 깨달았다.

"아, 옷."

그들은 공연에서 입었던 턱시도를 그대로 입고 있었다. 큰 환도 그제야 그것을 깨닫고 한숨을 내쉬었다.

"하. 다음부터는 나올 때 옷도 가지고 나오자."

"근데, 그럼 구석에 갔다가 나와야 되는데."

"그럼 밖에 놔두던가?"

"잃어버리면 어떡하지?"

"하. 좀 생각해보자."

그들은 혁과 명의 연설이 끝날 때까지 앞으로 옷을 어떻게 갈아입을 것인지에 대해 고민했다.

그 뒤로 환들은 자주 그들을 따라다니며 연주를 했다. 갈수록 그들의 공연을 보러 오는 사람들도 많아졌고, 공연을 하는 장소도 점점 커졌다. 그리고 그에 따라 그들이 편하게 기다리고, 옷을 갈아입을 수 있는 대기실도 생겼다. 비록 아직 돈은 작은 환이 원했던 만큼 벌고 있지는 못했지만 그래도 점점 사람들이 늘어 좀 더 받을 수 있겠다는 희망을 가질 수 있었고, 특히나 혁과 명의 이야기보다 환의 연주를 듣고자 오는 사람들이 더 많아진 듯한 느낌이 들었기에 자신감도 늘어났다. 물론 매주 새로운 곡을 연주해야 하는 것은 부담스럽기는 했지만, 그 전에 미리 악보를 받아 연습을 할 수 있으니 그것은 오히려 그가 더 바라던 일이었다.

"뭘 이렇게 많이 사왔어? 다 먹지도 못 하겠다."

집으로 돌아오며 시장에서 사 온 것들을 식탁 위에 내려놓는 작은 환을 보며 큰 귤은 웃으며 말했다.

"한동안 맛있는 거 많이 못 먹었는데, 그만큼 다시 먹어야지. 다 못 먹으면 어때? 남기면 되지."

작은 환은 싱글벙글 입이 찢어질 듯 크게 웃는 얼굴로 종이봉투 안에서 끝도 없이 음식들을 꺼내 놨다. 식탁의 끝에서 끝까지 가득 차도록, 그가 회사를 다녔을 때보다 훨씬 더 푸짐하게 차려놓고서 뿌듯한 얼굴을 하고 의자에 앉았다.

"근데, 계속 이렇게 사도 돼? 그래도 버는 돈은 전보다 적잖아."

큰 환은 펼쳐놓은 그릇들을 괜히 건드려 보며 말했다.

"에이, 이거 얼마나 한다고. 며칠만 이렇게 먹자. 며칠 이정도 먹는다고 그게 그렇게 부담되지는 않잖아."

작은 환은 그렇게 말하며 숟가락으로 밥과 반찬을 푹 퍼서 입 안으로 집어넣었다. 큰 환과 귤들도 그를 따라 식사를 시작했다. 작은 환은 집에서 하는 저녁 식사가 전과 달리 즐거워졌다.

터질 정도로 실컷 배를 채운 후, 작은 환은 다시 TV 앞 소파에 큰 환이 부딪히지 않을 정도로 몸을 기울여 털썩 주저앉았다. 그리고 그 옆으로 귤들도 앉았다.

"근데 너 돈은 뭐로 벌어오는 거야?"

작은 귤은 리모컨으로 TV를 켠 후 그를 보며 물었다.

"내가 좋아하는 거 하면서."

작은 환은 입가에 가득 미소를 머금으며 대답을 했다. 귤들은 아리송하게 대답을 하는 그를 보며 갸우뚱했다.

뿌듯함. 그것이 작은 환의 가슴 속이 팽팽해지도록 가득 찼다. 그는 기분이 좋아져 삐딱하게 앞을 보며 고개를 까딱이다 말했다.

"저기 저 찬장 안에 내가 꽉 채워 놓을게."

"뭘?"

뜬금없는 작은 환의 말에 큰 환이 어리둥절해 했다.

"뭐든. 좋은 거로."

작은 환은 아리송한 대답을 툭 던지고는 포만감에 취해 소파에 기댔다. 기분 좋은 졸음이 쏟아졌다.

며칠 뒤, 공연장에는 오랜만에 반가운 손님들이 환을 찾아왔다.

"환아. 우리 왔어."

대기실에 들어서자마자 신난 듯 외치는 별은 며칠 지나지 않았는데도 눈에 띄게 자라있었고, 목소리 또한 그만큼 커졌다. 그리고 그 뒤로 덕과 반이 따라 들어왔다.

"왔어? 다들 오랜만이네."

"아이고, 오랜만에 봤더니 신수가 훤해졌네. 옷도 좋은 거 입고."

"막 뒤에 꼬리도 달렸네."

덕과 반은 환이 입은 옷을 이리저리 만져보며 장난을 쳤다.

"야. 하하. 구겨져. 구겨져. 참, 작은 반이는 소개 안 시켜줘?”

　“아, 너 이 녀석 처음 보나? 인사해, 반아. 내 친구고, 바이올
린 연주하고, 이름은 환이야.”

　“안녕. 난 환이야.”

　“나도 환이고.”

　“안녕. 난 반.”

　작은 반은 낯선 환들이 어색한지 수줍게 인사를 했다. 작은 환
은 그 모양이 귀여워 웃음이 나왔다.

　“덕이는 아직이야?”

　“그러게. 난 왜 아직도 그대론지 모르겠네. 세상이 너무 불공
평한 거 아니야?”

　“그러게 평소에 덕을 쌓아야지.”

　“덕이 덕을 안 쌓았어?

　아, 근데, 인이랑 종이는 안 왔어?”

　“그 녀석들은 여기까지 같이 왔다가 무슨 일 있다고 갔어. 아
마 다시 올 거야.”

　“그래? 얼굴이라도 보고 가지.”

　“바쁜가 봐. 철조망 안에서는 밥 때문에 바쁘다 쳐도 여기 와
서는 왜 바쁜지 모르겠어.”

　“그렇구나.”

　“환아, 이제 시작하려나 봐. “

　덕의 말을 듣고 문 쪽으로 가보니 혁이 오고 있는 것이 보였
다.

"이제 시작할 시간이야."

"그래. 애들 와 있어서."

"우리도 아까 인사했어."

혁과의 대화가 끝나자 환은 바이올린을 챙겨 밖으로 나갔다. 그리고 늘 하던 대로 작은 혁의 소개가 끝나자 연습해온 곡을 연주했다. 어느새 별과 덕, 반도 그를 따라 나와 자리를 잡고 앉아 있었다.

"와아아."

연주가 끝나자 울리는 사람들의 박수소리와 환호 속에서도 별의 목소리는 특히나 더 귀에 들어와 환들은 슬며시 웃음을 지었다. 환들이 다시 대기실로 돌아가 옷을 갈아입고 바이올린을 정리하는 사이 다시 그들이 들어왔다.

"오, 노래가 바뀌었네?"

"오, 그래도 이제까지 제대로 듣긴 들었구나? 명이가 새로운 악보를 많이 줬어. 근데, 혁이랑 명이 이야기는 안 듣고 중간에 이렇게 나와도 돼?"

"우리는 뭐 다 들었던 이야기인데, 뭐."

"우리 말고도 그냥 나오는 사람들 많아."

"그래? 그렇구나. 그럼 우리도 이제 나갈까?"

"기다려. 인이랑 종이도 여기로 올 건데, 오면 얼굴이라도 보고가."

"맞아. 오랜만인데."

"그럴까? 언제 오는데?"

"몰라. 금방 온다 그랬는데."

"온다 그랬으니 금방 오겠지. 기다리자."

"그래. 그럼."

그들은 앉아 그간의 이야기들을 나눴다. 그러는 사이 혁과 명의 이야기가 먼저 끝났다. 그들은 여전히 인과 종을 기다리며 대기실에서 계속 이야기를 주거니 받거니 하는데, 대기실의 문이 열리며 혁과 명이 들어왔다.

"어? 너희들 아직 안 가고 있었네?"

"응, 인이랑 종이 기다리고 있어."

"인이랑 종이 오늘 둘 다 늦을 거 같다고 먼저 가라고 했는데?"

"어? 그래?"

"에이, 괜히 기다렸네. 말 좀 해주지."

"난 너희들 먼저 사라지기에 그냥 집에 간 줄 알고 이야기 안 했더니. 연주 끝나니까 사람들이 막 왔다 갔다 해서 정신없어서 여기로 온지 몰랐어. 아 참, 안 그래도 그것 때문에 환이한테 말하려고 했는데⋯."

"뭘?"

"우리가 너한테 연주를 해달라고 한 게, 원래 사람들도 많이 오게 하고, 우리 얘기하기 전에 집중도 하게 하려고 한 거거든. 요즘 사람도 많이 모이고 다 좋아하고 해서 좋아."

"응. 고마워."

작은 환은 작은 명의 공치사에 뜬금없다는 생각을 했지만 그

래도 기분은 좋아졌다. 하지만 작은 명의 이야기는 거기서 끝이
아니었다.

"근데, 다 좋은데, 사람들이 많이 모이기는 하는데, 너 연주만
듣고 그냥 나가는 사람들이 있어. 또 그럼 다른 사람들도 막 따
라 나가고, 그렇게 되니까 실제로 우리 이야기 듣는 사람 수는
더 적은데, 왔다 갔다 하는 사람들 때문에 더 집중도 안 되고 해
서. 그러면 오히려 아무 소용이 없는 거잖아."

"으. 응. 그래?"

순간 작은 환은 작은 명이 이제 그만 연주를 하라고 할 까봐
긴장이 되어 딱딱하게 굳어갔다. 이제 겨우 생각한 대로 되간다
고 느꼈는데, 이렇게 갑자기 그만 두게 되면 다른 것도 문제지만
앞으로 귤들을 볼 면목이 없을 것 같았다.

"그래서 말인데. 이제 앞으로 시작하고 한 번, 끝나고 한 번
해주면 안 돼?"

작은 환은 그만두라는 이야기가 아니라 안도의 한 숨을 내쉬
며 다행이라고 생각했지만 금세 다시 고민이 되기 시작했다. 걸
리는 것도 많고, 꺼려지기도 했다. 하지만 이대로 그만 둘 수는
없기에 조심스레 말을 꺼냈다.

"그럼 너무 늦어지지 않아?"

"어쩔 수 없지. 아니면 별 의미가 없는데."

"할 때마다 두 곡씩 연주하면 그게 너무 많아서 연습이 안 될
텐데. 새로운 거 하려면 하나 딱 집중해서 해야지 아니면 헷갈리
거든."

그렇게 말하자 명들은 잠시 고민을 하고는 말했다.

"그럼 이렇게 하자. 시작할 때든, 마칠 때든 한 곡은 새 거 연습해서 하고, 하나는 전에 했던 거 아무 거나 다시 하는 걸로."

"그래?"

작은 환은 명들의 제안이 그리 마음에 들지는 않았다. 그만 두는 것보다는 낫지만 여전히 해야 될 곡이 두 배로 늘어난 데다 끝날 때까지 기다렸다가 다시 하는 거라 집으로 가는 시간이 너무 늦어지는 것 같았기 때문이다. 이러지도 저러지도 못하고 뭔가 꽉 막힌 듯한 기분이 들었다.

"그럼 또 저녁식사는 귤이가 다 준비해야 되잖아. 너무 늦어."

이런 대화에 좀처럼 끼지 않았던 큰 환도 반대의 뜻을 내비쳤다.

"그런데 어쩔 수 없잖아. 그냥 그렇게 가면 별로 효과가 없는데."

"그럼 마칠 때 한 번 하는 건?"

작은 환은 그렇게 하는 것도 그리 좋지는 않았지만, 그나마 절충안을 내보였다.

"음. 그럼 사람들이 늦게 오지 않을까?"

"네 말대로라면 두 번을 하긴 해야 되는 거구나."

"근데 그럼 돈도 두 배로 주는 거야? 두 번 하니까?"

덕이 쉽게 결정하지 못하는 작은 환의 말 사이를 자르고 끼어들었다. 덕의 말에 작은 환은 힘이 빠져있던 눈이 반짝하고 빛났다.

"아. 두 배… 까지는 힘들고, 신경은 더 써줄게."

작은 명의 말을 듣자 덕이 작은 환의 어깨를 탁 치며 웃는 것이 마치 나 잘했지 하고 묻는 듯 했다. 작은 환은 웃음이 나고 답답함이 풀어졌는데, 무엇 때문에 웃음이 나는지는 자신도 알 수 없었다. 그래도 여전히 마음에 드는 것은 아니었지만 그대로 자신의 고집만 부릴 수는 없었다.

"일단 생각해 볼게."

하지만 어떻게 결론이 날 것인지는 거기에 있는 사람들은 이미 다 예상하는 것 같았다.

다음 공연일. 작은 혁은 당연하다는 듯 환에게 묻지도 않고 마무리 공연까지 하는 것으로 이야기를 했고, 작은 환도 그것을 예상한 듯 그렇게 따랐다. 그로 인해 혁과 명은 자신들이 계획한 대로 사람들을 계속 잡아둘 수 있었고, 작은 환은 전에 이야기 했던 것처럼 두 배까지는 아니지만 돈을 더 받을 수 있었다. 모든 것이 잘 되어가는 듯 했다.

하지만 그렇게 계속 되는 반복 속에서 작은 환은 자신의 연주가 뭔가 이상해지고 있다는 느낌을 받았다. 더 나은 환경 속에서 더 많은 곡들을 더 많은 시간 동안 계속 연습을 했지만, 실력이 나아지기는커녕, 오히려 더 딱딱해지고, 자신의 의지나 생각과는 다른 곡이 나오는 것만 같았다. 어느새 새로운 곡을 연주하는 것이 전처럼 즐겁지도 않고, 연주를 하는 것 자체에 점점 흥미를 잃어가는 것만 같았다. 원하는 대로 다 이룬 것 같은데, 여전히 아니 오히려 더 많이 부족해져만 간다고 느껴졌다.

"오늘도 가? 오늘 귤이 아프다 그래서 하루 쉬는데, 너도 같이 좀 있지 그래?"

오늘도 변함없이 작은 환이 시간에 맞춰 바이올린을 챙기고 약속장소로 나가려는데, 회사에 출근하지 않은 작은 귤이 그를 붙잡았다. 작은 환은 그녀의 말에 잠시 멈춰 생각하고는 말했다.

"그래? 그럼 오늘도 시작 공연만 하고, 조퇴해야겠다. 올 때 맛있는 거 사올게."

"그냥 오늘은 같이 귤이 봐주는 게 어때? 나 좀 걱정되는데."

"그래도 어떻게 안 가? 지난주에도 귤이 아프다 그래서 몇 번 조퇴했는데. 또 빠지긴 뭐하지. 오늘 일찍 끝내고 올게."

"그래. 그래라. 금방 괜찮아 질 거야."

큰 귤은 핼쑥해진 얼굴로 괜찮다고 말했다. 작은 환은 가볍게 말했지만 그녀의 얼굴을 보자 발걸음이 잘 떨어지지 않았다. 작은 환은 그녀에게 다가가 이마에 가볍게 입을 맞추고는 말했다.

"빨리 갔다가 빨리 올게."

환은 그렇게 말하고 밖으로 나섰다. 하지만 이렇게 나갈 때마다 마음이 무거워지는 것은 어쩔 수 없었다.

무거운 발걸음으로 오늘의 공연장에 도착해 현관문을 열고 들어가려고 할 때, 누군가 뒤에서 그를 부르는 낯선 목소리가 들렸다.

"네가 환이냐?"

"응. 근데 누구?"

소리가 나는 곳으로 돌아보니 위아래 모두 검은 옷을 입은 덩치 큰 남자 셋이 무표정하게 그의 뒤에 서 있었다.

"무슨 일이야?"

"팬이야? 사인해 줄까?"

어리둥절해 하며 묻는 그들을 향해 그 검은 옷의 남자들은 가까이 다가왔다.

"우리랑 잠시 좀 가지."

"어딜?"

"너희가 누군데?"

"가보면 알아."

그들은 다짜고짜 환들의 양쪽에 서서 그가 못 움직이게 두 팔을 잡고는 어디론가 데리고 갔다. 작은 환은 억지로 끌려가는 것에 기분이 나빴지만 건장한 그들의 힘을 감당할 수 없어 그들이 이끄는 곳으로 갈 수 밖에 없었다. 그들은 환들을 큰길가로 데려가더니, 그들의 옷처럼 새까만 승용차에 태웠다.

"어디로 가는 거야? 그리고 너희들은 누구야? 자기소개는 해야 될 거 아니야?"

큰 환이 화를 내며 물었지만 그들은 대답은커녕 미동도 하지 않았다.

"무슨 급한 일인가?"

"그건 무슨 말이야?"

큰 환은 작은 환의 뜬금없는 물음에 어리둥절해하며 되물었다.

"급한 일이니까 이런 차로 가는 거 아니야? 근데 너무 멀리가면 안 되는데. 공연 하고 빨리 집에 가야 되는데. 어디 가는 거야 도대체? 공연해야 된다고! 사람들이 기다려!"

작은 환은 답답한 마음에 그들에게 소리쳐 봤지만 그들을 그의 말에 미동도 하지 않았다. 초조한 마음이 들어 입술을 깨물고 다리를 떨었지만 차는 멈추지 않고 계속 달렸다. 창밖을 보니 차는 직선도로를 달려 시내 안쪽으로 계속 가는 것 같았다. 한참을 달리던 차는 어느 터널 같은 곳 안으로 들어가 한참을 달리더니 멈춰 섰다. 아무 것도 없는 어둡고, 텅 빈 지하에 검은 옷을 입은 사람들이 내리니 환들은 어리둥절했다. 그들은 환들을 다시 양쪽에서 붙잡고 벽으로 다가갔다. 그리고는 벽에 있는 버튼을 누르니 문이 갈라지고 네 명이 겨우 들어갈 수 있는 밝고 네모난 좁은 방이 나왔다. 그들은 환을 안으로 데리고 들어가더니 다시 안에서 버튼을 눌렀다. 그러더니 다시 문이 닫히고, 방이 움직였다.

"뭐야, 이거. 이거 움직여. 기분이 이상해."

작은 환은 놀라 큰 환을 봤지만, 큰 환도 당황하기는 마찬가지인 것 같았다. 그렇지만 그들을 둘러싼 검은 옷의 사내들은 이런 것이 익숙한 듯 전혀 미동도 없었다. 잠시 후 방이 멈추고, 다시 문이 열리자 그 앞에는 들어왔던 곳과 다른 길고 넓은 복도가 나왔다. 검은 남자들에 끌려 그 길을 따라 걸으니 그 끝에는 큰 문이 나왔다. 검은 옷의 남자들이 양쪽 문을 열어젖히자 그 안은 거대하고 밝은 방이 나왔다. 화려한 장식의 샹들리에 아래 커다란 식탁이 있었고, 그 앞에는 깔끔하게 차려 입은 남녀가 한 쌍 앉아 있었고, 그 맞은편에 앉아있는 검은 옷을 입은 다른 한 사람의 등이 보였다. 그들을 데려온 사람들은 환을 검은 옷을 입은 사람 옆으로 끌고 가 앉혔다. 잘못한 것은 없지만 이런 분위기에 놓이니 그들은 괜히 소심해지고 겁이 났다. 마른 침을 삼키며 조심스레 눈을 굴려 주변을 살폈는데, 얼핏 본 옆에 앉은 사람이 눈에 익었다. 살며시 고개를 돌려 그를 보니 그는 바로 종이었다. 작은 환은 겁이 나던 와중에 아는 얼굴을 보니 한시름 놓여 그에게 이야기 했다.

"뭐야? 너도 여기 있어? 여기 뭐야?"

종들은 작은 환의 목소리를 듣자 그제야 그들을 발견한 듯 굳은 얼굴로 놀라며 이야기 했다.

"너희들. 너희들은 왜 여기 왔어?"

"그러게. 우리 왜 여기 온 거야? 쟤들은 누구고?"

작은 환은 애꿎은 그에게 큰 소리로 화를 내며 그렇게 말하고 다시 두리번거리다 그들의 앞에 앉은 사람에게 시선을 고정했다. 그제야 그들을 자세히 살펴보니, 어디선가 본 듯한 얼굴들이긴 한데, 기억은 나지 않았다. 기억을 더듬어 보고 있는데, 큰 환이 그들을 보고 놀라 흠칫하는 것이 느껴졌다.

"누군지 알아? 알겠어? 아는 사람이야?"

큰 환은 놀라 입을 벌린 채로 가만히 고개만 끄덕였다. 누구냐고 물으려던 참에 남자가 웃으며 입을 열었다.

"우리 인사가 늦었군요. 우리는 이 도시의 지도자이자 수호자, 재판관인 수와 호입니다. 그런데 우리를 모른다니 그것도 참 새롭군요."

작은 환은 호의 소개에 그제야 TV 뉴스에서 자주 봤던 것과 같은 얼굴이라는 것이 기억났다. 작은 환은 그들임을 깨닫자 별일이 없을 거라는 생각에 안심이 되기 시작했다.

"알아. 이제 기억났어. 근데 말투가 이상하네. 그건 그렇고 우리는 왜 부른 거야?"

"잠시만, 아직. 잠시만 기다려주세요. 종씨와 마무리부터 짓고요. 이제 빨리 진행해야겠군요. 이거 간만에 우리가 직접 하려니 시간 배분에 문제가 좀 있네요. 그 점은 사과드리죠. 대신 빨리 끝내드리도록 하죠. 자, 그러면은 우리가 어디까지 이야기 했죠?"

그는 가벼운 미소로 작은 환에게 대답을 해주고는 고개를 돌려 종을 보며 이야기 했다. 종은 그의 물음에 굳은 얼굴로 단호하게 대답했다.

"난 너희들이 말하는 대로 해줄 수 없다고. 그건 거짓이고, 그건 말도 안 되는 일이야. 하느님은…."

"아, 그래 하느님. 지금 이런 우리 인간들의 모습이 하느님의 뜻이라는 건가요?"

"우리가 어떤 모습이건 그 모든 것은 하느님이 계획한 거야. 그리고 모든 인간은 하나님 앞에 평등하다."

"잠깐 그 말은 좀 많이 위험한데요? 모든 인간이 다 평등하다라. 그건 우리의 질서와 규칙을 무너뜨리는 불온한 말이군요."

"그게 어째서."

"모든 인간이 평등하다. 모든 인간은 다르지 않다. 그 말인즉슨 누구라도 회사원이 될 수 있고, 운전수가 될 수 있고, 이발사가 될 수도 있다. 더 나아가 회사의 사장이 될 수도 있고, 더 나가면 우리의 자리, 이 도시의 지도자 자리도 아무나 될 수 있다. 그렇게 돼버리죠."

점점 격양되어가는 호의 말을 가만히 듣고 있던 작은 환은 그의 말이 다 이해가 되는 것은 아니었지만 왠지 그가 너무 확대해석하고 있는 것은 아닌가 하고 느껴졌다.

"그게. 어떻다는 거지? 사람이 그 자리에 어울리지 않으면 다른 사람과 바뀔 수도 있는 거고, 더 어울리는 자리를 찾아 갈 수도 있는 거지. 너희들이 지금 앉아 있는 그 지도자란 자리도 천년만년 너희 수, 호만 하라는 법이 있나? 더 잘 할 수 있는 사람이 있으면 그 사람이 할 수도 있는 거지."

작은 환은 종이 자신이 생각한 것처럼 호의 걱정이 과장되었다고 말할 줄 알았는데, 오히려 그런 식으로 인정하는 듯한 말을 하여 놀라운 마음이 들었다.

"역시 혁, 명이나 인 같은 반란세력과 함께하니 그런 위험하고도 불온한 생각을 가지고 있군요. 그런 걸 반란 혹은 반역이라고 하죠. 지난 수십 년 동안 대대로 이 도시를 지켜온 우리 수와 호의 자리를 도대체 다른 어떤 사람이 대신하고 차지할 수 있다는 말입니까? 모든 사람은 평등하다고요? 사람이 다 똑같다고요? 정말 그렇게 생각하세요? 어떻게 이 도시의 지도자이자 최고 권력을 가진 이 호가, 또 수가 저기 도시 구석에서 아무 이름이나 물려받은 그런 사람들과 비교할 수 있습니까? 내가 겨우주는 일이나 하는 것에 만족하면서 하루하루 아무 생각 없이 살아가는 그런 사람들과 똑같다고요? 무슨 그런 말도 안 되는 헛소리를 하는 겁니까?"

호의 목소리는 다시 격양되었다. 그는 잠시 말을 멈추고 심호흡을 한 후 다시 차분하게 말을 이었다.

"당신도 그렇지 않습니까? 당신이 철조망 밖에서 먹여주고 재워주는 사람들, 그 사람들이 당신과 같다고 생각하십니까? 진심으로? 그래도 내가 저들보다 낫지 하는 마음으로 그런 우월감과 자기만족으로 그런 일을 하는 거 아닙니까?"

"너는 다른 사람들에 대한 존중이라던가 동정심 같은 건 없는 거냐? 어떻게 그런 사람들을 알면서 그런 말을 하는 거야?"

"우린 바쁜 사람들입니다. 그런 하찮은 자들까지 존중해줄 시간이 없어요."

호는 비웃음과 비꼼이 가득한 말로 종을 내려다봤다. 그 둘 사이에서는 팽팽한 긴장감이 이어졌지만 그들을 바라보는 수는 평온한 웃음을 짓고 있었다. 작은 환도 그녀처럼 편하게 있으려고 했지만 그들의 대화는 듣고 있는 사람을 불편하게 했다.

'다들 왜 저러는 거야? 겁나게. 뭐 별일이야 있겠어? 우리 도시의 지도자고, 사람들을 지켜주는 사람들이라는데. 그리고 저렇게 웃고 있는데, 나쁜 사람들은 아니겠지? 근데 언제까지 이러고 있어야 되는 거야? 혁이랑 명이 기다릴 텐데. 빨리 끝내고 큰 귤이한테도 빨리 가봐야 되는데. 그냥 작은 귤이 말 듣고 오늘 나오지 말걸 그랬나.'

　작은 환은 그들의 대화가 길어질수록 초조함이 느껴져 안절부절못하고 다리를 떨었다. 그들에게 당장 집으로 돌아가겠다고 말하고 싶지만 그들의 대화가 심각할 뿐만이 아니라 방 안에서 풍기는 분위기가 뭔가 그의 어깨를 짓누르는 듯 해 쉽사리 입이 떨어지지 않았다. 그러는 사이 그들간의 대화는 끝을 향해갔다.

　"당신 같은 사람이 있는 게, 그러니까 종교인, 종교가 이 도시에 효율적이라고 생각하시나요?"

　"난 종교가 이 도시의 사람들의 마음을 좀 더 아름답게 만들 수 있다고 생각해."

　"그런 말 같지도 않은 건 소용없단 말이죠. 이 모든 것이 부족하고 모자란 세상에서 그런 것에 빠져서 시간과 노력을 낭비하는 것도, 그리고 당신 같이 일하지 않고 이 사회가 돌아가는 것에 도움이 되지 않는 사람이 있다는 것은 용납할 수 없어요."

　"하지만."

　"아. 이제 그만. 됐어요. 더 이상 반론은 받지 않겠어요. 아직 처리해야 할 사람이 한 명이 더 남았고, 예전부터 전해 내려오는 말이 종교인의 말이란 쓸데없이 길기만 하다고 들었거든요. 지금도 너무 오래 걸렸고요."

호는 귀찮은 듯 종의 말을 자르고는 검은 옷을 입은 사람들에게 손짓으로 신호를 보냈다. 작은 환은 호의 말에 드디어 끝나겠구나 싶어 다행이라고 생각했지만 그 다음에 뭘 하려는 것인지 알 수 없었다. 뭐든 대강 빨리 끝내라 싶은 마음으로 그들을 보는데, 그들은 종을 의자 채로 끌어당겨 식탁에서 떨어뜨려놓고는 그가 일어서지 못하게 양쪽에서 어깨를 눌렀다.

"뭐 하려는 거야?"

종의 물음에 환도 궁금해져 다시 고개를 돌려 호의 입을 쳐다봤다. 하지만 호나 수나 둘 다 말없이 웃기만 하였다. 끝나긴 끝난 것인가 집에는 언제 보내주려나 생각하는 사이 반대쪽 뒤에서 퍽 하는 둔탁한 소리와 함께 날카로운 비명소리가 들렸다.

"뭐야?"

작은 환은 그 소리에 놀라 급하게 고개를 돌려 그쪽을 돌아봤다. 그리고 그 곳을 본 환들은 놀라 눈을 크게 뜨고 함께 비명을 지를 수밖에 없었다. 종은 너덜너덜 해진 오른쪽 다리를 움켜쥔 채 고통을 참으며 부들부들 떨고 있었고, 그 앞에 검은 옷의 사내 중 하나가 커다란 망치를 들고 있었다. 환들이 봤을 때 종은 꼼짝도 못 할 것 같은데, 다른 검은 옷의 사내들은 여전히 그의 어깨를 누르고 놓아주지 않았다. 작은 환은 놀람과 분노가 섞인 목소리로 외쳤다.

"이게 뭐 하는 짓이야?"

수와 호는 당혹함으로 가득한 환들의 표정과는 달리 변함없이 평온한 미소가 가득한 얼굴로 대답을 했다.

"이 도시를 수호하는 중이지요."

"저게 어떻게. 저런 짓을 하면서 어떻게…."

"이 사회를 유지하기 위해서 이 사회를 어지럽히는 자에게는 벌칙을 내리는 게 이 도시의 수호자이자 지도자이고 재판관인 우리가 할 일이죠."

"아니, 종이가 왜 사회를 어지럽히는 자야? 쟤가 얼마나 착한데. 철조망 밖에 사는 애들한테 밥도 지어주고, 별이도 같이 데리고 살고."

"아, 이거 자꾸 쓸데없는 말이 길어지는데. 구원이니 뭐니 달콤한 말로 사람들을 현혹시켜 사람들을 쓸모없는 사람으로 만들지요. 기도니 뭐니 쓸데없는 일에 시간을 낭비하게 하고, 우리나 이 사회가 받아야 할 감사를 그들이 아닌 다른 존재에 바치는 그런 쓸모없는 일. 우린 그런 걸 막아야 할 임무가 있습니다."

그리고 호는 다시 손짓을 했다. 환은 두려움에 떨며 다시 시선을 종을 향해 돌렸다. 그곳에 있던 검은 옷의 사내들은 여전히 그를 단단히 붙잡고 그 거대한 망치를 이번에는 그의 왼쪽 다리에 강하게 내리쳤다.

"으으윽."

종은 힘겹게 비명을 내지르고는 곧 정신을 잃었다. 작은 환은 그를 지켜보는 것만으로도 고통이 전해졌다. 하지만 수와 호는 그런 잔인한 장면을 보고서도 마음에 아무런 동요도 없는 듯 미소 띤 얼굴을 하고 있었다.

"아 잠깐, 치우는 것은 조금 있다가 한꺼번에 하세요. 그게 효율적이니까. 자, 이젠 당신 차례입니다."

가볍고 딱딱한 어조로 자신에게 내뱉는 호의 말에 환들은 간담이 서늘해짐을 느꼈다.

"죄송하지만 종씨에게 너무 시간을 많이 빼앗겨서 늦었네요. 빨리 처리하도록 하죠."

"처리하다니, 뭘?"

호의 차가운 시선에 환들은 온몸에 소름이 돋아났다. 믿고 싶지 않았지만 아무래도 그들은 종에게 한 것처럼 자신들에게도 망치를 내리칠 것임을 알 수 있었다. 작은 환은 이 충격적인 상황에서 어떻게든 정신을 차리고 어떻게든 무사히 빠져나갈 수 있는 방법을 생각하려 했다. 이미 빨리 가고 늦게 가는 것이 문제가 아니었다.

'괜찮을 거야. 별일 없을 거야.'

작은 환이 마음속으로 몇 번이나 괜찮을 거라 되뇌는 사이 호가 사무적인 말투로 그에게 질문을 했다.

"이 도시의 질서를 어지럽히는 혁·명 부부를 도와 사회를 전복하려는 시도를 하는 사람들을 모으셨죠?"

"아니, 전복은 무슨. 난 그냥 바이올린 연주를 해달라고 해서, 사람들 앞에서 공연한 것뿐이야. 혁이나 명이가 거기서 무슨 말을 하는지는 듣지도 않았고, 뭘 하는 지도 몰라."

작은 환은 당황하며 변명을 주저리주저리 늘어났다.

"혁과 명이 누군지, 뭘 하는 사람들인지도 모른다는 건가요?"

"으. 응. 나. 난. 난 몰라. 잘 몰라.

그냥 바이올린을 연주해달라고, 그래서 그렇게 한 거뿐이야."

그는 점점 더 말을 더듬고 조급하게 하게 되었다. 정신을 바짝
차려야 한다는 것을 알지만, 그것이 그렇게 쉽게 되지는 않았다.

"그럼 일단 그건 제쳐두고, 두 가지가 죄가 더 있어요. 첫째로
철조망을 넘어 다니는 것. 그것이 불법인 것은 알고 있죠?"

"아. 근데. 그건 나 말고도 다들 그러는 건데…."

"다들 그런다고 그게 옳은 일은 아니죠."

"그렇다고 그게 그렇게 큰 잘못은 아니잖아."

"잘못은 잘못이죠."

호가 그렇게 말하고 다시 손짓을 하자 검은 옷의 사내가 작은
환에게 다가왔다. 작은 환은 깜짝 놀라 움찔했는데, 검은 옷의
사내는 환에게 종이 한 장을 내밀었다. 긴장하며 읽어보니 벌금
고지서였다. 그것을 본 환은 잠시 마음이 놓였다. 잘 하면 무사
히 나갈 수도 있을 것 같은 기분이 들었다.

"자, 그리고 다음. 환 씨는 지금 직업이 뭐죠?"

"응? 나? 난 바이올린 연주하는데…."

"그런 건 우리 시에서 정해놓은 직업 종류에 들어가 있지 않
은데요? 그걸로 뭘 만들 수 있죠?"

"음악."

"그런 실체도 없는. 아니, 그렇다 칩시다. 그게 이 사회에 무
슨 도움을 주죠? 어떤 효과가 있는 건가요? 그걸 하는 게 이 도

시를 위한 효율적인 생산이라고 생각하시나요?"

　작은 환은 이 질문이 왠지 종에게 했던 것과 비슷하다는 생각이 들었다. 그는 말문이 막히기 시작했다.

　"게다가 본인 혼자만 그런 비효율적인 행동을 하는 게 아니라 다른 사람들에게 들려줌으로써 시간 낭비를 하게하고, 나태해지게 했어요."

　"내가 연주하는 게 무슨 사람들을…."

　"음악 같은 게 한 번 들으면 계속 머릿속에 남아 있죠. 그렇게 됨으로써 업무 효율과 집중력을 떨어뜨리고, 성격에도 영향을 주죠. 그건 정신적으로 사람들을 홀리고 전염시키는 행위죠. 용납할 수 없어요. 당신만 봐도 음악 때문에 회사를 그만 뒀는데, 당신 같은 사람이 많아져서 다 자기자리를 지키지 않고 뛰쳐나온다면 이 도시를 유지하는데, 악영향을 줘요."

　"그건 말도 안 돼. 사람이 하고 싶은 게 어떻게 다 같을 수가 있어?"

　"사람들이 각자 자기에게 주어진 정해진 일을 하지 않고 다 자기가 하고 싶은 대로만 하고 사는 것 역시 이 사회에 악영향을 줘요. 세상이 혼란해진다 라고 할까? 쉽고 편하고 돈을 잘 버는 일에는 사람들이 몰리고 힘들고 어렵고 돈이 잘 벌리지 않는 일은 하지 않으려고 할 거에요."

　"그건. 그건 모르는 거지. 애는 바이올린보다 회사일 하는 게 더 좋다고 그랬어. 난 싫은데. 그리고 인이나 종처럼 사람들 밥 주고 보살펴주고 하는 거 걔들은 좋아서 하지만 나는 그런 거 안 좋아해. 음악은. 바이올린 연주하는 건 나만 좋아하는 거야. 딴 사람들은 바이올린이 뭔지도 몰랐어. 그리고 TV에서도 가끔 음악 같은 거 나오고, 뉴스 같은 거 하기 전에도 음악이 나오잖아. 행사 할 때나 이럴 때도 시작 전에 음악 같은 거 하고….”

“지금 도시의 행사와 혁ㆍ명 같은 위험인물의 선동 행위를 비교하는 건가요? 그리고 안 그래도 그것 때문에 음악중독방지법을 새로 만들 계획이에요. 악기의 연주는 시에서 지정된 사람과 장소에서만 가능하도록 하는. 자, 더 할 말이 없으리라 보고….”

호는 처음과 같이 사무적인 말투로 가볍게 끝내려고 했다. 하지만 그 말을 듣는 작은 환은 뭔가 쿵 하고 속에서 떨어지는 느낌이었다. 어떻게든 이대로 끝내는 것을 막아야 한다라는 생각에 두 손을 뻗고 그의 말을 막았다.

“아니, 아직….”

“말씀하실 필요 없어요. 들을 생각이 없으니. 우린 바쁘고, 당신 같은 범죄자와 길게 이야기 나누고 싶은 생각은 없으니까.”

어떻게든 막아보려는 작은 환의 바람과는 달리 호는 가볍게 그의 말을 자르고 뒤를 향해 손짓을 보냈다. 환은 의자와 함께 끌려가고 있는 것을 느꼈다.

“그러니까 내가 왜 범죄자냐고. 아니라고. 아니라니까.”

작은 환은 겁에 질려 발버둥을 치며 외쳐봤지만, 그들의 손에서 빠져나올 수 없었고, 눈앞에는 수와 호의 비웃음이 보였다. 그리고 사이를 가르고 검은 그림자가 쑥하고 들어왔다. 그 뒤로 호의 목소리가 들려왔다.

"개미와 배짱이라는 이야기를 아세요? 그 이야기에서 놀기만 한 게으른 배짱이는 결국 추운 겨울에 먹을 것도 없이 얼어 죽죠. 당신은 아시다시피 배짱이에요. 우리는 당신 같은 배짱이에게 겨울이고요. 우리 같은 사람이 있어야 열심히 일하는 개미들이 계속 일을 할 수 있는 보람이 생기지 않겠어요?"

"아니야. 난 놀려고 이러는 게 아니야."

'내가 좋아하는 걸 잘 하고 싶었을 뿐이라고.'

하지만 그의 뒷말은 입 밖으로 나오지 못했다. 그의 말이 채 끝나기도 전에 쿵 하는 소리와 함께 그의 왼쪽 다리에서는 이제껏 한번도 느껴본 적이 없는 형용할 수 없는 커다란 고통이 올라왔다.

"으악. 으악."

작은 환의 뜨지도 못한 눈에선 눈물이 쉴새없이 흘러내렸고, 입에서는 평생 내보지 못한 끊는 듯한 신음소리가 흘러나왔다.

"아직 한 쪽 남았습니다. 참고로 말하자면 단순히 부러지는 걸로 끝나진 않을 거예요. 우리 충 씨가 들고 있는 저건 단순한 망치가 아니라 예전부터 범죄자들을 벌하는 정의의 심판이라는 거거든요. 아마도 다리뼈가 작살이 나서 앞으로도 힘을 줘서 지탱할 수 없을 거예요. 앞으로 걸을 수 없을 거란 이야기죠. 모를 거 같아서 이야기 해주는 거예요."

고통으로 정신을 잃어가는 와중에도 호의 자랑스러워 하는 듯한 차가운 목소리는 기분 나쁘게 귀에 꽂혔다.

"자, 마무리를 지어야죠."

작은 환은 공포에 휩싸였다. 더 이상 걷지 못할 것이라는 두려움은 물론이거니와 지금 당장 겪어야 될 고통마저도 견딜 수 없을 것 같았다. 작은 환은 이제 소리 내어 울기 시작했다. 그가 두려움에 떨며 울고 있는데, 다시 호의 목소리가 들렸다.

"조용히. 조용히. 뭐라고?"

호는 고통에 제정신이 아닌 작은 환을 타이르듯 조용히 시키고 급하게 뛰어들어온 다른 검은 옷의 사내와 대화를 했다.

"괜찮아? 움직일 수 있겠어?"

그들의 앞에 있는 자들이 다른 무언가에 정신이 팔려있는 사이 큰 환은 작은 환에게 걱정스러운 듯 물어봤다. 작은 환은 어느 정도 고통이 익숙해지자 힘겹게 고개를 저으며 입을 열었다.

"넌. 넌 괜찮아? 안 아파?"

"난. 난 괜찮아. 나는 안 아파. 발. 발 움직여봐. 움직일 수 있어?"

"아파. 아파."

작은 환은 다시 눈물이 왈칵 쏟아졌다. 참으려고 해도 흘러내리는 눈물을 막을 수 없었다. 그러는 중 다시 뒤의 문이 열렸다. 그 사이로 누군가 걸어오는 소리가 들렸다.

"초대하지 않은 손님이 납시셨네요. 작은 인도 태어난 지 얼마 안 됐는데 이런 곳까지 오시다니."

"이게 다 뭐 하는 짓인가?"

"인아."

큰 환은 마치 구세주라도 만난 듯 이제까지 그를 본 중에 가장 반기며 그의 이름을 불렀다. 큰 인은 종과 환을 보자 무척 화가 난 듯 얼굴이 붉어졌다.

"이 도시의 지도자이자 수호자이자 재판관으로써 내 할 일을 하고 있는 중이지요."

"이게 지금 도시를 지킨다는 자가 할 짓인가? 한 사람이라도 더 보호하고 보살피지는 못 할 망정 사람들의 삶과 미래를 이렇게 빼앗아도 되는 건가? 너희들이 그렇게 하지 않더라도 사고만으로도 다치고 걷지 못하게 되는 사람이 부지기수야. 그런데 도대체 왜 이런 짓을 하는 건가?"

"이 자들은 이 도시의 질서를 어지럽히는 자들이니 벌을 받아야지요. 그래야 질서가 유지되고, 사회를 지킬 수 있죠. 당신으로서는 더 좋은 일 아닌가요? 당신의 국민이 더 늘어나는 셈이니. 앉은뱅이의 왕이시여. 하하하."

호의 비웃음 가득한 말을 들은 큰 인은 크게 분노했다.

"어찌 그런 생각을 가진단 말인가? 걷지 못하고, 다리를 절면 이 도시의 일원이 아니란 말인가?"

"일을 못하는 자들은 이 사회에 도움이 되지 못하죠. 그런 사람들까지 도시의 일원으로 받아들일 수는 없어요. 낭비죠."

"사람이 사회에 도움이 되기 위해 존재하는 것이 아니라 사회가 사람을 돕기 위해 존재하는 걸세. 그리고 일을 못하는 사람들이 아니라 하기 어려운 사람들이야. 그 사람들이 일을 할 수 있도록, 그래서 먹고 살 수 있도록 하는 것이 자네들의 역할 아닌가?"

"그렇게 하는 것은 비효율적이죠. 걷지 못하는 자, 다리를 저는 자 그들을 위해 다시 길을 만들고, 차를 고치고, 엘리베이터를 만들고, 도시를 다 뜯어고쳐야 되는 그딴 일들. 겨우 그런 사람들을 위해 그렇게 까지 하는 것은 너무 비싸기만 하죠."

"당장 모두 다 바꾸라는 게 아닐세. 하나씩 하나씩 고쳐나가다 보면 나중에는 모두 다 살기 좋은 세상이 올 수 있어."

"그렇게 바꿀 거라면 지금 당장 급한 일은 아니죠."

"언제라도 시작해야 한다면 지금 당장이 좋겠지. 앞으로도 다리를 다치는 사람은 계속 나타날 거고, 그 사람들이 얼마나 더 많아지게 될지는 모르지. 그걸 미리 대비해야 되지 않나."

"그건 조심성 없이 함부로 다닌 자신들 잘못이지 이 도시가 왜 그들을 책임져야 하나요?"

"다 같이 살 수 있어야, 그래야 세상은 쭉 이어질 수 있어."

"하, 언제 봐도 항상 끈질기시네요."

"딱딱하게 굳어져버린 무언가를 바꾸는 것은 언제나 끈기가 필요하지."

"왜 자꾸 자신과 상관없는 일에 끼어드시는 거죠? 뭐가 남는다고?"

"모두가 다 그렇듯 나도 이 사회의 일원으로써 이 사회가 더 나아지기 위해 해야 할 일과 해야 할 말을 하는 걸세."

호는 큰 인이 지지 않고 계속 맞받아치자 쓴웃음을 지었다.

"쓸데없는 이야기는 이제 그만 됐고. 전 제 할 일이나 계속 하겠습니다."

"나도 이제 내 볼 일을 봐야겠군."

"인 씨가 여기에 무슨 볼 일이 있다는 거죠?"

"내 친구들을 데리러 왔네."

"굳이 안 그러셔도 알아서 보내드릴 텐데."

"다리를 다 못 쓰게 망쳐놓고?"

"범죄자니까요."

"무슨 죄인가?"

"저기 저 두 명 중 하나는 간교한 말로, 또 하나는 얄팍한 재주로 사람들을 현혹시키고, 나태하게 하며 사회를 어지럽히는 불온세력입니다."

"그런 죄명이 있다는 것은 들어보지 못했네."

"그냥 다 죽여 버리면 안 되나요?"

이제껏 한마디도 하지 않고 웃고만 있던 수가 여전히 미소를 띤 채 그렇게 말했다. 평온한 표정과 목소리로 그런 말을 하는 그녀에 소름이 돋을 지경이었다.

"누구를요? 인까지 다?"

"물론이죠. 우리의 말을 거역하는 것은 하극상. 하극상을 벌이는 자들은 이 사회를 어지럽혀요."

"하지만 인까지 다 죽이는 것은 우리로써도 부담스러운 일이에요. 혁, 명이 그걸 빌미로 또 얼마나 많은 자들을 모아서 반기를 들지 몰라요."

"그럼 그 자들도 다…."

"아, 그만. 이런 이야기는 본인들 앞에서 하는 건 맞지 않아요. 내가 알아서 하죠."

당사자를 눈앞에 두고 하는 그들의 대화에 인들은 어이없다는 표정으로 물었다.

"거기에 앉아서 하는 일이라는 게 그런 건가?"

"긴 말은 더 이상 나누고 싶지 않군요. 너무 시간이 지체됐어요. 이제 결론을 지어야죠. 저기 종 씨는 벌을 다 받았으니 데려가도 좋습니다. 하지만 여기 환 씨는 아직 조금 남았으니 기다려주세요."

그리고 호는 다시 손짓을 했다.

"안 돼. 안 돼. 인아, 살려줘. 제발."

큰 환이 다급한 목소리로 인을 불렀다.

"이렇게까지 해야겠나? 도대체 환의 죄가 뭐란 말인가?"

"아까 말씀 드리지 않았습니까? 얄팍한 잔재주로 사람들을 현혹한다고. 저 자야 말로 두 다리 멀쩡한데도 일 하지 않고, 쓸데없는 놀음에 빠져 허송세월을 보내니 앞으로도 일을 못하게 만들어줘야죠. 그래야 다른 사람들에게 악영향을 안 미치죠."

"얄팍한 잔재주? 쓸데없는 놀음? 자네가 환에게 바이올린이, 음악이 어떤 의미이고 어떤 각오로 시작했는지 어떻게 알고 그런 말을 하는 건가? 자네나 나나 그에게, 그의 인생에 조언은 할 수 있어도 마음대로 정의하고 이래라 저래라 강요할 수는 없네."

"아, 의미가 있고, 각오를 가지고 하고 있다. 하. 그렇다면 그 연주도 심오한 의미를 가지고 있겠군요. 그럼 이렇게 하죠. 여기서 한 번 연주를 해보는 걸로. 얄팍한 잔재주에 그친다면 아쉽지만 형벌을 계속 진행될 거고 그렇지 않다면 그냥 이대로 보내드리죠."

"그건 도대체 무슨 기준으로 정한다는 건가? 그리고 이리 다친 사람에게."

"싫으면 그냥 계속 진행하는 수밖에요."

호는 또다시 손짓을 보냈다. 다시 환의 앞을 가로막는 거대한 그림자에 큰 환은 다급하게 소리를 질렀다.

"할게. 할게."

그리고 이를 꽉 깨물며 고통을 버티고 있는 작은 환에게 말했다.

"환아. 환아. 이제 정신 차려야 돼. 이게 어쩌면 유일한 기회가 될지도 몰라. 해야 돼."

"하지만."

작은 환은 눈물이 앞을 가려 아무 것도 보이지 않았다. 그러는 사이 그의 바이올린이 그 앞에 놓여졌다. 큰 환은 재빨리 그것을 잡아 작은 환에게 넘겨줬다. 작은 환은 어쩔 수 없이 바이올린을 턱 밑에 괴고 활을 현에 댔다. 하지만 다리에서 느껴지는 고통도 고통이려니와 두려움에 손이 떨렸다. 그런 고통과 두려움으로 까맣게 된 머릿속에서 당장 도움이 되지 않는 의문들만 떠올랐다.

'왜? 왜 이렇게 된 거지? 난 그냥 내가 하고 싶은 것을 하려고 했던 것뿐인데. 내가 좋아하는 걸 잘 하고 싶고, 그걸 내 일로 하고 싶었던 것뿐인데. 그게 그렇게 나쁜 거야? 뭐가 이렇게 힘들어? 처음에는 가족과도 싸우고, 돈도 못 벌어다 주고. 이제 겨우 원래대로, 환이가 해냈던 만큼 살 수 있게 그렇게 돌아가나 싶었는데. 이젠….'

작은 환은 점점 후회하기 시작했다. 그렇게나 하고 싶어서 참을 수 없었던 일이 이제는 싫어졌다. 할 수 없었고, 하기 싫어졌다. 두려웠고, 어려웠다. 그저 눈물만 뚝뚝 흘릴 뿐이었다.

"할 생각이 없나 보군요. 그럼 그냥…."

"잠깐. 잠깐. 환아. 환아."

큰 환의 다급한 부름에도 작은 환은 그 자리 그대로 멈춰 눈물만 흘리고 있었다. 작은 환을 계속 보던 큰 환은 그가 연주를 할 수 없는 상태라는 것을 알고 그에게 손을 내밀었다.

"이리 내. 내가 할게. 내가 할 게. 그래도 괜찮지?"

큰 환은 멈춰 있는 작은 환의 손에서 바이올린을 빼내고는 호를 보며 물었다.

"그래 보던지요."

큰 환은 호의 대답을 듣자 그의 비웃음에는 아랑곳하지 않고, 바이올린을 자신의 턱에 괴었다.

"후. 잠깐만."

큰 환은 크게 숨을 들이마시고는 서서히 현에 활을 긋기 시작했다. 멍한 얼굴로 눈물만 하염없이 흘리던 작은 환은 그의 연주가 계속되자 그쪽을 볼 수밖에 없었다. 그간 계속 연습하고 사람들 앞에 연주하며 실력이 많이 나아졌다고 스스로 생각하던 작은 환이었는데, 큰 환의 연주에 비해 아직도 멀었다는 것이 바로 느껴졌다. 마치 어릴 때 그에게서 처음 듣던 그때의 천상의 노랫소리 같다는 느낌. 그것이 살아났다. 지난 몇 개월 간 자신이 그렇게 연습을 해왔었지만 낼 수 없던 소리를 바이올린을 놓은 지 몇 년이 지난, 이제는 바이올린 연주를 싫어하는 큰 환이 아무런 거리낌 없이 낸 것이다. 작은 환은 고통에 일그러진 얼굴로 연주하는 큰 환의 얼굴을 바라봤다.

"어. 어떻게….."

작은 환은 큰 환의 연주가 끝나자 이해가 안 간다는 표정으로 그에게 물었다. 그도 작은 환의 물음이 무엇을 의미하는지 아는 것인지 굳은 표정으로 천천히 말했다.

"나도. 꿈은 꿨으니까."

"이제 데려가도 되겠지?"

인들은 호의 대답은 듣지도 않고, 작은 환의 손을 잡아 일으키고 다시 종을 안았다.

"가세나."

인들이 힘겹게 둘을 부축하며 나가는데 검은 옷의 사내들이 그들의 앞을 막아섰다.

"비키게."

"보내주세요. 어차피 한 쪽을 못 쓰게 된 이상 남은 한 쪽도 머지않아 못 쓰게 될 테니."

등 뒤에서 들려오는 호의 목소리는 보내준다는 말임에도 불구하고 듣기가 괴로웠다. 그의 말에 그들을 막고 있는 사람들은 모두 비켜섰고, 인들은 그들을 들쳐 메고 나갔다.

 긴 복도를 지나 나가는 것이 마치 몇 시간이나 걸린 듯 힘겨웠다. 그렇게 힘겨운 걸음으로 건물 밖으로 나가자 많은 사람들이 모여 있었다.

 "종아."

 "환아."

 그들이 자신들을 부르는 소리가 나는 곳으로 고개를 돌려보니 덕과 반, 별이 그들 무리에서 뛰어나오는 것이 보였다. 그들은 달려와 다친 종과 환을 받아 부축했다. 별은 그들의 처참한 몰골을 보자 울음을 터뜨렸다.

 "이런. 저 썩을 놈들."

 큰 반은 흥분하며 문으로 달려들었다.

 "우선 병원부터. 애들부터 치료해야지. 그게 먼저야."

 큰 인은 반들을 막고 진정시켰다. 큰 반은 인의 제지에 다시 돌아가 부축을 했지만 씩씩거리는 것을 멈추지 않았다.

 "나쁜 놈들."

 그들의 도움으로 병원에 간 환은 다리에 깁스를 하고 퇴원했다. 치료를 하는 동안 의사에게 혹시나 하는 기대로 전과 같이 걸을 수 있냐고 물어봤지만, 돌아오는 것은 이미 조각난 뼈가 다시 붙을 수 없어 계속 절면서 걸을 수밖에 없다는 말이었다. 오늘 환들은 평생 흘렸던 눈물보다 더 많은 눈물을 흘렸다. 치료를 다 받고, 눈물이 다 마르고 나서야 병실 문을 나설 수 있었고, 밖에는 덕만 앉아 있었다.

"가자. 집까지 데려다 줄게."

"응. 고마워."

"종은 어떻데? 걸을 수 있대?"

큰 환의 질문에 덕은 고개를 가로저었다.

다 마른 줄 알았던 눈물은 다시 집으로 절뚝절뚝 걸어가는 발걸음마다 작은 환의 눈에서 뚝뚝 흘러내렸다. 계단을 올라 집 현관문 앞에 서자 큰 환이 덕에게 말했다.

"다 왔어. 이제 넌 돌아가도 돼."

"괜찮겠어?"

"괜찮아야지."

그렇게 말하며 큰 환은 작은 환의 축 처져있는 어깨를 두드렸다.

"알았어. 쉬고 몸조리 잘해."

덕도 걱정스러운 듯 환들의 어깨를 두드려주고 돌아섰다. 작은 환은 집 앞에서도 눈물이 멈출 줄 몰랐다.

"이제 그만 울어. 애들 걱정하겠다."

"미안해."

작은 환은 힘겹게 입을 열었다.

"아니야. 괜찮아. 네 잘못 아니야."

큰 환은 작은 환의 어깨를 두드려주며 그를 계속 달랬다.

"너무 늦었다. 오늘 빨리 들어가기로 했는데. 이제 그만 들어
가자."

작은 환은 손으로 눈물을 훔치고, 숨을 크게 흡 하고 삼키며
마음을 진정시켰다. 그리고 문 손잡이에 손을 대고 열었다.

"괜찮아. 다 괜찮을 거야."

큰 환은 끊임없이 작은 환을 달래고 진정시켰다. 현관에 발을
딛자 작은 귤의 날카로운 목소리가 들린다.

"왜 이제 와? 지금까지 뭐하다가?"

작은 귤은 발소리를 크게 내며 그에게 소리치며 다가왔다. 잔
뜩 화를 낼 것 같았던 그녀는 깁스를 한 그들의 다리를 보고는
순간 멈칫 놀랐다.

"너 다리는 왜 그래?"

하지만 그녀를 본 환들은 지금 자신의 다리가 문제가 아니었
다. 그녀의 문제는 그녀의 통통 붓고 빨개진 눈뿐만이 아니라 허
전하게 비어져있는 오른편 옆구리였다.

"어… 어?"

"뭐야? 너 왜. 큰 귤이…. 귤이…."

눈을 다시 깜빡여 보아도 그들의 앞에는 큰 귤 없이 작은 귤
혼자 서 있었다. 눈을 몇 번 더 크게 감았다 뜨자 앞에 마주한 사
실이 눈에서 머리까지 전달되어 현실로 인식되었다. 그리고 지
금 그녀의 상황이 파악된 그 순간부터 숨이 쉬어지지 않고 가슴
속에 차가운 바람이 든 듯 서늘해졌다. 믿어지지도, 믿고 싶지도

않은 현실 앞에서 환들은 망연자실 얼어붙었고 그들 앞의 귤은 울음을 터뜨렸다.

"오늘 가지 말랬잖아. 집에 같이 좀 있어달라고. 빨리 온다더니.

귤이가 얼마나 기다렸는데."

환들은 그녀의 말에 다시 또 눈물이 툭 터졌다.

"아니. 아니야. 아니. 이게."

큰 환은 이 현실을 부정해보고 싶었지만 부정할 방법이 없어 고개만 내저었다.

"귤이가 뭐래?"

큰 환은 애써 마음을 진정시키고 눈물을 삼키며 그녀에게 물었다.

"고맙다고. 같이 살아줘서 고맙다고. 그리고 사랑한대."

작은 귤은 울먹이는 목소리로 겨우겨우 큰 귤이 남긴 말을 전했다.

"안 되는데. 이러면 안 되는데. 아직 다 못 해줬는데. 맛있는 것도 더 많이 먹고. 더 좋은 것도 사고. 내가 더 성공…. 성공…."

작은 환은 눈물이 목을 막아 말을 끝까지 잇지 못했다.

75˚ 혁명

"다녀왔어."

불 꺼진 집은 캄캄했고, 귤의 목소리는 텅 빈 마루 안에 울렸다.

"후."

귤은 길게 한숨을 내쉬고, 전등을 켰다. 하지만 집 안에는 여전히 싸늘함과 쓸쓸함이 맴돌았다. 그녀는 보지도 않을 TV를 켜 집 안에 북적거리는 소리가 울리게 만들었다. 그리고 그녀는 주방으로 가 식탁에 먹을 것들을 차례차례 내려놓았다. 몇 개 되지 않는 접시들을 다 내려놓자 안방으로 가 방문을 벌컥 열어젖혔다.

"나 왔어. 밥 먹어."

"어, 왔어?"

어두운 방 안에서 큰 환은 귤을 보자 표정이 환해지며, 반갑게 웃으며 그녀를 맞이했다.

"불 좀 켜놓지. 참."

귤이 방 안의 불을 켜자 어둠에 익숙해져 있던 환들의 눈은 놀라 찡그려졌다.

"얼른 나와. 밥 먹어야지."

"알았어. 환아, 밥 먹자."

작은 환을 일으키는 큰 환의 목소리는 그에게 기운을 넣기 위해 억지로 신을 내는 것이 티가 났다. 그렇지만 그의 노력에도 작은 환은 시큰둥한 표정으로 느릿느릿 일어나 절뚝거리며 밖으로 나갔다.

"그렇지. 가자. 가자."

안방에서 식탁까지 거리는 그리 멀지 않았으나 절름거리는 다리, 무기력한 걸음은 그들을 한참 후에야 의자에 다다르게 했다. 작은 환은 초췌하고, 거칠고, 말라버린 얼굴로 의자에 털썩 주저앉아 의자 등받이에 고개를 젖혀 기댔다. 큰 환은 그런 그의 어깨를 두드리며 일으켜 세웠다.

"자, 밥 먹어야지. 어서 일어나."

"아이고 참. 대단한 분 나셨다."

귤은 저녁을 먹다 말고 그런 그들의 행동을 아니꼬운 듯 쳐다보며 짜증스럽다는 듯한 말투로 비꼬았다. 그리고 저녁을 먹으려 수저를 들었다가 참지 못하겠는지 다시 내려놨다.

"도대체 언제까지 그러고 살 거야? 그냥. 막. 그냥 계속 그렇게 살 거야? 도대체 이러는 게 몇 달째야? 그냥 힘들겠구나 싶어 말 안하고 그냥 넘어가려고 했는데, 이건 해도 너무 하잖아. 그 렇게 막 자기를 괴롭히면 맘이 좀 편해져? 큰 환이는 무슨 죄야? 왜 너 때문에 쟤까지 괴로워해야 돼?"

"귤아, 난 괜찮아. 그리고 환이한테는 아직 시간이 더 필요해. 조금만 더 참자."

큰 환은 갑자기 화를 내는 귤을 달래려 애를 썼다. 하지만 그 런 몇 마디 말로는 이미 터져버린 귤을 진정시킬 수는 없었다.

"언제까지? 도대체 언제까지? 그리고 너만 힘들어? 나도 힘 들어. 귤이 가버린 것도 힘든데, 너희들까지 이러면 나는? 나는 어떡하라고. 귤이도 없는데, 너희도 없잖아. 나만 혼자 남았잖 아. 나만⋯."

화를 내며 쏟아 붓던 귤의 눈에는 어느새 눈물이 그렁그렁 맺 혔다. 그 모습을 보자 큰 환도 울컥한 것인지 목소리가 떨렸다.

"우리 조금만 더 참자. 다 괜찮아질 거야. 살다 보면 이런 일, 저런 일 다 생기잖아. 좋은 일도 있지만, 힘들 일도 있을 수 있 어. 그래도 조금만 더 참고 버티다 보면 길이 보일 거야."

큰 환은 둘을 번갈아 바라보며 조심스레 그들을 달랬고, 작은 환은 그 난리 속에서도 계속 뚱한 표정으로 그들의 이야기를 말 없이 그냥 듣기만 했다.

대강 음식들을 다 입 안으로 밀어 넣자 작은 환은 다시 느릿느 릿 방 안으로 들어갔다. 그는 침대에 구부정하게 걸터앉아 아무 말도 없이 그냥 있었고, 큰 환도 별다른 말이 없었다. 거실에서 나는 TV 소리가 닫힌 문틈으로 새어 들어왔다. 밖에 있는 귤은 TV를 보고 있는 것인지 아니면 작은 환처럼 그냥 멍하게 있는 것인지 아무런 기척도 들리지 않았다. 그렇게 있다 보니 큰 환이 했던 말이 머릿속을 울렸다.

'참고 버티다 보면 길이 보일 거라고? 그때 그냥 회사 그만 두지 않고 더 참고 버텼으면 적어도 이렇게 되지는 않았겠지? 그럼 나한테도 정말 길이 생겼을까? 그냥 그렇게 지겹고 하기 싫었어도 회사에 그냥 있었어야 했을까? 그 날 나가지만 않았어도…. 돈 번답시고 연주회 같은 거 하지 않았으면. 환이가 말렸을 때 철조망을 넘지 않았으면. 그냥 회사를 계속 다녔으면. 바이올린 같은 거 하지 않았으면….'

"하아."

작은 환은 답이 없을 질문을 스스로에게 하다 막막해졌다. 그는 자신의 인생, 자신의 미래를 생각할 때마다 언제나 가슴 속이 갑갑해져 오는 것을 느꼈다. 무엇을 할 수 있을지, 어디로 갈 수 있을지 알 수 없었다. 아니 아무 것도 할 수 없고, 어디로도 갈 수 없을 것만 같았다. 방안의 어둠 속에 있을수록 그는 자꾸만 그 우울한 생각의 늪 속에 밀려들어갔고, 스스로를 짓눌러 더 깊이 더 깊이 빠져만 갔다. 그는 한참을 숨을 쉬지 못하고 있다가 파아 하고 한 번에 몰아쉬었다.

"왜? 무슨 일이야? 어디 안 좋아? 다리 또 아파?"

작은 환의 한숨에 큰 환은 놀라 부산을 떨며 걱정을 했다. 작은 환은 그런 그를 보니 다시 한숨이 나올 것 같았다.

"아니야."

"정말 괜찮아?"

"그래. 넌 아직도 내가 그렇게 걱정 돼? 나 때문에 다 이렇게 됐는데? 내가 밉고 나한테 막 화내야 되는 거 아니야?"

걱정을 하는 큰 환에게 작은 환은 오히려 그에게 따지듯 신경질을 냈다. 그럼에도 큰 환은 그를 달랬다.

"아니야. 다 괜찮아. 다 괜찮아질 거야. 너 때문에 그런 게 아니라 그냥 사고였고, 다 괜찮아질 거야."

"괜찮아지긴 뭐가? 어떻게 괜찮아져? 다시 걸을 수 있어? 아니면 앞으로 돈 벌 수 있는 방법은 있어? 이제 바이올린도 못 하는데. 그것도 아니면 큰 귤이가 다시 돌아올 수 있어? 다 안 되잖아? 뭐가 괜찮아진다는 거야? 사고는 무슨."

이미 모든 것을 다 포기한 듯한 작은 환의 목소리는 분노와 억울함이 가득 차있었다. 그런 그에게 큰 환은 차분한 목소리로 설명하듯 또 그를 달랬다.

"넌 지금 못 걷는 게 아니잖아. 걷는 게 조금 불편할 뿐이지. 그리고 돈을 버는 건 더 생각하고 노력하면 찾을 수 있을 거야. 설마 우리가 평생 이대로 살다 끝나겠어?"

"철조망 밖에 있던 사람들도 처음엔 그렇게 생각했겠지."

"자꾸 그렇게 비관적으로만 생각하지 마. 다리 좀 다쳤다고 다 그렇게 되지는 않아. 그리고 거기에 있는 사람들은 너처럼 약한 마음으로 다 포기하고 살고 있지도 않아. 거기 있는 사람들도 살아보겠다고 얼마나 열심히들 사는데. 좋게 생각해. 잘 될 수 있다고."

"네가 너무 낙관적으로만 생각하는 건 아니고?"

"생각한대로 다 되게 돼있어. 잘 된다고, 잘 될 거라고 생각해."

작은 환을 위로하기 위해서인지 아니면 정말 그렇게 생각하는지 큰 환은 계속 잘 될 거라고 이야기했다. 작은 환은 여전히 그런 그의 말에 믿음이 가지 않아 여전히 시큰둥한 표정만 짓고 있었다.

그 날 이후로 작은 환의 생활은 항상 이랬다. 집 밖으로 나가지 않고, 아니 방 밖으로 잘 나가지도 않고, 그냥 어둠 속에서 쭈그리고 앉아 후회와 한숨으로 지냈다. 떨치려고 해도 떨쳐지지 않는 그 날의 충격과 고통이 그를 아무것도 하지 못하게 만들었다. 큰 환과 귤을 생각하면 이러면 안 되지 하는 생각에 힘을 내보려 했지만, 그런 생각도 방파제에 막힌 듯 더 나아가지 못하고 다시 돌아가기를 반복했다. 큰 환과 귤은 그런 그를 설득해보고, 달래도 보고, 화도 내보고 어떻게든 다시 그가 기운을 차리고 뭐라도 할 수 있게 하려 해봤지만 여전히 헤어나지 못하는 그에게 지쳐갔다. 그들은 그저 지켜보면서 그가 스스로 헤쳐 나가길 바랐지만 그래도 가끔씩 감정이 격해지는 것은 어쩔 수 없었다.

귤이 회사에 가고 홀로 남아있는 낮, 둘만 남은 집에 초인종 소리가 울렸다. 작은 환은 그 소리에 화들짝 놀랐다.

"뭐지? 지금 누가 올 사람이 있나?"

큰 환의 물음에 작은 환의 불안감은 더욱 커졌다.

'혹시. 그 놈들인가? 설마? 그 이후로 아무 것도 한 게 없는데. 밖으로 나간 적도 없는데. 설마.'

작은 환은 떨림과 굳음이 동시에 오는 기분을 느꼈다. 그의 머릿속에는 호의 마지막 말이 메아리처럼 울렸다. 안절부절못하며 침을 꼴깍 삼키는데, 다시 한 번 초인종을 누르는 소리 그리고 문을 두드리는 소리가 들렸다.

"어. 어쩌지?"

"누군지 봐야지."

큰 환은 오들오들 떨고 있는 작은 환과는 달리 크게 동요가 되지 않는 듯 침착하게 말했다. 작은 환은 아무런 생각도 나지 않았고, 아무 것도 하지 못했다. 그냥 두려움에 얼어붙어 있는데 밖에서 익숙한 목소리가 들렸다.

"환아, 환이 없니?"

오랜만이라 가물가물했지만 친숙한 목소리. 덕이었다. 작은 환은 다행이라 한시름을 놓긴 했지만 혹시나 하는 생각에 겁이나 조심스레 대문으로 걸어가 구멍으로 밖을 확인했다. 그곳에는 혼자 서있던 덕이 막 가려고 돌아서던 참이었다. 그 모습을 보자 작은 환은 더 생각할 것 없이 문을 열었다. 그 날 이후로 그가 처음 여는 대문이었다.

"덕아."

"어, 환아. 있었네? 하도 대답이 없기에 없는 줄 알았어. 잘 지냈어? 다리는 좀 어때? 얼굴 보니까 좀 많이 삭았네. 많이 아파? 큰 환이 얼굴은 그래도 괜찮은 거 같은데, 환이 너 작은 환이 너무 괴롭힌 거 아니야?"

덕은 그들을 만나자마자 대화에 굶주린 듯 말을 해댔다. 그런 덕을 보자 작은 환이 처음 드는 생각은 '반갑다 보다는 귀찮다' 였다. 하지만 이상한 것은 그런 기분도 그리 나쁘진 않았다는 것이었다. 다른 누군가와 이야기를 하는 것이 그 동안 머릿속을 맴돌던 자신을 괴롭히는 생각들을 서서히 지우는 듯 편해졌다.

"들어와. 웬일이야?"

"아, 이거 전해주려고 왔지. 이야기도 좀 하고 싶고. 요새 이야기 할 사람이 없었거든."

그가 내민 손에는 그날 거기에 두고 왔던 환의 바이올린이 들려있었다. 작은 환은 그것이 남아있으리라고는 생각하지 못한 터라 놀랄 수밖에 없었다.

"어, 그거?"

"이거 그 날 거기서 인이가 가져왔었는데, 나한테 전해주라 더라. 근데 그 사이에 일이 많아서 나도 깜빡 했어. 그래도 안 잊어버리고 가져왔어. 고맙지? 이거 집에 그냥 내버려둬서 먼지가 좀 쌓였는데, 그건 다 털어냈고, 딴 데 건드린 건 없어서 어디 부서지거나 끊어진 건 없을 거야. 확인해봐."

"으. 응."

"응, 그래. 고마워. 이런 거 때문에 여기까지 와주고."

"뭘 겨우 이런 거 가지고. 우리 사이에 이 정도 해주는 게 뭐 대수라고. 만약에 내가 다쳤으면 너도 이렇게 해줬을 거잖아. 혹시 너 나 다쳤을 때 안 해줄 생각 갖고 있는 건 아니지?"

"당연하지. 근데 지난번에도 병원에서 데려다 주고 했으니까. 다 고맙다고."

덕은 이상하리만치 평소보다 많은 말을 했고, 작은 환은 떠들어대는 그를 보다 보니 긴장이 잠시 풀리긴 했지만 계속 눈에 걸리는 바이올린 때문에 그 날의 기억이 떠올라 다시 굳어져 갔다.

"앉아. 집에 왔는데, 뭐 주스라도 줘야 되는데, 대접할게 없네. 요새 형편이 보시다시피 이래서."

"괜찮아. 근데 목은 좀 마르네. 시원한 물이라도 줘."

"그래. 환아. 가자. 나도 목마르다."

"안 하던 말을 많이 하니 그렇지. 그러고 보니 큰 환이가 이렇게 말 많이 하는 건 처음 들어본 것 같네. 성격이 많이 활발해졌어. 맨날 작은 환이 옆에서 아무 말 않고 인상만 쓰고 있기에 과묵한 녀석인 줄 알았더니. 속았네. 속았어."

"무슨 소리야. 난 원래 활동적인 성격이었어."

"오. 이젠 농담까지? 내가 혹시 다른 사람 보고 있는 거 아니야?"

"됐어. 넌 근데 이 시간에 이렇게 가게 비우고 와도 돼? 또 반이한테 잔소리 듣는 거 아니야?"

큰 환이 그렇게 말하자 이제껏 신나게 떠들었던 덕의 표정이 갑자기 시무룩해지며 한숨을 내쉬었다. 큰 환은 갑자기 어두워진 그의 표정을 보고 덩달아 심각해졌다.

"왜? 혹시 가게 무슨 일 있어? 혹시 그 놈들이 너 가게도 못 하게 만든 거야? 그 날 거기 있었다고?"

큰 환이 그렇게 묻자 덕은 더 가라앉은 듯한 표정이 됐다.

"아니야. 그런 건 아니고. 반이가···."

"반이 왜?"

"죽었어."

"응?"

덕의 말에 환들은 둘 다 깜짝 놀라 그를 쳐다봤다.

"벌써? 언제?

개 작은 반이 나온 지도 얼마 안 됐었잖아. 아무리 요즘 세상이 이상하긴 해도."

"아니. 그런 게 아니라 둘 다 죽었어. 이제 더 이상 이 세상에는 반이라는 이름을 가진 사람은 없어."

"응?"

덕의 말에 환들은 전보다 더 놀랐다. 아니 이해가 안 되는 표정으로 그의 얼굴을 빤히 쳐다봤다.

"그게 무슨 말이야? 그게 어떻게···."

"그 날 그 날 밤에. 우리가 병원 있을 때, 반이가 결국 못 참고 다시 그리로 쳐들어갔대."

"설마 수호가 또?"

"아니. 차라리 거기까지 가서 그 놈들한테 주먹 한대라도 날렸으면 억울 하지라도 않지. 거기까지 가보지도 못하고, 입구에서 경비원들이랑 싸우다가 그 놈들한테 밀려서 다리에서 굴러 떨어졌대. 반을 따라간 애들이 바로 데리고 가려고 했는데, 그 놈들이 가까이 가지도 못 하게 하는 거 겨우겨우 밀고 들어가서 걔들 데리고 병원에 갔는데, 너무 늦어서. 둘 다….”

그날의 일을 말하는 덕은 어느새 눈시울이 붉어졌다. 그의 이야기를 듣던 환들도 울컥하고 올라오는 것이 느껴졌다.

“전혀. 몰랐어. 어떻게. 어떻게. 그런 일이….”

“그 녀석 불쌍해서 어떻게 해.”

환들은 당혹감에 쉽게 말을 잇지 못했다. 특히나 작은 환은 자신 때문에 반이 그렇게 되었다는 생각에 가슴이 콱 하고 막히는 기분이 들었다. 머릿속이 어지러워지려는데 분노한 덕의 말은 아직 끝나지 않았다.

“근데, 내가 더 열 받는 건 뭔지 알아? 그런 일이 있었는데, 아무 것도 달라진 게 없단 말이야. 매일 하는 뉴스에 단 1분이라도 그에 대한 이야기는 안 나와. 1분도, 한마디도. 더 이상 사람이 태어나지 않는 이 세상에서 사람이 죽었는데. 아예 완전히 죽어버렸는데, 그거보다 여기서 큰 일이 있어? 더 급한 일이 있을 수 있어? 근데, 아무 말도 안 해. 모르게 숨겨놓고 있어. 그게 말이 돼? 거기다 더 웃긴 건 뉴스 끝날 때 인구수 발표하는 것도 그대로야. 그 날이나 그 다음날이나 똑같이 오십만천백사 명이야. 아니, 살아남아 있는 사람이 중요해서 뉴스에서 인구수를 매일 이야기하는데, 사람이 죽은 것도 뉴스에 나오지 않고, 죽어도 그 인구수도 바뀌지가 않았어. 그게 말이 돼? 도대체 언제부터 거짓말인 거야? 사실 생각해보면 이상하긴 이상했어. 매일 인구수를 발표하는데, 매일 인구수를 조사하는 걸 본 적은 없으니까. 철조망 밖에도 사람이 많이 사는데, 거기 사람들이 있는 걸 아는지 모르는지, 진짜 지금 인구수가 오십만천백사 명인지 아니면 반이 죽어서 오십만천백세명이 됐는지, 아니면 처음부터 아예 그런 수가 없었는지 아무도 몰라. 알 수가 없어. 반이 죽었는데도, 그걸 눈앞에서 본 사람들이 있는데도, 그래도 진실을 아는 사람이 그게 다야. 더 없어. 알 수가 없어. 어떻게. 어떻게 이런 세상이 있을 수가 있어."

덕은 분노에 차서 붉은 눈으로 일갈했고, 환들은 이 엄청난 일들의 충격에서 헤어 나오지 못했다.

덕이 돌아가자 집 안은 다시 적막이 흘렀다. 작은 환은 쓸쓸해졌다. 반이 죽었다는 소식을 들어서인지 아니면 다시 둘만 남아서인지는 알 수 없었다. 허탈한 마음으로 다시 침대에 걸터앉았는데, 큰 환에게서 이상한 소리가 났다. 뭔가 싶어 보니 큰 환이 어느새 바이올린을 손에 들고 조율을 하고 있었다.

"너 언제 그걸….”

"아까 받아서 계속 들고 있었지. 나도 간만에 한번 손 좀 풀어볼까?"

어느새 조율을 마친 큰 환은 연주를 시작했다. 그의 연주는 역시나 자신과는 달리 깊은 감성이 느껴졌다. 그에 비하면 자신은 이제까지 그저 악보를 보고 그에 맞춰 현을 그었을 뿐이라는 생각이 들었다. 그 동안 자신은 무얼 했나 싶어 씁쓸한 입맛을 다셨다.

"반이를 위한 추모곡이야. 어때? 지난번엔 너무 갑자기 연주하느라 손이 제대로 안 풀렸었는데, 오늘은 그래도 손에 좀 맞네. 너도 한번 해볼래? 반이 네 연주 좋아했잖아."

작은 환은 큰 환이 건넨 바이올린을 순순히 받아들었다. 하지만 그것을 손에 쥐자 그의 얼굴은 금세 일그러지고, 목소리는 갈라졌다.

"이거, 이거 때문에…."

작은 환은 순간 욱하여 당장에라도 내리칠 듯 바이올린을 머리 위로 높이 쳐들었다.

"뭐 하는 거야?"

큰 환은 그런 그의 갑작스런 감정변화에 놀라며 손을 뻗어 그를 잡으려고 했지만 높이 올린 팔까지는 닿지 못했다.

"이거 때문에 우리 다리가. 반이가. 굴이가."

작은 환은 당장에 내려칠 생각으로 바이올린을 들어 올리긴 했으나 선뜻 그렇게 모질어지지는 못했다. 그가 바이올린을 들고 머뭇거리는 사이 그의 머릿속에는 처음 바이올린을 찾아 헤매던 날부터 다시 바이올린을 잡고 연주를 하게 되었을 때의 기쁨, 철조망을 넘어서 만난 사람들과의 인연, 연주를 하고 돈을 벌어 가족들과 즐거운 저녁시간까지 그 모든 기억들이 순식간에 스치고 지나갔다. 그 기억들이 떠오르자 차마 그것을 그대로 던지지는 못했다. 어느새 주르륵 흐르는 눈물. 바이올린을 들었던 두 팔은 힘없이 툭 떨궈졌다. 큰 환은 몸을 일으켜 축 처진 작은 환의 어깨를 두드리며 그를 다독였다.

"너 때문도 아니고, 바이올린 때문도 아니야. 지금 아프고 힘든 게 누구 하나, 무엇 하나의 잘못으로 생긴 것은 아니야. 그래도 굳이 누구의 잘못인지를 따지고 싶다면 너나 나뿐만 아니라 여기 우리 가족, 이 도시 사람들 전부의 잘못이라고 하는 게 더 맞을 거야."

"그게 무슨 말이야?"

"처음 네가 바이올린을 한다고 말했을 때, 아니 난 네가 처음 생겼을 때부터 난 네가 나와 같다고, 나와 같은 길을 가야 한다고 생각했어. 넌 나와 같은 사람이라고 생각했지. 네가 회사를 그만 두고 바이올린을 하고 싶다고 했을 때, 그때는 사실 난 좀 놀라기도 했어. 왜냐하면 나도 한때는 그러고 싶었던 적이 있었거든. 근데, 난 금방 그 생각을 접었었어. 그때는 그게 옳은 선택이라고 생각했거든. 안정적인 직장에서 제때 나오는 월급 받으며 사는 게 가족을 위해서 더 낫고, 내가 이 사회에 공헌한다는 보람을 느낄 수 있다고 생각했어. 바이올린 연주하는 걸로는 먹고 살수 없어, 불안정해, 사회에 아무 도움도 안 돼. 내가 선택한 게 옳다. 다른 것은 틀린 것이다. 후회했을 거다. 나와 모두를 위한 결정이다. 그렇게 생각하면서. 하지만 넌 나와는 비슷하지만 엄연히 다른 사람이었고, 미래가 어떻게 될지 그건 모르는 일이었지. 그리고 내가 그렇게 생각했더라도 너에게까지 그렇게 강요하면 안 되는 거였어. 그냥 난 나의 선택을 한 거고, 넌 너의 선택을 한 건데, 넌 네가 선택한 대로 하길 바랬어."

"근데 너의 선택이 옳은 거였잖아."

"그건 그냥 지금 이렇게 돼버린 거지. 선택을 하고, 용기를 내고, 모험을 하는 것이 항상 좋은 결과만 나온다면 그걸 선택이라고, 용기라고, 모험이라고 하지 않았을 거야. 그리고 그렇게 좋은 결과가 나오지 않을 수도 있다는 그 사실 덕에 성공했을 때 기쁨과 보람이 느껴지는 거지. 다 좋기만 하면 그 당연하고 지루한 세상을 어떻게 살겠어?"

"하지만 그러기엔 지금 내 꼴은 너무하잖아."

"그래. 너무 한 거야. 그냥 넌 네 자신이 하고 싶은 일을 꿈꾸고 그걸 이루려고 노력했는데, 우리에게 이런 일이 벌어진 건 정말 너무한 거야. 설령 한두 번 실패를 겪었더라도 다시 일어서지 못하게, 다시 아무 것도 하지 못하게 되는 것은 잘못된 거야. 이렇게 되면 안 되는 거야. 그래서 이건 네 잘못이 아니야."

"내. 잘못이. 아니라고?"

"그래. 네 잘못이 아니야. 사실 나 너 처음 회사를 그만 뒀을 때, 나에게 왜 이런 일이 생겼는지, 내가 뭘 잘못했나 그런 생각을 했었어. 사실 하늘이 무너지는 거 같았지. 하지만 나도 잘못한 건 없었고, 잘못된 것도 없었어. 네가 바이올린을 연주한다고 여기저기 들쑤시고 다니는 걸 보면서 화가 나고, 어떻게든 돌아가야 된다고 생각했었는데, 이제 와서 돌이켜보면 난 속으로는 네 스스로 자기 자리를 찾아가는 너를 지켜보는 게 좋았던 것 같아. 내가 못 봤던, 내가 몰랐던 세상을 네 스스로의 힘으로 찾아

가고 알아가는 게, 그걸 옆에서 보면서 응원할 수 있어서 난 좋았어. 그러니까 환아, 아직 포기하지는 말자. 우리 그 지난 몇 달간 정말 많고 다른 세상을 봤잖아. 아직 얼마나 더 많은 세상이 남아있는지 몰라. 그게 바이올린이든 다른 것이든 상관없어. 더 새로운 세상을 찾아가면서 새로운 꿈을 갖던, 아니면 다시 바이올린을 잡던, 그도 아니면 이제까지 해왔던 걸 다시 하던, 아, 물론 지금 다시 회사를 들어가는 건 힘들겠지만, 그때의 경험이나 아니면 당장 바이올린 연주를 하는 것은 아니라도 목표를 좀 낮춰서 그와 관련된 꿈을 가져도 좋아. 그러니까 그냥 이렇게 슬퍼하고 괴로워하지만 말고, 다시 어떻게든 해보자. 우리에게 이런 일이 일어난 것은 억울하지만 그래도 인생을 살아가야 하는 것은 우리니까, 우리 인생이니까 그래도 한 번 잘 살아보자. 응?"

"잘. 살 수 있을까?"

"잘 되겠지. 잘 될 거야. 어떻게 될지는 모르는 일이지만 안 될 거라고 생각하면서 좋은 결과가 나올 수는 없잖아. 그리고 여기서 더 나빠질 일이 얼마나 남았겠어? 이제 좋은 일만 올 차례야. 그러니까 뭐든 선택해. 시작해 보자."

큰 환은 작은 환을 보며 웃었고, 여전히 눈물이 얼굴에 붙어있던 작은 환은 그를 보며 살짝 웃었다가 다시 눈물을 왈칵 쏟아냈다.

"나 사실, 더 잘하고 싶어."

작은 환은 그의 손에 쥐어진 바이올린을 들어 보이며 말했다.

"그래, 그래. 더 해보자. 이번엔 내가 도와줄게."

작은 환에게 어느 정도 눈물이 그치고 마음이 안정될 때쯤 귤이 돌아왔다.

"왔어. 어, 오늘은 웬일로. 그건 언제 또⋯."

귤은 그들을 보고, 또 그들의 손에 쥐어진 바이올린을 보고 놀라 눈이 동그랗게 커졌다.

"이제 다시 해보려고."

"아. 그거. 근데 지금 법으로 연주하는 거 못 하게 막았잖아."

"아, 맞다. 어떡하지? 철조망 밖까지는 막으러 가진 않을지도 모르지만, 이제 철조망을 넘어서 다니기에는⋯."

작은 환은 자신의 다리를 보며 또 한숨이 내쉬었다.

"그런 건 문제도 아니야. 내가 다 생각해놓은 게 있지. 일단 재활용 창고로 가자."

"그래."

작은 환은 큰 환의 말에 바로 발걸음을 옮겼다. 창고에 도착하자 큰 환은 바닥에 놓인 회색의 계란 판을 들었다.

"이거."

"이거?"

"응."

"이게 뭔데? 아니, 계란 판. 이거로 뭘 어떻게 한다고?"

작은 환은 들고 있는 계란 판을 툭툭 쳐 보이며 물었다.

"이걸 방 안 전체에 다 붙여놓으면 소리가 다 흡수돼서 밖으로 빠져나가지 않아. 이제 이걸 모아서 창고에 있는 것들을 빼고 거기에 싹 다 붙여서 그 안에서 연습하면 끝. 아마 거기서 뭐 하는지는 아무도 모를 거야."

"근데 이거 얼마나 붙여야 되지? 이거 지금 열 장 있는데, 그거면 충분한가?"

"당연히 모자라지. 방 전체에 다 붙여야 된다니까. 그만큼을 모아야지. 자, 이제 나가서 한 번 모아볼까?"

"그래."

작은 환은 희망에 찬 목소리로 말하며 바로 벌떡 일어났다. 큰 환은 그런 작은 환을 뿌듯하게 바라보며 한 마디 했다.

"지금은 너무 늦었으니까 내일부터 가자."

그리고 다음날, 환들은 그 날 이후 처음으로 외출 준비를 하고, 드디어 문을 열고 집 밖으로 걸음을 내디뎠다. 작은 환에게는 또 다른 시작을 알리는 새로운 첫 걸음이 되었다.

계란 판을 찾는 것은 바이올린을 찾는 것과는 달리 어렵지는 않았으나 방안 전체를 다 덮을 만큼 많이 구하는 것은 시간이 제법 오래 걸렸다. 가끔씩 놀러 오는 덕의 도움까지 받아 일주일 정도 계란 판을 모으고, 붙이고 하자 그들만의 자그마한 음악실이 완성되었다. 완성된 음악실을 바라보는 작은 환의 눈은 뿌듯함과 기대감으로 반짝반짝 빛이 났다. 그는 근래 들어 가장 신이 난 목소리로 외쳤다.

"완성. 이제 진짜 시작이네."

"하하, 신나냐?"

"기분이 뭐랄까. 이제야 얼어붙었던 심장이 뛰는 기분? 오랜만에 다시 설레네. 그럼 시작해 볼까?"

"아, 잠깐. 그 전에 선물이 있어."

선물이란 말에 작은 환의 눈은 더욱 반짝였다.

"뭔데?"

"창고에서 꺼낸 상자 중에 거실 테이블 밑에 둔 거 있지? 그거 꺼내봐."

큰 환의 말에 작은 환은 다리에 힘을 주어 빠르게 거실로 가 상자를 꺼냈다.

"이거?"

"응, 열어봐."

작은 환이 뭘까 하며 상자를 열자 그 안에는 바이올린 악보와 책, CD, 테이프들이 있었다. 작은 환은 그것들을 보자 입가에 미소가 지어졌다.

"어, 이거? 이런 게 여기 있었어? 야~ 이런 걸 숨겨두고 안 보여줬다니…."

"너 태어나기 전에 내가 틈틈이 모아왔던 거야. 전의 환한테 받았던 것도 있고. 사실 이거 회사 다닐 때 너 일 잘하면 상으로 하나씩 주려고 생각도 했었는데, 그냥 여기까지 와버렸네."

"그렇구나. 한 번 틀어볼까?"

작은 환은 제일 위에 놓여진 CD 하나를 가져다가 틀었다. 그 CD를 틀자 TV에 어떤 흰머리의 할아버지가 나왔고, 그 밑에 자막으로 바이올린 기초교실이라는 글자가 나왔다.

"어, 이거 뭐지? 기초교실?"

"말 그대로 처음부터 제대로 가르쳐주는 거야. 나도 이거 보고 많이 배웠어. 너도 이제부터 이거보고 연습해봐. 도움 많이 돼."

"오호."

작은 환은 TV 속의 할아버지가 가르쳐 주는 것을 뚫어져라 지켜보며 이제껏 자신이 했던 방법과 비교해보았다. 대부분은 알고 있던 것이지만, 몰랐던 것도 가끔씩 나오고, 잊고 있었던 것도 다시 보게 되자 기억이 새록새록 나며 바이올린을 연주하고 싶다는 욕구가 무럭무럭 자라났다. 머릿속에 쌓이는 것들에 작은 환은 1과가 끝나자마자 서둘러 개조된 음악실로 가 본 것을 토대로 바이올린 연주를 시작했다. 듣기에 그 전과 크게 나아진 게 없을지 몰라도 작은 환은 연주하는 내내 새로워진 기분을 느꼈고, 묘한 만족감이 그를 가득 채워갔다. 그렇게 하루하루 그가 하나하나 CD와 책을 넘어갈 때마다 전보다 조금씩 나아져가는 자신의 실력에 더욱더 만족감이 커져갔다. 회색의 방이 따스함으로 가득 찰 정도로, 그들은 시간이 멈춘 듯 연습에 몰두했다.

"환아."

"어, 덕아. 별이도 왔네. 와, 별이 많이 컸네. 오랜만이야."

연습을 마치고 쉬던 중 초인종 소리에 문을 열어보니 그 앞에는 덕과 별이 서있었다. 별은 환을 보자마자 울먹였다.

"환아. 너 다리 괜찮아? 안 아파?"

"괜찮아. 벌써 얼마나 오래 지났는데. 이젠 안 아파. 조금 불편해서 그렇지."

"넌 그렇게 당하고도 속이 편해? 나 같으면 당장에 뛰어들어가서 그 놈들 다리몽둥이를 그냥….."

덕은 별 거 아니라는 듯 웃으며 말하는 작은 환에 집 안으로 들어가는 중에도 분노에 차서 말을 멈추지 않았고, 환들은 욱해서 화를 내는 그의 말에도 그저 가볍게 웃으며 말했다.

"아서. 그러다 너까지 다친다. 나도 처음엔 화나고 슬프고 괴롭고, 그 녀석들 탓하다가 내 탓도 하다가 그랬는데, 그냥 그것도 지치더라. 언제까지 그것만 하고 살 수도 없고. 나 때문에 애쓴 사람들 생각하면 계속 그럴 수는 없잖아."

그러다 그는 반이 생각나는지 잠시 다들 말을 잊지 못했다.

"뭐 딱히 내가 아니라도 요새 분위기는 장난 아니야. 진짜 누가 무슨 일 일으킬 것 같다니까."

"왜?"

"왜기는. 종이는 걷지도 못하게 만들고, 반이는 죽었는데, 그걸 본 사람도 있는데, 뉴스에는 안 나오고 그러니."

"맞아. 사람들이 너희들도 죽었다고 그래서, 막 내가 아니라고 했는데, 그래도 죽었다 그래가지고….."

"뭐? 우리가? 죽어?

그건 그렇다 쳐도 근데 사람들이 우리를 알아?"

큰 환은 별의 말에 의아해하며 되물었다. 덕은 그런 그의 물음에 몰랐냐는 듯 웃으며 대답했다.

"너희들도 나름 유명하지. 여기 사람들은 반 이상은 다 한 번씩은 네 연주를 들었거나 아니면 네 연주에 대해서 들어봤을 걸?"

"그래? 아, 창피한데….."

"뭐가?"

"그렇게 많은 사람이 내 엉터리 연주를 들었다고 생각하니까."

"뭔 소리야. 하여간 너희도 안 보이니까 너희도 죽은 줄 알아. 그렇게 되니까 사람들이 좀 열 받았어. 정부가 사람들을 보호해줘야 되는데, 그러기는커녕 죽이고 그걸 숨기니까. 근데 웃기는 건 그런 사람들이랑 또 싸우는 애들이 있단 말이지. 차라리 못 봐서 못 믿겠다 하면 낫지. 어떤 놈들은 정부에서 할 만하니까 했겠지, 그런 애들은 당해도 싸다 이렇게 말하는 놈들도 있어. 막 이런 말을 해대니까 사람들이 더 열 받지. 아주 웃기는 돌아이들이야. 눈앞에서 본 사람이 한두 명도 아닌데, 거짓말로 선동한다는 놈들도 있고 말이야."

덕은 흥분을 하며 말을 했다. 별은 그런 덕의 말을 가로 막았다.

"네가 제일 열 받은 거 같아. 진정 좀 해. 환이도 가만히 있는데. 나도 화나긴 하지만…."

"내가 제일 열 받을 만 하지. 환이 너희들이 화를 안 내니까 내가 더 열 받아. 도대체 너희 같은 사람들이 잘못한 게 뭐가 있다고."

"아유, 난 괜찮다니까."

"참, 환아. 그럼 이제 너희들은 뭐해?"

"그냥 집에서 바이올린 연습 하지. 연습실 볼래?"

"그래?"

환들은 자신의 집에 처음 온 별에게 연습실을 보여줬다. 별은 별 거 아닌 연습실에도 놀라하며 좋아했다.

"우와, 여기서 연습하는 거야? 근데 벽에 저건 뭐야?"

"저게 소리가 밖으로 안 나가게 하는 거야. 이 안에서 문 닫고 연주하면 밖에서는 아무도 안 들려."

"그래? 와, 신기하네."

"근데, 너 바이올린 연습해서 뭐 할거야? 이젠 공연도 못하고, 아예 연주도 못하게 하는데, 그거 연습해서 뭐 하려고?"

뒤에서 그들을 보던 덕의 질문에 작은 환은 이상하다는 듯한 표정을 보이며 말했다.

"이걸로 뭘 해야 하겠다는 게 아니고, 그냥 이걸 하는 건데?"

"그러니까 그걸로 뭘 할거냐고?"

"그냥 바이올린 한다니까."

"그래도 괜찮겠어? 먹고 살려면 돈은 벌어야지. 돈은 어떻게 벌려고?"

"그건. 뭐. 어떻게든 되겠지? 별로 그렇게 깊게 생각 안 해봤는데?"

"왜?"

"그냥 뭐랄까. 이제는 그게 별로 안 중요하다고 느껴졌거든.

난 내가 정말 하고 싶은 일을 하면서 해가는 그 과정을 즐기는 거지. 네가 말한 돈이나 다른 것들은 그냥 하다 보면 따라올 수도 있고, 안 와도 어쩔 수 없는 거라고 생각돼. 그건 내가 하려고 하는 것의 결과도 아니고 그냥 부산물정도? 난 이제 바라는 건 그냥 내가 더 좋은 음악을 연주할 수 있는 거뿐이야.”

“그래도 괜찮겠어? 생활은 어떻게 하고? 안 힘들어?”

“그런 건 감수해야지. 좋아하는 일을 하는데.”

“가족들은 어쩌고? 그리고 생활이 힘든데 계속 좋아할 수만 있어?”

덕의 거듭되는 질문들은 사실 작은 환도 그간 스스로에게 많이 물었던 것이었다.

“가족들한테 미안하긴 해도, 그걸 하지 않으면 난 아무 것도 못 할 거 같아서. 그럼 더 미안해지잖아. 그리고 나중에 내가 더 많이 늙었을 때 하고 싶은 일을 못 한 채 그대로 끝나면 내 스스로에게 미안해질 것 같아서. 그래서 하는 거야. 아직은 그래도 되는 때니까. 살아가다 또 어떻게 생각이 바뀔지 모르지만, 그래도 지금은 이게 맞는 거 같으니까 그러니까 이대로 쭉 가는 거야.”

“그게 뭐야?”

작은 환의 말에 덕과 별은 이해가 될 듯 말 듯한 표정을 지었고, 환들은 그런 그들을 보며 슬며시 미소를 지었다.

그 후로도 환들의 일상은 특별할 것이 없는 반복이었다. 계속 되는 연습과 조금은 부족한 듯싶지만 행복한 가정생활, 가끔씩 놀러 오는 덕과 별과의 수다, 그렇게 소소한 삶이 지속 되었다.

그러길 몇 주, 또 그들 집의 초인종이 울렸다. 당연히 덕과 별이라고 생각하며 문을 연 환들 앞에는 오랜만에 보는 다른 얼굴들이 나타났다.

"어, 혁아. 인이도 왔네. 웬일이야?"

"잘 지냈어?"

"몸은 좀 괜찮은가?"

"응. 뭐 그럭저럭. 너희들은 어떻게 지냈어? 근데 갑자기 웬일로 이렇게 갑자기 다 몰려 온 거야?"

"애들이 너 보고 싶다고 해서, 뭐 할말도 있다고, 나보고 좀 데려다 달라고 해서 온 거야."

그들의 뒤에 나타난 덕이 그들을 대신해 설명했다.

"아, 그래? 잘 왔어. 들어와."

환들은 의외이긴 했지만 오랜만에 본지라 그들을 반기며 집으로 들였다. 그런데 덕과 별이 왔을 때와는 달리 왠지 모르게 그들에게서 풍기는 분위기가 무겁게 느껴졌다. 테이블에 다 같이 앉았는데, 누구도 선뜻 먼저 말을 꺼내려 하지 않았다.

"왜 그래? 무슨 일 있어? 괜히 그러니까 진짜 무슨 큰 일이라도 있는 거 같잖아."

큰 환은 웃으며 농담으로 어색해진 분위기를 바꾸려고 했다. 그러자 서로 얼굴을 한번 번갈아 보더니 작은 혁이 먼저 말을 꺼냈다.

"아니 뭐, 큰일은 아니고. 요새 소문도 많고, 특히 너에 대한 소문도 그렇고, 분위기도 험악하고 해서. 넌 괜찮은가 어떤가 해서 와 봤지."

"소문? 왜? 아, 우리 죽었다는 소문?

그게 뭐 큰일이라고. 우리 여기 잘 살고 있는데. 그거 사람들한테 알려줘야 되나? 우린 괜찮다고?"

"사실 그게 문제야. 사람들이."

"아, 내가 계속 이야기 할게."

큰 환의 말에 큰 인이 대답하려 하자 작은 혁이 그의 말을 끊었다.

"지금 이 사회가 돌아가는 게 이상하다는 건 알고 있지? 예전에도 그랬지만, 지금 이건 해도 너무해. 도가 지나쳐. 너 다리도 그래서 그런 거고. 너뿐만이 아니야. 어떤 연유가 됐건 다리가 불편한 사람들은 이 세상에서 보호 받기는커녕 이 도시에서 버림받고, 자신들의 입맛에 맞지 않는 사람들은 너나 종처럼 다리를 부러뜨리거나 반처럼 죽게 만들어. 이거 이대로 두면 되겠어? 이 사회의 질서와 유지? 웃기는 소리 하지 말라 그래. 이 사회를 유지하는데 사람보다 더 중요한 게 있어? 사람을 지키기 위해서 질서를 지키고 규칙을 만든 거지 아니면 그게 뭐 때문에 필요해? 자기들 입으로는 이 사회를 위한다지만 사실은 능력도 안 되는 자신들의 권력을 지키기 위해서 하는 짓 아니야?"

"아니면 그 사회라는 게 자기들만의, 자신들만을 위한 사회라던가."

작은 혁의 말에 큰 혁이 한마디 거들었다. 환들은 사실 혁들의 이런 말은 그들의 강연의 앞뒤에 연주를 했던 시절에 많이 들었던 말들이라 왜 이런 말을 다시 하는 건지 무슨 말을 하려고 하는 건지 이해할 수 없었지만 일단은 더 들어볼 생각으로 가만히 있었다.

"지금 새로 만든 법, 종교금지법, 공연금지법, 게다가 이제 아예 저녁때 퇴근 후에는 사람들이 모이는 것도 제한을 두는 법을 만든다는데, 이게 과연 이 사회를 지키는 법일까? 아니면 그렇게 사람들이 모이는 것을 막아서 자기들에 대한 불만을 이야기하지 못하게 막는 걸까? 응? 그렇게 사람들의 자유와 권리를 막는 게 말이야. 지금, 이거 지금 바꾸려고 사람들이 모이고 있어. 이런 나쁜 놈들이 더 이상 이런 짓 못하게 하려고."

환들은 그의 이야기를 듣고 응? 하는 생각이 들었다. 잘못 이해했나 싶기도 하고, 여전히 무슨 이야기를 하고자 하는 것인지는 모르겠다는 생각이 들었다.

"저기, 무슨 말을 하는지는 알겠는데. 나한테 왜 그런 이야기를 하는 거야?"

작은 환은 더 답답함을 참지 못하고 물었다. 그러자 열을 올리며 말하던 작은 혁은 한 번 숨을 고르고는 웃으며 대답했다.

"지금 그 말 할 차례였어. 자, 그래서 우리는 분노한 사람들을 데리고 저 높은 자리에 앉아서 사람들을 우롱하는 놈들을 끌어내려야 되는데. 그러면 이 사람들의 분노는 어디서 왔나. 분명 전부터 불만도 많고 이건 아니다 싶기도 했었을 거야. 하지만 이게 직접적으로 표출이 된 건 무엇 때문이냐? 그건 바로 너희들 때문이야."

"우리? 우리가 왜?"

작은 혁의 지목에 환들은 놀라며 서로를 바라봤다.

"물론 너희들 일뿐만은 아니야. 반의 일도 있었고, 종의 일도 있었지. 하지만 어쩌면 사람들에게 가장 충격이 큰 것은 많은 사람들에게 연주를 들려주었던 네가 수호에게 죽었다는 사실이야."

"우린 살아있는데…."

"사람들은 그렇게 알아. 그래서 그게 문제야. 만약에 너희가 살아있다는 걸 사람들이 알면 아마 사람들은 그 원동력을 잃을 거야. 어쩌면 갖고 있던 분노의 방향이 다른 쪽으로 바뀔지도 모르지."

"그렇다고 진짜 죽을 수는 없잖아. 그리고 우리가 죽었다는 걸로 사람들이 분노했다면 사실대로 안다고 해도 어느 정도 되지 않을까?"

"또, 어차피 우리가 죽었는지 살았는지 다른 사람들은 알 수가 없는데…."

"어쩌면 사람들은 속았다고 생각할지도 몰라. 우리가 마치 거짓말로 자신들을 선동한 것처럼 여기면서. 그렇다고 그 놈들이 너희들을 다치게 한 사실과 반을 죽인 사실이 변하는 것은 아닌데 말이야. 어쩌면 그 사실도 의심할 지도 몰라. 굳은 결심을 가지고 나아가야 하는데, 마음 속에 의구심이 들기 시작하면 성공하지 못해.”

"그래서 우리 보고 그냥 죽은 척 해달라고?”

"그럴 거면 굳이 이렇게 와서 이야기 할 필요는 없었을 텐데? 어차피 너희가 그렇게 이야기 하지 않았으면 그런 일이 있는지도 몰랐을 거고, 우리는 밖으로 나가지도 않으니 우리는 아무 것도 모르고 지나갔을 거잖아.”

"그건 내가 안 된다고 했지. 여기서부터는 내가 말하지.”

환들이 작은 혁의 말에 의아해하자 이번에는 큰 인이 말을 시작했다.

"지금 혁이 가볍게 말을 해서 그렇지 하려고 하는 일은 엄청나게 위험하고, 많은 사람들이 다치게 되거나 어쩌면 죽는 사람들이 생길 수 있어.”

"응, 그냥 들어도 그럴 거 같아.”

"원래 얻고자 하는 게 있으면 비용을 지불하는 거고, 얻고자 하는 게 커질수록 비용도 늘어나는 거야. 지금 우리는 사람으로써, 이 사회의 일원으로써 당연히 가져야 하지만 가지지 못한 우리의 권리를 되찾으려는 거고, 그걸 위해서는 어느 정도 희생도 감수해야 된다고 봐.”

작은 혁은 큰 인이 그의 말에 부정적인 기색을 보이자 참지 못하고 바로 끼어들었다.

"사람들을 지키고자 하는 일이라면서 어떻게 사람들을 희생시키면서 하겠다는 건가?”

"다들 스스로 원해서 하는 일이야. 그 놈들처럼 강제로 시키고 막고 할 일이 아니라고. 그리고 그건 다 그 놈들이 자초한 일이고."

"그렇다면 적어도 사람들이 스스로 무엇을 위해 노력하고, 무엇을 위해 희생하는지는 정확히 알아야 할 것 아닌가? 그래야 후회가 없지."

"지금까지 사람들은 그 놈들에게 다 속은 채로 살아왔어. 바꾸지 않으면 앞으로도 계속 속으면서 살게 될 거야. 다른 무엇보다 지금 그것을 바꾸는 게 중요해. 그리고 쟁취했을 때 사람들은 그 희생을 자랑스러워할 거야. 지금 달려가야 하는 순간에 의심이라는 작은 균열이 생기면, 그 틈은 벌어지고 부서지게 될 거야. 그렇게 내버려둘 수는 없어. 그리고 그들이 부당하게 살인을 했다는 것은 바뀌지 않는 사실이고, 여기 환도 인격적, 사회적으로 살인한 것과 마찬가지야."

"하나하나 차근차근 바꾸어 나갈 수는 없는 건가? 굳이 그렇게 피를 보게 될게 뻔한 일을 해야겠나?"

"방안에 더러운 먼지가 가득한데, 하루는 입구 쪽, 하루는 창문 쪽 그렇게 청소를 한다고 깨끗해지나? 더러움은 번져."

"난 다 쓸어 내버릴 것이 아니라 정리해서 다시 써야 될 것으로 보네만."

"자. 잠깐. 그래서 우리 보고 어쩌라는 거야. 도대체 뭐 때문에 여기서 싸우는 건데?"

작은 환은 혁과 인들의 논쟁이 점점 이해할 수 없는 방향으로 깊어지자 일단 그들의 말을 막아섰다. 그러자 그들은 환들을 바라보며 그들의 결론을 이야기했다.

"네가 결정해. 사람들에게 너에 대해 알릴 건지 말 건지. 네가 어떤 결론을 내고 어떻게 행동하든지 우리는 너의 의사를 존중할 거야."

"알린다면 언제 어떤 식으로 할 것인지도 전적으로 자네에게 맡길 걸세. 사실 부담스러운 부탁을 하는 것일 수도 있지만, 어쩌면 많은 사람들의 안전이 자네의 선택에 따라 결정될 수도 있네. 아, 이 말이 더 부담을 줄 수도 있겠군."

"아, 그러니까. 내가 만약에 살아있다고 하면, 사람들이 아무것도 안 하고, 그냥 죽은 걸로 알고 있으면, 싸우다가 죽을 수도 있다 그런 거야?"

"반드시 그렇지는 않아. 사람들이 항상 의도대로 움직이지는 않으니까. 네 말대로 그럴 수도 있고, 어쩌면 살아있는 걸 알고서도 싸울 수도 있고, 죽었다고 알고 있어도 분노가 식어서 아무 일도 일어나지 않을 수도 있어."

"사람들이 싸우러 뛰어나갔는데, 그쪽에서 순순히 말을 들을 수도 있지. 뭐. 가능성은 거의 없겠지만."

이제껏 말이 없었던 덕이 끼어들었다가 괜한 소리를 했다 싶은지 다시 입을 다물었다. 작은 환은 머리가 아프기 시작했다. 자신의 별 것 아닌 결정이 너무 큰 파장을 불러올 것만 같았다.

"우리가 지금 뭘 결정해서 말해줘야 돼?"

"아니. 이제부터는 전적으로 네 뜻대로 하면 돼."

"너무 큰 짐을 맡긴 것 같아 미안하네. 하지만 이런 부탁을 할 수 밖에 없었네."

"일단 알았어. 생각 좀 해볼게."

"그래, 생각 잘 해보고 좋은 결정을 하길 바래."

"우리는 이만 가보겠네."

"응, 그래. 잘 가."

환은 절뚝거리며 혁과 인을 배웅했고, 덕은 그런 그를 부축했다. 덕은 그들이 가고서도 환을 부축해 데리고 들어갔다. 작은 환은 덕이 평소에 비해 과하게 그를 챙기자 웃으며 물었다.

"왜 이리 갑자기 환자 취급이야?"

"아니 뭐. 걸을 만은 해?"

"당연하지. 불편한 것도 이젠 익숙해."

"그건 어떻게 할 거야? 어떻게 할지 생각은 있어?"

"글쎄. 생각 좀 해봐야지. 쉽게 생각하면 쉬운 일인데, 그렇게 쉽게 결정 하기는 어렵고."

"아. 걔들이 괜히 싸우는 바람에 너한테 쓸데없는 고민만 늘게 했어. 사실 나도 걔들 안 데리고 오려고 했는데, 안 그러면 둘이 싸우는 게 안 끝날 거 같아서. 미안."

"어쩔 수 없지 뭐. 둘 다 나름 이유가 있으니까. 근데 넌 어떻게 했으면 좋겠어?"

"나? 나는. 나 같으면 그냥 확 복수해버릴 거야."

"그래? 그럼 혹시 너도 싸우러 나갈 거야?"

"그래야지. 너도 너고, 반이의 복수도 해야 될 거 아니야?"

덕은 또 흥분하여 당장에라도 뛰어나가 그들에게 달려들 것 같았다. 큰 환은 그런 그를 말렸다.

"아서. 너까지 다친다니까? 인이 이야기 못 들었어? 혁이도 그러더라. 희생이 생긴다고. 너도 다쳐서 못 움직이면 누가 나한테 놀러 오냐? 별이는 또 누가 돌봐주고? 종이도 다쳤는데. 그냥 넌 무사히 몸조심하고 살아."

"반이랑 친한 것도 나고, 너랑 친한 것도 나고, 종이랑 친한 것도 난데. 내가 안 나서면서 누가 나서주길 바래?"

덕은 환의 말에 화가 난 듯 목소리가 높아졌다.

"아니, 그래도."

"아. 됐어. 넌 네 일로도 머리가 복잡할 텐데, 내 일은 내가 알아서 정할게. 나도 이제 간다."

작은 환은 덕을 달래려고 했지만 그는 더 이상 작은 환의 이야기는 듣지 않고, 그들을 의자에 내려놓고는 작별인사를 하고 돌아섰다.

"어떻게 하면 좋을까?"

덕이 밖으로 나가자 작은 환이 큰 환에게 물었다.

"글쎄. 굳이 숨길 필요가 있나 싶기도 한데, 또 굳이 말할 필요가 있나 싶기도 하네."

"이거 별 거 아닌 거 같아도, 생각하면 생각할수록 우리한테 너무 부담스러운 결정을 맡긴 것 같아. 이거 자칫하면 우리 말 한마디에 수십 명, 어쩌면 수백 명까지 죽거나 다칠 수가 있어."

"만약에 우리가 뭘 하려고 해도, 언제까지 어떻게 뭘 해야 되는 거야?"

그들은 그렇게 말한 뒤 한참을 서로 생각에 잠겨 말이 없었다. 둘 중 누구도 선뜻 어떻게 하자는 말을 꺼낼 수는 없었다.

작은 환은 다시 연습실로 들어가 연습을 시작했으나 집중이 되지 않았다. 겨우겨우 정해놓은 시간까지 연습을 하고 밖으로 나와 보니 저녁을 준비할 시간이 다 되었다. 조금 이르긴 했지만 미리 식탁을 차려놓고, 귤을 기다렸다. 하지만 그녀가 이미 도착해야 시간이 한참 지나도 오지 않아 환들이 걱정을 해야 하나 하고 고민할 때쯤 그녀가 지친 몸을 이끌고 집에 도착했다.

"다녀왔어."

"왔어? 오늘은 좀 늦었네?"

"응. 길에 사람들이 너무 많아서. 안 그래도 퇴근 시간이라 가만히 놔둬도 꽉 막히는데, 거기에다가 사람들이 나와서 길까지 막으니까 꼼짝도 못했어. 아, 지금 시간이 몇 시야. 앞으로 한동안 계속 이럴 거 같은데, 아, 완전 짜증이야."

오자마자 투덜투덜대는 귤에 환들은 궁금함이 생겼다.

"길을 왜 막아?"

"너희 밖에도 안 나가고, 요새 뉴스도 아예 안 보니까 세상이 어떻게 돌아가는지도 모르는구나?"

"뉴스?"

그 말에 작은 환은 거실로 가서 TV를 틀었다. 거기엔 그들이 보기 싫은 얼굴이 여전히 그 가식적인 웃음을 띤 채 연설을 했다.

"지금은 위기입니다. 우리가 힘들게 이룩하고, 지켜왔던 이 도시가 아주 무도하고, 흉악한 자들의 거짓 농간에 놀아나 부서지고 파괴될 위험에 놓여 있습니다. 하지만 우리는 이제껏 더 힘들고 어려운 일들도 우리의 단결된 의지와 강한 용기로 잘 해쳐나왔었습니다. 이번에도 그런 우리 시민들의 힘과 용기가 필요합니다. 우리는 우리가 이룩하고 물려줘야 할 이 도시와 우리의 질서를 지킬 수 있게 다시 한 번 스스로 나서야 할 때 입니다."

TV 속의 그녀가 연설이 끝나자 TV 속에는 박수소리가 들렸다. 그들의 모습을 보자 불쾌해지고 이걸 뭐라고 끝까지 들었는지 싶었다. TV 속의 인물에 화를 내는 것이 우습게 느껴졌지만 신경에 거슬리는 것은 어쩔 수 없었다.

"뭐야? 쟤는 왜 저래? 또 무슨 짓을 하려고. 근데 저거랑 길 막는 거랑 무슨 상관이야?"

작은 환은 기분이 나빠지는 것을 참으려고 해도 참아지지 않는지 인상을 찌푸리며 귤에게 물었다.

"요새 사람들이 무슨 법 반대한다고 막 모이잖아."

환들은 그녀의 말에 깜짝 놀라 당황하며 되물었다.

"뭐? 벌써? 아니, 뭐 얘기하고 간지 몇 시간이나 지났다고 벌써 일을 벌여? 그럴 거면 뭐 하러 왔어? 우리한테 뭐 하러 이야기해."

"무슨 소리야?"

"아니. 그래서 사람들이 지금 막 싸워?"

"이야기를 들어봐. 그래서 쟤가 요새 맨날 뉴스에서 저렇게 말하고, 그러니까 사람들이 또 모여서 반대하는 사람들 막는다고 서로 길 막고, 막 욕하고, 싸우고 그러니까 지금 막 길에 나가면 분위기도 험악하고 짜증은 짜증대로 나고 그래."

귤의 말에 환들은 한시름을 놓았다.

"그럼 뭐 아직 크게 싸우고 그런 분위기는 아닌 거야?"

"크게 싸운다는 게 어느 정도가 되야 크게 싸운다는 거야? 지금 이 정도면 큰 거지. 얼마나 지금 짜증나는 상황인데. 그리고 며칠 째인데 사람이 줄기는커녕 계속 늘어. 뭐가 그렇게 다들 불만이 많고, 쌓인 게 많은지."

"아. 하긴 사람들이 다 한마음으로 그 놈들한테 반대를 했으면 오히려 그렇게 위험하지는 않았겠지."

"넌 아까 전부터 무슨 이야기야? 너 뭐 따로 알고 있는 거 있어?"

"아. 그게."

작은 환은 귤의 물음에 큰 환을 한 번 쳐다봤다. 그러자 큰 환은 웃으며 그를 대신해 그녀에게 말을 했다.

"그게 사실은…."

큰 환은 귤에게 오늘 일은 물론 철조망을 넘어서부터 이제까지 있었던 일들을 다 이야기 해주었다. 그녀도 어렴풋이 알고는 있었지만 그의 입에서 처음부터 지금까지 모든 일을 다 이야기 하는 것은 처음이었다. 그녀는 그의 이야기를 듣자 처음에는 놀란 듯 했으나 이내 침착해졌다. 큰 환의 설명이 끝나자 작은 환은 그녀에게 물었다.

"넌 어때? 넌 우리가 어떻게 했으면 좋겠어?"

"글세. 몰랐는데. 사람들이 화가 많이 나긴 많이 났나 보네. 잘 알지 못하는데도 그렇게 할 정도면. 하긴 같이 사는 나도 이런 이야기는 몰랐는데 뭐."

귤도 딱히 답은 내지 못하고 머리를 내저었다.

"아, 괜히 너한테까지 고민거리를 넘긴 거 같네."

"그러게, 이런 골치덩이. 옛날부터 맨날 그래."

귤은 농담으로 무거워진 분위기를 날려버리려고 했다. 작은 환은 그런 그녀의 말에 함께 웃으며 대꾸했다.

"내가 또 언제 옛날부터 맨날 골치였냐?"

"그래도 사람들이 너 같은 골 때리는 녀석 연주하는 거 듣고 좋아한다니까 신기하네."

"그러게 지금 생각하면 창피한데. 그런 걸 연주라고 들려줬다는 게."

"그래도 그런 거라도 듣고 사람들이 위안이 되니까 좋아하는 거겠지."

"위안이 된다라. 마음이 편해진다는 이야긴가? 하긴 사람들 마음도 쉴 시간이 필요하긴 해. 다들 힘들게 살고들 있으니. 근데 내 연주가 도움이 되나? 그걸 들으면 다들 무슨 생각을 할까? 어떤 느낌이 들까? 처음 듣는 사람은 신기해하는 거 같긴 한데, 그 뒤에는 잘 모르겠어. 하긴 이제껏 나는 내가 어떻게 연주하느냐 만 생각했지 사람들이 어떻게 느꼈을 지에 대해서는 제대로 생각한 적이 없었으니. 그냥 좋게 들었을까 나쁘게 들었을까 그게 다였지. 이 곡은 어떤 느낌을 주고, 이 부분은 어떤 감정이 들게 하는지 그런 생각은 못 했었으니까. 사람의 마음이 좋고 싫고뿐만 있는 게 아니라 여러 가지로 복잡한데 말이야."

작은 환은 귤에게 말하는 것인지 혼잣말을 하는 것인지 중얼거리다가 생각에 잠겼다.

'생각이나 느낌이 둘만 있는 것은 아니고, 그 둘 중의 하나만 맞는 것은 더더욱 아니겠지. 다양한 사람들, 그 속의 복잡한 마음들. 연주가 그 사람들을 다 같은 느낌이 들게 하는 게 아닐 거야. 다 각자 자신의 생각으로 자신의 느낌을 갖는 걸 이끌어 주고 도와주는 거지. 스스로 이끌어 가도록⋯.'

작은 환은 또 뭔가 새로운 것을 깨달은 듯한 느낌을 받았다. 그것이 맞는지 아닌지 알 수는 없었지만 무언가 다른 연주를 할 수 있을 것만 같은 기분이 들었다.

작은 환은 그 후로 또 한동안 연습에 매진했다. 자신이 연주한 것을 녹음해서 들어보고, 다시 연습을 하는 것을 반복했다. 그 사이 다행히 큰일은 벌어지지 않았지만, 도시 곳곳에서는 사람들의 충돌이 점점 더 잦아들었고, 다친 사람도 더러 나오기 시작했다.

"인아, 이제 어떻게 할 거야? 혁명은 이제 설득도 안 되고, 수호는 아예 사람들을 앞세우고, 뒤에 숨어서 만나주지도 않잖아."

거리를 털레털레 걷고 있던 작은 인은 답답해하며 큰 인에게 말했다. 하지만 큰 인도 답답하긴 마찬가지였다.

"그러게 말이다. 이렇게 사람들이 계속 다치는 걸 두고 볼 수는 없는데…."

"근데 우리가 왜 이렇게 애를 쓰는 거야? 다치던 말건 다 자기들이 자초한 거잖아. 이러다가 우리가 더 다치겠어. 사람들도 다 과격해지고. 그냥 자기들끼리 알아서 하라고 그래. 사람이 살아가면서 어떻게 의견충돌이나 다툼 없이 살 수 있어? 알아서 싸우고 알아서 해결하겠지."

"그런 게 아니야. 지금 사람들이 흥분해서 이성을 잃어가고 있어. 네 말대로 다툼과 싸움은 아마 사람들이 함께 살아가는데 필요악이라고 할 수도 있겠지. 그런 충돌 속에서 더 나은 세상을 살아가는 방법이 나올 수도 있고, 한 단계 더 발전해 나가는 계기가 될 수도 있어. 하지만 잊지 말아야 할 것은 그렇게 서로 싸우고 물어뜯는 상대라 할 지라도 결국은 함께 살아가는 존재들이라는 거야. 없애버리고 사라져야 할 존재가 아니라. 싸울 때 싸우더라도 그걸 잊지 않고 싸워야 하는데, 지금은 도가 지나쳐. 서로는 서로에게 세상의 장애물이 아니야. 함께 세상을 살아가는, 공존해야 하는 다른 생각을 가진 사람들일 뿐이지."

"하아. 네 말. 그런 생각…. 저기서 저러고 있는 사람들이 다 알아야 할 텐데…."

"그러도록 해봐야지."

인들은 계속 거리를 걸으며 방법을 찾기 위해 고심하였다.

한편, 그간 흩어져서 잘게 잘게 다투던 사람들이 점점 뭉쳐지기 시작했다. 그렇게 되면서 작은 다툼들은 사라졌지만 그것이 평화를 의미하는 것은 아니었다. 뭉쳐지면 뭉쳐질수록 그들은 터질 듯 부풀어 오른 풍선 같아졌고, 그 속의 공기는 뜨거워져만 갔다. 그 자리를 지나는 사람들은 폭풍이 불어 닥치기 전의 고요함이라는 말을 실감할 수 있었다.

"우리가 얼마나 노력하고 힘들게 이 세상을 지켜왔는데, 저런 놈들이 하자는 대로 해서 이 도시가 무너지는 걸 지켜만 볼 것 같아?"

"하나를 내주면 둘을 더 내놓으라는 게 저런 놈들 심리야."

"맞아. 그러니 쓸데없이 수호가 만든 법을 막으려고 하지. 걔들이 알아서 어련히 잘 했을 건데 말이야."

"우리가 힘들여 번 돈을 왜 저런 절름발이와 앉은뱅이, 놈팡이들에게 내어주고, 그들을 위해 돈을 써야 된다는 거야?"

"자기들이 일하기 싫어서 철조망 밖에서 노력도 안 하고 놀고 있던 놈들인데 우리가 어떻게 저런 놈들과 같은 대접을 받아야 되냐고?"

"이 중에서 힘들지 않았던 사람, 노력하지 않은 사람이 있어? 근데 왜 받는 건 항상 받는 사람만 받는 거야?"

"받아야 할 것도 주지 않으면서 적어도 뺏지는 말아야 할 것 아니야? 왜 우리는 우리가 갖고 있는 권리마저 빼앗기는 건데?"

"다리를 절고, 걷지 못하면 사람도 아니야? 왜 우리는 기회조차 못 받는 거야?"

"저런 놈들은 항상 고통을 분담하자면서 우리의 것을 빼앗고, 우리가 고통 받을 때는 모른 척하지."

"시민들을 지켜야 할 지도자가 지키지 못하고, 오히려 시민들에게 위협을 가하는데, 이걸 따지는 걸 막는 건 도대체 뭐야?"

모이면 모일수록 점점 더 사람들의 목소리는 격해져만 갔고, 그간에 쌓여있던 불만들도 함께 터져 나오기 시작했다.

"덕아. 한참 찾았잖아."

"별아! 넌 여기 왜 왔어? 집에 가. 위험해."

모여 있는 성난 사람들 틈을 비집고 별은 숨을 헐떡이며 뛰어들어왔다. 덕은 그녀가 온 것을 보자 놀라 재빨리 그녀를 데리고 군중 밖으로 나갔다.

"왜? 나도 여기 있을 거야. 너도 있으면서 난 왜 안 돼?"

"위험해. 위험하다니까. 다쳐."

"그래도 있을 거야. 여기 있으면 환이랑 종이 다치게 한 거, 반이 죽게 한 거 사과 받고, 보상 받을 수 있게 한 댔어. 환이, 종이, 반이를 위한 일인데 내가 당연히 있어야지."

"여기 그런데 아니야. 돌아가."

"그럼 뭔데?"

"아 뭐. 그런 거 있어. 저 놈들이 순순히 그런 거 해줄 놈들도 아니고. 하여간 그런 거 아니야."

"나 여기 있을 거야. 있을 거라고."

별은 덕에게 때를 썼다.

"야, 진짜 위험하다니까."

"위험하긴 뭐가 위험해? 이게 왜 위험한 건데? 우리가 뭐 나쁜 짓 한다는 것도 아닌데, 우리가 왜 위험해야 되는 건데?"

덕은 별의 물음에 어떻게 대답을 해야 할지 몰라 잠시 망설였다.

"아, 몰라. 하여간 그래. 넌 잘 모르는 그런 게 있어."

"아, 몰라. 난 그냥 있을 거야. 같이 있을 거야."

덕과 별이 실랑이를 벌이는 사이, 많은 사람들이 모여있는 거리, 그들 앞에 혁과 명이 나섰다. 그들의 등장에 사람들은 환호했다.

"자, 다들 여기 왜 모여 있는지는 알고 있지?"

큰 소리로 사람들을 향해 소리치는 작은 혁의 물음에 천둥소리와 같은 큰 울림이 되돌아왔다.

"이제부터 우리가 무엇을 할 지도 알고 있지?"

이번에는 작은 명이 소리쳤고, 역시나 커다란 소리가 골목골목으로 퍼져나갔다.

"우리는 지금 새로운 역사의 시작을 알리는 순간에 서있다. 우리들의 생존이 새로운 희망을 갖게 된 이후로 그 희망을 지켜준다는 명목으로, 그것으로 협박하고, 우리 위에 군림했던 자들과 그런 자들의 자리와 이익만을 위한 법과 질서에 억눌려 굴복

해야 했던 날들을 끝낼 날이 드디어 온 것이다. 우리에게는 오늘 밤 저기 높은 자리 위에 앉아 우리를 비웃듯이 내려다보며 거짓과 위선으로 우리를 기만하는 저 수호와 그들의 밑에서 단물을 받아먹는 자들에게 달려가 그들을 끌어내리고, 그들의 강압과 엉터리 질서에서 벗어나 모두가 자유롭고, 모두가 평등한 그런 세상, 그런 도시를 만들 것이다. 새로운 역사를 위해, 새로운 세상을 위해 우리 앞을 가로막는 장애물들에 두려워 말고, 힘차게 나아가자."

큰 혁이 우렁찬 목소리로 말을 끝내자 다시 한 번 우레와 같은 박수소리와 함성이 터져 나왔다.

그 시간 모든 TV 채널에서는 또 수와 호가 나와 연설을 하고 있었다.

"여러분, 과거 그 혼란하고 힘겨웠던 시절. 그 어렵고 괴로웠던 날들을 벗어날 수 있게 이끌어준 것은 누굽니까? 우리 시민들이 이렇게라도 살아 갈 수 있게, 어떻게 될지 한치 앞도 안 보이던 그 시절, 그때 우리 시민들이 다시 살아갈 수 있으리란 믿음도 없었던 그런 날에 사람들이 이렇게 모여 살게 하면서 이렇게까지 만들어준 사람이 누굽니까? 네, 맞습니다. 여러분께서 아시는 것처럼 바로 우리 수, 호 입니다. 우리는 이전에도 이 도시와 여러분을 위해 살아 왔고, 앞으로도 그럴 것입니다. 물론 아직 완벽한 것은 아닙니다. 그래서 우리가 좀 더 더 나은 미래를 만들기 위해 노력할 수 있게 해달라는 것입니다. 우리는 단지 우리의 안위와 안녕만을 위해 우리를 지켜달라는 것이 아닙니다. 여러분이 여러분의 손으로 저기서 우리가 이제껏 지키고 가꾸어 왔던 도시와 질서를 무너뜨리고 우리가 만들어 놓은 것들을 빼앗으려 하는 저 간악한 자들로부터 우리 시민들의 도시를 지키고, 우리 시민들의 생존을 지키고, 우리 시민들의 미래를 지키자는 것입니다.”

집에서, 회사에서, 음식점에서, 가게에서 틀어놓은 TV마다 나오는 그들의 얼굴에 그제까지 앉아있던 사람들도 하나 둘씩 거리로 나서기 시작했다.

“수호는 미친 거 아니야? 말리기는커녕 점점 일을 키우고 있어. 어떻게 좀 해야 되는 거 아니야?”

“어서 혁명에게로 가야 돼. 그 녀석들이라도 말려야지. 어느 한 쪽은 멈춰야 해.”

인들은 서둘러 어지럽고 소란스러운 도로 속의 인파를 헤치고 혁과 명을 찾아 다녔다.

“어, 인아.”

“덕아. 별이도 있네.”

혁과 명보다 먼저 발견 한 것은 인파 속의 덕과 별이었다.

“너희들이 여긴 왜 있어?”

“너희야 말로. 너희들도 같이 하려고 온 거야?”

“아니야. 너무 위험해. 너희들은 어서 돌아가.”

큰 인은 그들을 보자마자 화를 내며 외쳤다.

“들었지? 어서 돌아가.”

"덕아, 너도 마찬가지야."

"아니. 난 있을 거야."

"나도 있을 거야."

"너희들 정말."

그들의 고집에 큰 인은 다급한 마음에 인상을 찌푸렸다. 그런 그를 작은 인이 재촉했다.

"일단 혁과 명부터 말리자. 그러면 다 해결돼. 혁이랑 명은 지금 어디 있어?"

"아마 저기 제일 앞에 서있을 거야."

"알았어. 그리고 애들아. 길게 이야기 할 시간이 없어. 다시 한 번 부탁할게. 일단 돌아가."

"싫다니까."

"그럼 하나만 약속해."

"뭐?"

"위험해질 거 같으면 바로 도망가. 아니, 조금이라도 이상한 낌새가 보이면 바로 도망가. 알았지? 알았지?"

큰 인은 그렇게 말하고는 덕과 별을 두고 혁과 명을 찾아 앞으로 뛰어나갔다. 비좁은 사람 틈을 비집고 들어가 그 끝을 해쳐나오니 혁과 명이 보였다. 그는 서둘러 그들에게 뛰어갔다.

"인아. 너 다시 왔구나. 근데 우리한테 합류할 거 아니면 그냥 더 이야기 하지 말고 돌아가."

혁과 명은 앞에 나타난 인을 경계하는 눈빛이었다. 하지만 그런 그들의 반응에도 인은 가쁜 숨을 몰아쉬며 간곡한 목소리로 그들을 막아 세웠다.

"멈춰. 멈춰야 돼. 너희들은 이길 수 없어. 이 사람들 다 희생될 거야."

"무슨 소리야. 우리는 반드시 승리할 거야. 속고 있는 바보들 뒤에 숨어서 웅크리고 있는 겁쟁이들이 뭐가 무서워서 우리가 멈춰야 된다는 거야?"

"수호는 숨어 있는 게 아니라 사람들끼리 싸움을 붙이고, 서로가 서로를 견제하고, 증오하고, 적으로 돌리게 만들려는 거야. 누구라도 불만을 말하는 것을 힘들게 하려고. 불만을 말하는 사람은 적으로 인식하게 하려고. 그들 앞에서 그들에게 못 가게 막고 있는 사람들도 자네나 나나 여기 있는 이 사람들처럼 그냥 평범한 사람들이야. 이들도, 그들도 희생되게 할 수는 없네."

"그렇게 수호의 농간에 놀아날 멍청이들이라면 희생돼도 상관없어. 어차피 수호만 끌어내리면 돼. 그러면 세상이 바뀔 거야."

"이길 수 없다니까. 저쪽에 사람이 훨씬 많아."

"왜 자꾸 그런 소리를 하는 거야? 큰일을 앞두고. 저 앞의 바보들은 수호가 아니면 큰일이라도 날 것처럼 벌벌 떨고, 자기가 모아놓은 그 얼마 안 되는 작은 이득이 없어질까 봐 겁내는 겁쟁이들 아니야? 그런 겁쟁이들이 아무리 모인들 제대로 싸우기나 할 것 같아? 다들 집에 숨어서 벌벌 떨면서 무사히 지나가길 기도나 하겠지. 우리는 우리의 대의를 가지고 나가는 사람들이야. 애초부터 상대가 되지 않는다고."

"지금 저 사람들은 철조망 안에서 살고 있기 때문에 스스로를 철조망 밖 사람과 다르다고 생각해. 사실 그 둘 사이를 막고 있는 철조망보다 철조망 안의 사람들간의 보이지 않는 벽이 더 높고 견고한데도 말이야. 그렇지만 그렇게 알고 있기 때문에 그들이 힘겹게 모아놓은 그 얼마 안 되는 이득을 잃는 게 무서워서 그래서 그들은 더, 그것이 작으면 작을수록 더 소중하기 때문에 그들을 더 잃지 않으려고, 자기 것을 지키려고 더 격렬하게 싸울 거야. 철조망 밖으로 밀려나갈까 봐. 그래서 이미 저기 있는 사람들은 여기 있는 사람들보다 더 많이 모여 있어. 게다가 여기 있는 사람들은 다 다치고 힘도 없는 사람들이잖아. 이대로 가면 이길 수도 없고, 서로에게 상처만 남길 뿐이야. 여기서 멈춰야 해."

　"설령 이길 수 없다 해도 여기까지 온 이상 멈출 수는 없어. 이런 기회는 또 오지 않아. 처음 저 놈들이 반을 죽이고, 환과 종의 다리를 부러뜨린 날, 그 이후 한참 동안도 그 자리에 있었던 열 몇 명의 사람들 외에는 그 사실을 알지도, 알려고도 하지 않았어. 당연히 싸울 생각도 못했지. 그러다 환이 연주에 나오지 않으면서 죽었다는 소문이 돌기 시작했을 때야 조금씩 무슨 일인가 궁금해했고, 수호가 그 이상한 법들을 만들어대면서부터야 사람들이 의심하기 시작했어. 그리고 이제야 겨우 사람들이 싸워야 되고, 수호를 끌어내려야 된다는 생각을 갖게 됐는데, 여기서 멈추면 다시 그 열 몇 명의 시기로 돌아가. 오늘이 아니면 안 돼. 우리가 만약 여기서 지더라도 새로운 세상을 위한 첫 발걸음이 될 거야.”

　“아니야. 이제 여기 사람들의 머릿속에는 저들이 잘못되었다, 잘못된 것이 있다면 대항할 수 있다는 의식이 생겼고, 여기서 멈춘다고 해도 이제 저들도 우리를 얕보고 앞으로 함부로 하지는 못할 거야. 시작했다는데 그 의의가 있는 거지. 처음부터 너무 많이 얻으려고 할 필요 없어. 변화는 천천히 꾸준히 이루어져야 돼.”

　“아니. 이대로 아무 것도 얻지 못하고 물러난다면 우리들의 머릿속에는 패배주의만 남고, 저들은 우리를 더욱 무시하고 짓밟겠지.”

　혁과 명은 그렇게 말하고는 더 이상 인들의 말을 듣지 않고, 붙잡는 그들을 뿌리치고는 사람들의 앞으로 걸어 나가 마주섰다.

　“자, 이제 시간이 왔다. 수호의 독재에서 벗어나 새롭고 아름다운 세상, 모두에게 공평한 세상, 모두가 자유로운 세상을 만나러 갈 시간이. 그 걸음이 어렵고, 무겁고, 두렵고, 힘들지라도, 우리는 쉬지 않고 끝없이 전진하여 반드시 이루고 말 것이다. 자, 가자.”

　큰 혁의 외침에 다들 함성을 질렀고, 그를 따라 그들은 움직이기 시작했다. 인들은 물결처럼 밀려가는 그들에게 소리치고 손을 흔들어 막아 서려 해봤지만 그의 소리는 묻혀지고, 그의 몸짓은 의미가 없었다.

"어디로 가는 거야?"

계단을 조심스레 오르는 환들의 뒤를 따르는 귤은 투덜댔지만 그들의 뒤를 따르는 걸음은 경쾌했고, 그들만큼이나 깔끔하고 멀쑥하게 차려 입은 채였다. 그 계단의 끝 철문을 여니, 끼익 하는 낡은 쇳소리 뒤에 까맣고 시원한 밤바람이 들어왔다. 태어나면서부터 계속 이 아파트에서 살아왔지만 그들이 옥상까지 올라온 것은 난생처음이었다. 그 문을 넘어 걸음을 내딛자 머리 위로 별이 반짝이는 새카만 밤하늘이 넓게 펼쳐져 있었다.

"우와. 여기가 이렇게 좋았구나."

"그러게 한 번도 몰랐는데."

"공기도 시원하고, 경치도 좋고, 이런 데가 있는 줄 진작 알았어야 됐는데…."

"근데, 굳이 여기까지 올라 온 이유는 뭐야?"

"뭐긴. 새로 바뀐 내 공연의 시작을 여기서 하려는 거지. 공연장으로 딱 좋잖아. 너는 첫 번째 관객이고. 자, 여기 난간에 앉으면 되겠다."

작은 환은 난간의 먼지를 털어내며 그녀를 그 위에 앉혔고, 그녀는 웃으며 그의 손이 이끄는 데로 움직였다. 그녀가 난간에 걸터앉자 건물들 틈 아래 골목과 그 사이 소란스레 오가는 사람들이 조그맣게 눈에 들어왔다.

"덕아. 괜찮아?"

"나. 난 괜찮아. 넌 괜찮아?"

덕은 여기저기 긁히고, 헝클어진 모습으로 별에게 물어봤다. 별 역시 많이 엉망이 돼있었지만 그와는 다르게 긁히거나 다친 곳은 없는 것 같았다. 하얗게 질린 그녀는 걱정스러운 눈빛으로 덕을 보며 말했다.

"난 괜찮아. 나야 계속 도망만 다녔는데.

넌 많이 다쳤잖아. 어떻게 해?"

"괜찮다니까. 혁이랑 명은 어디 갔어?"

"아까 전부터 안 보여."

"이렇게까지 다 밀렸는데 그 녀석들은 도대체 어디 간 거야? 여기 사람들 그냥 다 내버려두고. 이러다 여기 사람들 다 죽겠어."

그렇게 말하며 둘러본 그들의 주변에는 이미 수많은 사람들이 쓰러져 있었고, 사람들에게서는 피가 흐르고 비명과 고함소리가 여기저기 난무했다.

"덕아. 나 무서워."

"일단 뒤로. 더 뒤로 가자."

덕은 별을 데리고 여전히 몸싸움을 벌이고 있는 사람들을 등지고, 사람들을 거슬러 갔다. 하지만 그들이 그렇게 갈 수 있는 곳도 그리 넓지 않았다. 반대로 간 그들의 앞에는 또 다른 분노한 사람들이 있었고, 왼쪽으로 돌아가도, 오른쪽으로 돌아가도 어디로도 갈 수 있는 길이 보이지 않았다. 더 이상 도망칠 곳이 없다는 것을 안 별은 다시 울상이 되었다.

"어떻게 하지?"

"이게 뭐야. 도대체 왜 저런 거야? 저 놈들이 잘못한 건데, 저 수호란 놈들이 나쁜 짓을 한 건데, 왜 그걸 몰라? 저 놈들 그냥 하고 싶은 대로 놔두면 우리들이나 자기들이나 다 피해를 보는 건데, 그래서 우리가 이러는 건데 도대체 왜 이렇게까지 다들 우리를 막는 건데?"

덕은 답답하고 혼란한 마음을 참을 수 없어 갈라지는 목소리로 절규했지만, 누구의 귀에도 들리지 않았다. 하지만 그런 마음은 함께 있던 그들도 다르지 않았다. 그들이 행진을 시작했을 때는 그 뜨거운 열기로 거칠 것 없이 다 뚫고 지나갈 수 있으리라 생각했으나 생각보다 길어진 싸움에 지쳐만 갔고 나아가기는커녕 뒤로 더 밀려나가는 이 상황이 당혹스럽기만 했다. 그러나 이미 사방이 꽉 막혀 쪼여오는 압박에 이미 더 이상 물러설 수도, 물러날 곳도 없는 그들은 점점 다시 악이 받히고 독이 오르기 시작했다.

"좋아. 진짜 누가 죽나 해보자."

"이대로 우리만 죽을 거 같아?"

"물러서지마. 진짜 마지막까지 한 번 해보자."

그들의 싸움은 마지막을 향해 더욱 격렬하게 타오르고 있었다.

"어떡해?"

별은 서로를 향한 분노와 폭력으로 뜨거워진 이 공기의 무게를 감당하지 못하고 주저앉아 머리를 감쌌다. 이미 모두에게 큰 상처를 남겼지만, 이 싸움은 여전히 끝날 기미가 보이지 않았다.

어느 한쪽이 완전히 부서져서야 멈출 것 같았고, 그렇게 되면 그 반대쪽도 무사하지는 않을 것 같았다. 별은 그대로 눈을 감았다 떴을 때, 모든 것이 다 사라져 있기를 바랬다. 그런데 그때 갑자기 밤하늘을 가르고 내려오는 맑고 청아한 소리가 들렸다. 싸움에 몰두한 그들은 처음에는 그 소리에 아랑곳하지 않고 계속 눈앞의 적들을 물리치는데 여념이 없었으나, 지금 이 곳의 분위기와는 사뭇 다른 이 평화롭고 아늑한 음악 소리에 정신이 팔리지 않을 수 없었다. 하나 둘 싸우는 소리는 줄어들어 조용해졌고, 거리와 골목 사이사이가 하늘 높은 곳에서 내려오는 바이올린으로 연주되는 야상곡으로 가득 채워졌다.

"환이다."

별은 이 익숙한 음률에 반가운 기색으로 눈을 번쩍 뜨고 벌떡 일어나 고개를 들었다. 비록 어디에 있는지 보이지는 않았지만 그녀는 그의 소리가 들리자 안심이 되었다. 그리고 그의 소리가 반가운 것은 별이나 덕뿐만은 아니었다.

'살아있었구나. 다행이다.'

'여전히 잘 하네.'

'좀 달라진 것 같은데? 전에 들었을 때보다도 더 나은 것 같아.'

그리고 그의 연주를 들어봤던 사람뿐만 아니라 처음 듣는 사람들에게도 그의 연주는 머릿속에 각인이 되어갔다.

'어. 이게 뭐지? 이런 거 처음 들어보는데?'

'이게 그 바이올린이라는 건가?'

‘되게 좋다. 마음이 편해지네. 계속 듣고 싶다. 근데 이걸 왜 못하게 막는다는 거지?’

분노로 가득 차 있던 모두의 머릿속에 그런 생각이 들었던 것은 아주 잠깐의 순간이었다. 싸움이 멈춘 것 역시 잠시. 곧 싸움은 다시 시작되었다. 하지만 그 잠깐의 순간에 분위기는 이미 식어버리고 말았고, 그 끝을 흐지부지하게 만들었다.

“오….”

작은 환의 연주가 끝나자 귤은 감탄한 듯 박수를 쳤다.

“언제 이렇게 늘었어? 진짜 잘한다.”

“내가 그 동안 연습실 안에서 놀고 있었던 게 아니라고. 어때? 괜찮지?”

작은 환은 그녀의 말에 웃으며 자랑스레 이야기 했다.

“응. 잘해. 진짜 잘해. 옛날이랑 완전 다른데?

그 동안 밖에 안 나오고 연습한 보람이 있네.”

“그래. 이제 나보다 더 잘하는 거 같아.”

“하하. 뭐 그렇게까지.”

작은 환은 귤과 큰 환의 칭찬이 계속되자 쑥스러워져 웃으며 자신의 연주를 복기했다.

“그래도 아직 부족하긴 부족하지. 이 곡에서는 좀 더 음이 서정적으로 뽑아져 나와야 되는데. 그게 잘 안 되네. 그거까지 다 연습하고 나오려고 했는데, 그렇게 하려면 며칠 만에 될지도 모르는데 너무 늦을까 봐 그냥 나와 버렸어. 그 부분은 내일부터

좀더 연습해야겠어."

"아직도 연습할 게 남았어?"

"너무 완벽해지려고 하는 거 아니야?"

"완벽하게 하려고 한다고 해서 완벽해지겠어? 그냥 하나하나 하다 보면 조금씩 나아질 거고 그러다 보면 또 새롭게 고치고 싶은 것은 나올 테고, 그러면 또 연습하고, 그러면 또 고칠게 나오고 살아가는 동안 그렇게 쭉 계속 반복되겠지. 급하게 생각 안 해. 어차피 삶은 계속 이어지고, 연주도 계속 할 거니까. 그럼 이제 또 우리 삶을 살러 그만 슬슬 내려가볼까?"

작은 환은 연주가 끝난 바이올린을 챙겨 귤의 손을 잡고는 다시 문을 건너 계단을 내려왔다. 그 가족의 귀갓길은 만족스러운 미소가 가득했다.

90° 연주회

　한동안 혼란하기는 했지만, 그날 이후로도 세상이 크게 바뀐 것은 없었다. 여전히 수호는 도시의 지도자로 있었고, 여전히 도시는 철조망으로 둘러 쌓여 안에 있는 사람들은 안에 있는 데로, 밖에서 살고 있는 사람들도 그대로였다. 인도 여전히 철조망 밖 사람들에게 먹을 것과 잘 곳을 주었고, 혁명도 여전히 사람들을 찾아다니며 세상을 바꿔야 한다고 말하고 다녔다.

　하지만 그렇다고 아예 아무 것도 변한 것이 없는 것은 아니었다. 수호가 새로 만들려고 했던 법들은 취소되었다. 또 그날의 사건은 뉴스에 나왔고, 뉴스의 마무리로 나오던 인구수 발표는 더 이상 나오지 않았다. 또한 그날 어느 편에 서서 싸웠던 사람이든 간에 그 싸움으로 인해 다치고 다리가 불편해진 사람들은 그들 스스로가 제도와 시설의 부족함을 느끼게 되었고, 그런 사람들이 많은 관계로 그들을 위한 변화가 조금씩 일어나기 시작하기도 했다.

그 날 이후로도 가끔씩 이런저런 다른 이유들로 사람들은 그 날처럼 모여서 자신들의 불만을 토로하는 일이 많아졌다. 하지만 그 날만큼 크고 격렬한 싸움은 거의 일어나지 않았다.

환과 귤 가족의 일상에도 약간의 변화가 있었다. 그날 그렇게 연주를 한 덕택에 전보다 더 많은 사람들이 작은 환의 연주에 대해 알게 되었고, 그의 연주에 관심을 갖게 되었다. 그래서 그는 이제 자신의 이름을 걸고 바이올린 연주회를 할 수 있게 되었다. 누군가를 위한, 다른 무엇을 하기 위한 연주가 아닌 자신과 자신의 관객들을 위한 연주를 했다. 그의 연주회는 나름의 인기를 얻었고, 나름 괜찮은 수입도 얻었다. 그를 따라 악기를 연주 해보려는 사람들도 여럿 생겨났다. 그는 도시에서 나름 이름을 알리는 유명인사가 된 것이다.

그렇지만 시간은 흐르고 삶은 계속되기에 그에게 그렇게 좋은 일, 즐거운 일만 계속 일어날 수는 없었다.

"환아, 환아. 일어나봐."

어느 날 밤, 큰 환은 갑자기 자다 일어나서 작은 환을 걸걸하게 갈라진 목소리로 깨웠다. 작은 환은 부스스하게 일어나 잠이 덜 깬 채로 그에게 물었다.

"왜 그래? 무슨 일이야? 목말라?"

"아니, 이제. 이제. 음. 뭐라고 해야 되나….."

큰 환은 망설이며 쉽게 말을 잇지 못했다. 작은 환은 무언가 심상치 않은 일이라는 것을 깨닫고는 옆에 누워 잠들어 있는 귤을 서둘러 깨웠다.

"무슨 일이야?"

작은 환이 급히 흔들어 깨운 탓에 귤은 눈을 비비며 일어났다.

"그게."

작은 환도 무슨 일인지는 알아챘지만 그녀에게 쉽게 뭐라고 말을 꺼내기가 힘들었다. 그러는 사이 큰 환이 먼저 입을 열었다.

"이제 헤어져야 될 시간이 된 거 같아서."

마치 퇴근 하며 작별인사를 하듯 담담하게 말을 꺼내는 큰 환에 귤은 처음에는 그 말이 이해가 되지 않아 어리둥절해했다.

"무슨 말이야?"

하지만 그녀도 이내 곧 그의 말이 이해가 된 것인지 넋을 놓은 듯 얼굴이 굳어지며 말을 잇지 못했다. 잠시 뒤 그녀는 어느 정도 생각이 정리되자 다시 말했다.

"정말 확실해? 그냥 좀 몸 상태나 기분이 나쁜 건 아니고?"

"아니야. 확실히 맞는 거 같아. 너희들 안 깨우고 조용히 가려고 했는데. 그럼 너무 서운할 것 같아서."

"잘 했어. 잘 했어."

작은 환은 더 무슨 말을 해야 할 지 알 수 없었다. 그저 눈물만 왈칵 쏟아졌다. 태어나면서부터 한 순간도 떨어져본 적이 없는 그와 함께 할 수 있는 마지막 시간인데 그에게 뭐라 해줄 말이 없었다. 큰 환도 딱히 할 말이 없는지 머뭇거리다 힘겹게 입을 열었다.

"뭐라고 해야 되나. 같이 살아줘서 고마워. 즐거웠어. 그래도 마지막에 다 함께 있을 수 있게 돼서 다행이야. 귤아, 이리와. 한 번 안아보자."

작은 환은 몸을 돌려 큰 환을 귤에게 가까이 보냈다. 포옹을 하고 서로의 등을 두드려 주는 그들의 눈에는 눈물이 맺혀있었다. 그리고 어느새 큰 환의 숨소리가 가빠지기 시작했고, 안 그래도 말랐던 몸이 눈에 띄게 더 수척해져 갔다. 작은 환은 걱정스런 목소리로 물었다.

"괜찮아? 환아, 괜찮아?"

큰 환은 여전히 가쁜 숨을 내쉬었지만 애써 웃음을 지으며 고개를 끄덕였다.

"이제…야 겨우… 널… 안아 보겠구나."

그것이 큰 환의 마지막 말이었다. 작은 환은 더 이상 움직이지 않는 큰 환을 일으켜 꼭 껴안으며 펑펑 눈물을 흘렸다. 자신의 품 안에서 그가 흩어져 아무 것도 남지 않았을 때까지도 그는 그 자세 그대로 시간이 멈춘 듯 움직이지 않았다.

그리고 또 시간은 흘렀다. 어느새 귤에게도 작은 귤이 생겼다. 귤은 물론 환도 그 조그만 아이가 태어난 것에 축하하고, 그 아이에 자신이 처음 태어났을 때처럼 애정을 쏟았지만 이제 새롭게 큰 귤이 된 그녀가 안쓰러워지는 마음이 드는 것은 어쩔 수 없었다. 어렸을 때, 귤이 자신을 왜 그렇게 대했는지 조금은 이해가 되는 듯했다.

그리고 시간은 또 흘렀다. 그의 바이올린 실력은 전진과 정체를 번갈아 가며 계속 발전을 해나갔지만, 그의 관객들은 조금씩 줄어 어느 샌가 더 늘지도 더 줄지도 않게 되었다. 항상 오는 사람이라고는 덕과 별, 그리고 가끔씩 인과 혁, 명, 종, 준 등이었고, 그들은 그의 연주를 자주 들으러 오긴 했지만 그들에게까지 입장료를 받을 수는 없는 일이라 경제적인 상황은 처음 연주회를 열었을 때만큼 좋진 않았다. 하지만 그래도 연주회를 하며 다른 사람들에게 자신의 음악을 들려주는 것 자체가 그는 좋았고, 더 부유해지지는 않았지만, 더 가난해지거나 먹고 살기가 아예 힘들만큼은 아닌지라 그는 그의 인생에서 아직 다른 도전을 시작하지는 않았다.

그러던 어느 날, 그가 연주회를 마치고 옷을 갈아입으려는데, 왼편 옆구리가 근질거리는 것이 느껴졌다. 그는 뭔가 싶어 옷을 들춰보니 그 곳엔 작은 혹이 하나 볼록 솟아있었다.